山川出版社

新・歴史遊学

覚える歴史学から考える歴史学へ

学習院大学文学部史学科 編

目次

日本史 3

東洋史 113

新・歴史遊学——覚える歴史学から考える歴史学へ

日本史

「壬申の乱世代」からの世代交代

鐘江 宏之

歴史における世代の問題

学生気質や、若者と年配者との感覚の違いなどが取り上げられるたびに、「戦中世代」「戦後世代」などのように、育った環境や条件の違いを意識して区分し、ある時代の年齢層を「○○世代」のように呼ぶことがある。私などは、さしずめ高度成長期世代とでも呼ばれるのであろうか。世代ごとに育った環境が違えば、世の中に対する考え方も違うということは、どの年代の人々の感覚にもあり、該当する年代の人々自身の感覚から積極的に「○○世代」という言葉が使われることもある。世代間での考え方や感覚の違いが生じる原因が、各世代が経験した時代の条件によるものなのであれば、このような「世代」の違いがあるのは、現代社会に限ったことではないだろう。

世の中の営為が人間の営みである以上、人間の生き方、人間の年齢というものが、世相にはかかわってくる。世代が替わってもあまり変わらず受け継がれていき、ゆっくりとしか変化しないものもあれば、世代が替わるとどんどん変わっていくものもある。

日本の古代社会における重要な出来事として、六七二年に起きた壬申《じんしん》の乱がある。当時の国内を二分した戦いであり、その後の社会に大きな影響を与えたという点で、歴史的に非常に重要な戦いであった。また、その後の七〇一年における大宝令《たいほうりょう》の施行も、日本における律令諸制度の本格的な完成という点で、重要な出来事と認識されている。

六七二年に二十歳だった者は、大宝令が施行された七〇一年には四十九歳になっている。まさに世の中心の大人として動いているはずである。一方、六七二年に五十歳だった者は、七十九歳となり、また四十歳の壮年だった者でも六十九歳を迎えている。もはや晩年、あるいは亡くなる者もいる年齢である。こうした時期にどのように世の中が変わっていくのかということを考えてみるために、ここでは世代の交代の問題を取り上げてみたい。無味乾燥な年表のような出来事の羅列だけではなく、世の中の雰囲気を考える材料が得られるだろうという点での、これは一つの試みである。

壬申の乱の歴史的意義

壬申の乱は、天智《てんち》天皇の亡くなったあとに、皇位継承の有力候補であった天智天皇の子の大友皇子《おおとものみこ》と、天智天皇の弟の大海人皇子《おおあまのみこ》のそれぞれに、支援する勢力がついて対立し、内乱に発展した戦いである。

大友皇子は、天智天皇の治政下の六七一年正月には近江《おうみ》朝廷で太政大臣《だいじょうだいじん》となり、弱冠二十四歳ながらも朝廷のなかで確固たる地位を与えられた。天智天皇の子として皇位継承候補ではあったが、母の宅子娘《やかこのいらつめ》は伊賀采女《いがのうねめ》であり、母の身分が高くないということが、皇位継承候補としての問題点とみなされたと考えられている。一方の大海人皇子は、天智天皇とは数歳程度の差の同母弟であり、天智天皇即位後は皇太弟として天皇を支えていたが、大友皇子が太政大臣となった六七一年の九月に天智天皇が病となり、十月に天皇から後事を託されたがこれを固辞して出家し吉野に隠棲した。母の出自は大友皇子に比べて明らかに高く、隠棲したとはいえ、天智天皇の後継として彼を望む者は少なくなかったと考えられている。

天智天皇は、六六三年の百済《くだら》救援戦争での敗戦後、対外的な危機のなかで百済からの亡命貴族も登用し、六六七年に都を近江国大津《おおつ》に遷して翌年には即位し、さまざまな改革を実施して国内体制整備を進めていた。しかし、六七一年九月に病となり、十二月に息を引き取った。このとき近江朝廷の重臣であった左大臣蘇我赤兄《そがのあかえ》、右大臣中臣金《なかとみのかね》らは、天智天皇崩御《ほうぎょ》後に大友皇子を支える勢力として一貫して動いており、天智天皇崩御直後の近江朝廷の有力者たちは、ほぼ大友皇子方であったと考えてよい。

一方の大海人皇子は、出家し吉野《よしの》に隠棲する道を選んだが、天智天皇が中大兄皇子《なかのおおえのみこ》として皇位継承候補の一人だった時期には、有馬皇子《ありまのみこ》のように競合する候補が謀殺された事例があり、大海人皇子も自身が謀殺される危険を感じていたであろう。大海人皇子の吉野隠棲は生き延びるための行動であった。近江朝廷のなかでは、大海人皇子が吉野に向かったのを放置したことに対して「虎に翼を着けて放つようなもの」とまで言う者もあったと伝えられる。こうした大海人皇子の支持に回ったのは、日常的な支援にあたっていた湯沐邑《とうもくゆう》(皇太子や皇太弟の経済的基盤のための指定地)に定められた地域のある美濃《みの》の豪族たちや、近江朝廷に反発し大和《やまと》の根拠地に戻っていた一部の中央豪族たちであった。天智天皇が亡くなったあとに、近江朝廷が東国から人夫を徴発しているという知らせを受けると、大軍勢で攻め込まれる危険を避けるため、大海人皇子は湯沐邑にゆかりのある美濃の豪族たちを頼って吉野を脱出し、伊賀・伊勢《いせ》を経由して美濃にたどり着いた。そして、東国の兵力を手中に押さえて近江朝廷に軍事的な対抗を挑んだのであった。これと並行して、大和にいた大伴氏《おおともし》を中心とする反近江朝廷勢力も、大海人皇子を頼みとして反旗を翻し、近江や河内から攻め込む朝廷軍と戦闘に及んだのである。

かくして、六七二年六月二十九日から戦闘が始まった。大伴氏らの大和の反乱軍は、近江朝廷軍を相手に決死の戦いに挑み、一度は敗走するも、美濃からの援軍を得て戦局を建て直し、粘り強く戦って近江朝廷軍に勝利する。東国の兵力を手に入れた大海人皇子軍の本隊は、琵琶湖の北岸・南岸を西に進攻し、七月二十二日には瀬田橋《せたのはし》と三尾城《みおのき》が陥落して、大津宮が大海人軍の手中となった。側近とともに逃亡した大友皇子も、二十三日には山前《やまさき》で自害する。こうして、約一カ月間の真夏の戦闘は、大海人皇子方の勝利に帰した。乱後の九月中旬、大海人皇子は飛鳥に凱旋《がいせん》し、翌年には即位した。これが天武天皇である。

先行研究では、この壬申の乱をとおして、大海人皇子のカリスマ性が大きく強化されたと評価されている。わずか三〇名余りの人数での心許ない吉野脱出劇から、徐々に味方と合流して最終的には勝利をつかむにいたった「強運」や、美濃到着後に野上行宮《のがみのかりみや》で夜の雷雨にみまわれた際に、大海人皇子が「天神地祇、朕を扶《たす》けたまはば、雷なり雨ふること息《や》めむ」と祈ったところすぐに雷雨がやんだという伝承などが、大海人皇子の神格化に寄与することとなっていく。もちろん勝利後に誇張された部分もあるだろうが、大海人皇子に対する、神通力も備えたカリスマ的リーダーとしての周囲の見方は、強固になっていった。

さらに、近江朝廷方に属していた有力中央豪族たちがことごとく敗れ去ったために、乱前の朝廷においては伝統的中央豪族として力をもっていた氏族が弱体化してしまった。近江朝廷に対する反乱軍として大海人皇子に与した大伴氏とその仲間たちは乱後に評価されたが、政権中枢の豪族勢力全体は弱体化してしまったのである。このことは豪族層と王権とのバランスを変化させ、天武天皇は相対的に強力な王権を保持することになったのである。

また、近江朝廷は、百済滅亡後に多くの亡命貴族を登用していたが、そうした百済系の人々が優待され重用されていた雰囲気が、都の場所も飛鳥《あすか》に戻ることになって変化していくことになったとも推測される。さらには、乱の際に大海人皇子軍を支えた地方豪族たちの動向が、その後の社会でも無視できないものとなったであろう。

こうした新たな朝廷の体制のもとで、新しい官僚組織の整備も進められていった。天武天皇の強大な王権が、権力集中による新たな中央集権的官僚制の推進を可能にしたのである。

壬申の乱後の社会

壬申の乱後に、どのようなことが達成されたか、あらためて整理してみることにしたい。天武天皇の治政とそれを支えた皇后鸕野讃良皇女《うののさらら》の時代には、次のような事績が知られる。

六七二年　飛鳥浄御原宮《あすかきよみはらのみや》の造営開始
六七三年　官人登用の法を定める
六七五年　甲子《かっし》の宣で認めた部曲の廃止、中央官人に武器を備えさせる
六七八年　官人の勤務評定による位階昇叙の制を定める
六八一年　浄御原令の編纂を命じる
六八二年　服制を定める、この頃新京（のちの藤原《ふじわら》京）の造営を開始する
六八三年　陪都《ばいと》として難波《なにわ》京を造営、諸国の国境を区画する
六八四年　八色《やくさ》の姓《かばね》の制定
六八五年　新冠位制を定める

壬申の乱を経験し勝ち残った人々は、内乱ののちの政治体制が強固に構築されていく世の中を、身をもって体験したはずである。

天武天皇が六八六年に亡くなると、皇后鸕野讃良皇女とのあいだの子である草壁皇子《くさかべのみこ》が皇位継承の有力候補であったが、その草壁皇子が六八九年に亡くなったため、翌年に鸕野讃良皇女が即位した。これが持統《じとう》天皇である。持統天皇は天武天皇時代にも皇后として政治にかかわっており、その路線を維持して次代の文武《もんむ》天皇の大宝律令《たいほうりつりょう》制成立に継承

されたという考え方が有力である。天武天皇から持統天皇までの治政を一続きの時期として捉え、「天武・持統朝」のようにまとめて扱われることも多い。

持統天皇の時代には、次のようなことが達成された。

六八九年　浄御原令の施行

六九〇年　中央と地方の官僚の遷任の開始、庚寅年籍《こういんねんじゃく》の作成

六九一年　良・賤身分の基準を定める

六九四年　藤原宮に遷居(藤原京遷都)

天武天皇の時代から持統天皇の時代にかけて、たしかに役人たちには続けて活躍している者も多い。しかし、天武天皇時代にはあまりめだたなかったが、持統天皇の治政になってから顕著に活躍が知られる者もいる。著名な者を挙げるならば、持統天皇の頃から台頭し大宝律令制定の中心人物になった藤原不比等《ふじわらのふひと》は、天武天皇時代にはほとんどその活躍が知られない。年齢的には十四歳から二十八歳にかけての時期にあたり、まだ若手として経験を積む最中という印象である。また、文化面でも、持統天皇の時代に宮廷歌人として有名な柿本人麻呂《かきのもとのひとまろ》は、天武天皇の時代の歌はほとんど知られず、持統天皇時代になってから重用されるようになったとみられる。あたりまえのことではあるが、時が推移すれば、新たに台頭してくる者がおり、それによって時流とも呼ぶべき世の潮流がつくられていくのである。持統天皇の時期については、壬申の乱を経験した世代がまだ残りながら、新たに台頭する者も加わっていっている時期と捉えることができるだろう。

壬申年の功臣たちの世代交代

歴史書のなかで、生前の壬申の乱での功績に言及される者がいる。彼らは壬申年の功臣として扱われ、亡くなった際には朝廷から特別の使者が葬儀に派遣されることもあった。彼らが亡くなった際に、そうした扱いをした記録がみられ、そこに「壬申年の功」のような説明がつけられている。一例として、物部連雄君が亡くなった際の、『日本書紀』天武天皇五(六七六)年六月条の記事を挙げておくと、次のようなものである。

六月、……物部雄君連、忽ちに病発りて卒す。天皇、聞しめして大きに驚きたまふ。其の壬申の年に、車駕に従ひて東国に入り、大功有るを以て、恩を降し内大紫位を贈ふ。因りて氏上を賜ふ。

人名表記についてやや補足をしておく。『日本書紀』では、姓の「連」を人名の最後に付す表記が多くみられ、ここでも「物部雄君連」(もののべのおきみのむらじ)となっているが、現代の我々が通常この人物を呼ぶときには、「物部連雄君」(もののべのむらじおきみ)とするか、あるいは姓の「連」を省略して「物部雄君」(もののべのおきみ)と呼ぶのが一般的である。この記事では、雄君が急病で亡くなったことに対して、壬申の年に天武天皇の側近として従い東国に赴いた功績を「大功」と評価して、特別に位階を追贈(生前の功績を評価し、亡くなったあとに位階を贈って昇叙させること)し、またあわせて氏上に待遇するという扱いがなされている。

このような、壬申年の功臣が亡くなったことを伝える歴史書の記事が知られる者を、表1にまとめておいた。『日本書紀』や『続日本紀』は、最終的に五位ないしそれに相当する位階を得た者までしか死亡記事を載せないので、ここに挙がっているのは五位以上に昇ったあとに亡くなった者と、亡くなった際に五位以上を追贈された者である。

持統天皇は六九七年八月に譲位し、草壁皇子の子、すなわち持統天皇の孫にあたる文武天皇が即位した。おそらくこ

表1　壬申年の功績が知られる者の死没年月

人名	死没年月	西暦	死没時の位階
坂本臣財	天武天皇2年5月	673	大錦上(正四位上相当)
紀臣阿閉麻呂	天武天皇3年2月	674	
大分君恵尺	天武天皇4年6月	675	外小紫(従三位相当)
物部連雄君	天武天皇5年6月	676	
村国連男依	天武天皇5年7月	676	
坂田公雷	天武天皇5年9月	676	
紀臣堅摩呂	天武天皇8年2月	679	
大分君稚見	天武天皇8年3月	679	
秦造綱手	天武天皇9年5月	680	小錦下(従五位下相当)
星川臣摩呂	天武天皇9年5月	680	小錦中(正五位下相当)
三宅連石床	天武天皇9年7月	680	小錦下(従五位下相当)
舎人連糠虫	天武天皇11年2月	682	小錦下(従五位下相当)
土師連真敷	天武天皇11年3月	682	
膳臣摩漏	天武天皇11年7月	682	小錦中(正五位下相当)
大伴連望多	天武天皇12年6月	683	
大伴連男吹負	天武天皇12年8月	683	
当麻真人広麻呂	天武天皇14年5月	685	直大参(正五位上相当)
羽田真人八国	朱鳥元年3月	686	直大参(正五位上相当)
蚊屋忌寸木間	持統天皇7年9月	693	
丸部臣君手	文武天皇元年9月	697	勤大壱(正六位上相当)
田中朝臣足麿	文武天皇2年6月	698	直広参(正五位下相当)
坂上忌寸老	文武天皇3年5月	699	
県犬養宿禰大侶	文武天皇5年正月	701	直広壱(正四位下相当)
忌部宿禰色布知	大宝元年6月	701	正五位上
民忌寸大火	大宝3年7月	703	従五位下
高田首新家	大宝3年7月	703	正六位上
大神朝臣高市麻呂	慶雲3年2月	706	従四位上
文忌寸禰麻呂	慶雲4年10月(墓誌では9月)	707	従四位下
黄文連大伴	和銅3年10月	710	正六位上

の文武天皇の即位の頃から新律令の準備が始まり、七〇一年には大宝と元号が建てられて、新律令が施行され、大宝律令と呼ばれるようになる。

表1からわかるように、壬申の乱の直後から、壬申年の功臣の死亡記事はいくつもみられるが、大宝建元のあとには記事がかなり少なくなる。大宝年間以降の時期になると、功績のあった者として朝廷内でそれなりに昇進した者たちも、すでにその数はあまり多くないのであろう。壬申の乱を経験した世代の功労者も多くその寿命にいたっており、世代交代を迎えたということができる。

そして、和銅《わどう》三(七一〇)年十月の黄文大伴《きぶみのおおとも》の亡くなった記事を最後に、壬申の功臣であったことを示す死亡記事がみられなくなる。和銅三年は、壬申の乱から三八年が経っており、おそらく乱の当時には若い舎人《とねり》であった可能性の高い黄文大伴も、すでに老齢であったと思われる。平城京遷都の頃には、朝廷における壬申年の生き証人は、もはやほとんどいなくなってしまっていたということになるだろう。

大宝二年の人口構成

別な史料から、大宝年間頃の時期の人口構成を考えることもできる。大宝二(七〇二)年の戸籍が、御野国《みののくに》と西海道《さいかいどう》のいくつかの国について正倉院《しょうそういん》文書のなかに部分的に残っており、この年の庶民の年齢構成を明らかにできる材料となる(「御野国」は美濃国の古い表記で、大宝二年戸籍では「御野国」と書かれている)。もちろん、政治にかかわる身分の豪族や貴族たちのほうが、さまざまな条件差のために庶民よりも寿命がやや長くなるとも推測されるが、ここではそうした点の影響は考えず、単純に当時の人々の年齢構成としてみてみることにしたい。

表2は、奈良時代の戸籍について多様な観点から分析を試みた布村一夫の統計手法に倣い、大宝二年の戸籍のうち、

表2　大宝2年御野国戸籍における年齢別人口構成

郡 里	加毛郡 半布里			味蜂間郡 春部里			本簀郡 栗栖太里				
戸数(戸)			54			26			17		
戸口数(人)			1119			595			299		
年齢不明者(人)			2			0			5		
年齢不明者を除く戸口数(人)			1117			595			294		
年齢	男	女	計	男	女	計	男	女	計	3里合計	人口比
1～5	97	90	187	54	39	93	18	29	47	327	69.94％
6～10	67	56	123	26	45	71	15	21	36	230	
11～15	81	84	165	31	35	66	25	20	45	276	
16～20	70	87	157	38	32	70	17	25	42	269	
21～25	60	46	106	29	19	48	13	8	21	175	
26～30	39	25	64	29	17	46	12	4	16	126	
31～35	24	38	62	15	38	53	12	15	27	142	20.44％
36～40	26	23	49	23	14	37	5	7	12	98	
41～45	22	32	54	8	25	33	6	7	13	100	
46～50	16	22	38	6	18	24	2	6	8	70	
51～55	15	17	32	7	9	16	5	4	9	57	9.62％
56～60	16	12	28	5	7	12	3	5	8	48	
61～65	8	12	20	2	10	12	1	2	3	35	
66～70	5	8	13	2	7	9	2	3	5	27	
71～75	5	6	11	0	2	2	0	2	2	15	
76～80	2	0	2	2	0	2	0	0	0	4	
81～85	1	3	4	0	0	0	0	0	0	4	
86～90	1	0	1	0	1	1	0	0	0	2	
91～95	0	1	1	0	0	0	0	0	0	1	
合計	555	562	1117	277	318	595	136	158	294	2006	

御野国で相応の分量が残っている三つの里を対象として、年齢ごとの人口数を示したものである。布村は奴婢《ぬひ》の数を入れずに良民のみで人口構成比を検討したが、ここでは奴婢を含めた年齢構成ごとの統計表としてあらためて作成した。壬申の乱のあった六七二年生まれの者は、当時は数え年であるので、この年には三十一歳ということになる。三十歳以下は壬申の乱の翌年以降に生まれたことになるが、人口比ではその割合は六九・九四％になる。当時は子どもの死亡率が高く、現代に比べて乳幼児の人口比率が大きくなることもあるが、全人口の約七割は壬申の乱後の生まれということになる。

一方、この大宝二年に五十一歳だった者は、壬申年に成人年齢の二十一歳であった。そうした壬申の乱を大人として経験した者で大宝二年に存命であった者、すなわち五十一歳以上の割合は、九・六二％である。もう一割を切る程度しか、当時の大人は存命していないのである。

壬申の乱において大海人皇子軍の兵士が多数徴発されたとみられる美濃国の場合、大宝二年の戸籍のなかに、壬申の乱に兵士として従軍したことで位階を得たと思われる者も存命している。二十一歳以上が兵士として徴発された可能性があるとみれば、大宝二年段階では五十一歳以上ということになるので、そのなかでの有位者で年齢のわかる者の数を示すと次のようになる。

味蜂間《あはちま》郡春部《かすがべ》里　……　五十七歳、六十九歳、七十七歳（それぞれ各一名）
加毛《かも》郡半布《はにゅう》里　……　五十八歳、五十九歳、六十歳（それぞれ各一名）
山方《やまがた》郡三井田《みいだ》里　……　六十一歳（一名）

彼らが位階を得る要因となったのが壬申の乱での活躍のみだと断言はできないが、彼らは乱当時に二十七歳から四十七歳までの範囲の年齢にあり、兵士として従軍した可能性はかなり高いとみてよいだろう。この想定を前提に考えると、各里に数名は従軍経験者がまだ存命だったことになる。なお、三井田里は戸籍の全体は残っていないが、里全体の統計を示した部分が残っており、その記載によれば壬申の乱時に成人だった可能性がある有位者は、最大でも五名である。

このように、大宝二年の戸籍から考えてみると、大宝律令施行の頃にはまだ壬申の乱を大人として経験した世代は存命ではあったが、その後の年の経過とともに人口比率が大きく減っていくと考えられる。つまり、壬申の乱とその直後を語ることのできる世代の割合は、大宝律令制の施行後になると、急激に減っていくのではないかと思われる。

のちの世代による継承

壬申の乱が、乱後に大きなカリスマ的存在となった天武天皇のもとで、天皇の大きな権威を中心とした国家体制を整えていく契機になったことは、先に述べた。そしてその体制のなかで律令制度が整備され、やがて大宝律令制ができあがっていく。大宝律令制のもとでは、その時代の体制につながる強力な王権のもとの中央集権体制が成立した画期として、またその時代の天皇につながる権威を保持することになったきっかけとして、壬申の乱の意義が大きく評価されていたと考えられる。しかし、先に述べたように壬申の乱を実体験で知っている世代は急速に減っていく状況となった。こうした状況下で、現状の体制を維持する支配者層は、どのようなことをおこなっているのだろうか。

大宝年間の時期ほどまだ壬申の乱世代が減ってはいないと思われる持統天皇の時代から、すでにこの点への対処とみられることが知られる。持統天皇はたびたび吉野行幸《よしののぎょうこう》をおこなった。天武天皇が即位後に吉野行幸を一回しかおこなっていないのに比べて、持統天皇は先帝皇后として二回、天皇在位中に二九回、譲位後に太上天皇《だいじょうてんのう》として一回、吉野行幸をおこなった。また文武天皇も二回吉野行幸をおこなっている。吉野は天武・持統・文武と続く系譜にとって、いわば現体制の創始にかかわる「聖地」であり、振り返るべき経験の地だったのだろう。

吉野行幸だけでなく、伊勢や美濃を巡る行幸もあった。持統天皇は六九二年に伊勢行幸をおこなったほか、譲位後の大宝二年には太上天皇として三河《みかわ》まで行幸し美濃・伊勢をも巡って帰還した。文武天皇の姉にあたる元正《げんしょう》天皇は霊亀《れいき》三(七一七)年に美濃まで行幸している。文武天皇の子の聖武《しょうむ》天皇は、天平《てんぴょう》十二(七四〇)年の藤原広嗣《ひろつぐ》の乱の際に、伊勢・美濃・近江を経由し恭仁《くに》までの行幸をおこなったが、これも大海人皇子の壬申の乱における経路をたどったものとする見方が近年は有力になっている。聖武天皇は先祖の偉業にあやかって自身の政治を強化する狙いをもっていたのかもしれない。聖武天皇は東国行幸以前にも、吉野に何度か行幸しており、天武天皇の威徳を偲ぶことがたびたびあったのだろう。

体験を伝える手段として、壬申の乱世代がほとんどいなくなった頃にできあがっていくのが歴史書である。『日本書紀』は天武天皇十(六八一)年に編纂が始まり養老《ようろう》四(七二〇)年に完成する。また、『古事記』は天武天皇の頃から編まれていたとみられるが、和銅五(七一二)年に太安万侶《おおのやすまろ》による筆録が完成した。どちらも、壬申の乱の体験のない世代に対して、現在の政治体制がいかに歴史的な由緒をもって続いてきているかを説明し、肯定的に理解させる役割を果たすことになる。『古事記』は推古《すいこ》天皇の時代までしか収載されていないが、『日本書紀』は持統天皇までの時代を載せている。なかでも、全三〇巻のうち天武天皇の時期に上下二巻をあてており、さらにその上巻はほとんどが壬申の乱の記述に費やされている。『日本書紀』のなかでは、これほど詳細な記述で書かれている戦乱はほかにない。『日本書紀』の編纂者にとって、壬申の乱を語ることがいかに重要だと考えられていたかがわかる。このような大きな分量の壬申の乱記事を含む『日本書紀』は、その編纂が開始された天武天皇の時代から編纂が完了した元正天皇の時代にかけて、その間に積み上げられてきた「過去への歴史観」によって描かれたものである。壬申の乱をどのように後世に伝えていくかということは、歴史書のかかえる多くのテーマのなかの一つであった。

壬申の乱の経験は、その後の事変防止の策にも影響がみられる。奈良時代以降、天皇の代替りの警戒や謀反の発生に際して、固関《こげん》がおこなわれた。固関の当初の形態は、伊勢国鈴鹿関《すずかのせき》、美濃国不破関《ふわのせき》、越前《えちぜん》国愛発関《あらちのせき》の三関を閉じ、関の内側にあたる京・畿内の側と、関の外側の地との往来を停止することである。都や畿内で反乱が起きた場合に、反乱者が関の東に出て東国の兵力を率いて攻めてくることが懸念された。つまり、大海人皇子軍の再来を恐れたのである。大海人皇子の跡を継いだ者たちは、大海人皇子の勝利の経験を踏まえ、それと同じことをさせない策を敷いたのである。

壬申の乱をのちの時代の人々が意識するための機会は、以上に挙げてきたこと以外にもあったかもしれない。いずれにしても、壬申の乱の記憶の再生産が何度も試みられているということはいえるだろう。壬申の乱世代から世代交代したのちの時期の問題として、こうした事業の意義をあらためて考えていくことが必要である。

「世代」転換への認識と歴史を見る目

筆者は一九六四年、すなわち戦後一九年が経った年の生まれである。筆者の両親は子ども時代に戦争を体験しているから戦中世代とはいえるかもしれない。そのあとの世代を戦後世代とするならば、戦争が終わってすぐに戦後の民主化のなかで生まれ育った世代が、いわば本当の「戦後世代」であり、筆者のようなさらにその一〇年以上もあとの年代の者は、戦後すぐの時期の苦労を知らないので、とても戦後世代と一緒にはされえないと思って育ってきた。一九五六年の『経済白書』に登場した「もはや戦後ではない」の言葉は筆者が子どもの頃にはずいぶん前のことになっていたし、両親の語る戦中・戦後の苦労話もすでに時間的にはかなり前のことのように受け取ってきた感はあった。

しかし、戦後七五年となった今になってあらためて振り返ってみると、自分の子ども時代にも、上野駅から上野公園に向かう道の脇には傷痍《しょうい》軍人が何人も座っていたし、子ども心ながらの戦争のイメージで見ていた特攻隊を題材にした映画も多くあったし、パチンコ屋の前を通るといつも軍艦マーチが鳴り響いていた。日常生活で見る風景のなかに、戦争の面影を残すものはかなり残ってはいたのである。そういう面影が消えていったのはいつ頃からであったろうか。ふと気がついたときには、そうした面影はあまり見られなくなり、話題のなかでしか振り返ることはなくなった。

現代において戦後を意識するものの見方は、人それぞれに異なるだろう。そういったさまざまな人々の、ある年代のかたまりとしての集合体が「世代」なのであろう。総体としてその世代が共有していた経験や記憶が、なんらかの形で社会のあり方に影響を与え、また社会を動かす主力の世代が入れ替わっていくことで、各世代ごとに共有された記憶は社会のなかでの位置づけを変えていくことになる。

ここまで、壬申の乱を経験したかどうかという視点で、世代の問題を考えてみた。壬申の乱の爪痕が消えていき、またその直後の天武天皇時代の政策を実際に見てきた世代もいなくなっていくなかで、その意義をどのように汲み取り伝えていくかということは、次の世代に突きつけられた課題であったことは想像に難くない。大海人皇子のカリスマ性にふれたという絶対的な経験は、その時代の当人たちが亡くなっていくことで、実体験から言い伝えへと替わっていく。次の世代の君臣関係は、次の世代の人々のなかで築かれなければならない。その新たな時代にこそ、過去を語るための拠り所が必要になってくるだろう。『日本書紀』が完成して、あらゆる人々にとっての史実の共通の拠り所になっていったのが、まさにこの時期なのである。『古事記』が筆録され、『日本書紀』が編纂された時期というものを真摯に考えてみるならば、歴史書の役割にいま一度光を当てて考えてみることができるだろう。

このような視点から世代交代の問題を意識して考えてみるならば、どの地域のどの時代であれ、それぞれの地域のそれぞれの時代の出来事を考える際には、歴史事象を単体で見るのではなく、世代が入れ替わるような時間差を経た出来事どうしがどのように関係しているのかということにも、つねに思いをめぐらせる必要があることに気づくだろう。そこになんらかの関係を見出すことができたならば、きっとその時代の人々の感覚に、一歩近づくことができるだろうと思うのである。

参考文献（壬申の乱を扱った先行研究は膨大にあるが、以下は本稿にかかわる内容のものを最低限挙げるにとどめる。）

倉本一宏『壬申の乱』（戦争の日本史2）吉川弘文館、二〇〇七年
田中卓『壬申の乱とその前後』（田中卓著作集5）国書刊行会、一九八五年
直木孝次郎『増補版　壬申の乱』塙書房、一九九二年
布村一夫『正倉院籍帳の研究』刀水書房、一九九四年
早川万年『壬申の乱を読み解く』吉川弘文館、二〇〇九年
渡辺晃宏『平城京と木簡の世紀』（日本の歴史04）講談社、二〇〇一年

伊勢宗瑞の小田原入部

明応年間の相模トラフ地震の観点から

家永遵嗣

戦国時代の関東に覇を唱えた戦国大名後北条氏《ごほうじょうし》は、相模《さがみ》国小田原を本拠とした。のちに「北条早雲《ほうじょうそううん》」とも呼ばれる初代、伊勢《いせ》早雲庵天岳宗瑞《てんがくそうずい》(俗名は伊勢盛時)が初めてである。しかし、宗瑞が「いつ、どのようにして」小田原の支配者になったのかということは明らかではない。

宗瑞は大森氏から小田原城を奪ったともいう。近世の軍記には大森氏を「だまし討ちした」という伝承がある。しかしながら、後北条氏が戦国時代に「だまし討ち」について非難されていたという証拠がない。そこで、西暦一五〇〇年を挟む前後一〇年ほど、誰が小田原を支配しているのかがわからない時期がある、という問題を設定してみる。

小田原城は東海道の箱根路(今の国道一号線のルート)と熱海路(今の東海道線・新幹線のルート)との分岐点を制する城塞である。大森頼春《おおもりよりはる》が鎌倉公方足利持氏《くぼうあしかがもちうじ》から「小田原関所」を委ねられた(「鶴岡八幡宮文書」『小山町史第一巻　原始古代中世資料編』〈以下『小山町史』と略〉五八八号史料〈以下「史料」を略す〉)。その後、頼春の子氏頼《うじより》が十五世紀半ばに小田原城を開いた(『鎌倉大草紙』)という。大森氏と小田原城との結びつきは、明応《めいおう》三(一四九四)年九月二十三日に三浦道寸《みうらどうすん》(義同《よしあつ》)が「小田原の城主大森筑前守《ちくぜんのかみ》」(藤頼《ふじより》か定頼《さだより》)の支援で三浦氏当主に返り咲いた(『北条五代記』『改訂史籍集覧』第五冊一八七頁)という時期までわかる。

小田原城が後北条氏の城塞になっていることを示す初見史料は永正七《えいしょう》(一五一〇)年のものだ。宗瑞方を追撃して「小田原城涯」まで攻め込んだ、ということを三浦道寸が報じた同年十月十九日の書状がある(「秋田藩家蔵文書十」『小田原市史史料編　原始古代中世Ⅰ』三三六号)。宗瑞は伊豆韮山《にらやま》を本拠にしていたので、小田原城は相模への出撃基地だった。

これより六年前、永正元(一五〇四)年九月の武蔵立川原《たちかわはら》(東京都立川市)の合戦に出陣した宗瑞と今川氏親《いまがわうじちか》は、帰陣の途中で鎌倉に「逗留」し、熱海で湯治し、韮山で休養したという(『宗長手記』『静岡県史資料編7』三七〇号)。鎌倉から小田原を通って熱海に行ったはずだが、小田原で大森氏に接触(戦ったり挨拶したり)しておらず、宗瑞の小田原城に立ち寄るでもなく、素通りしたのだ。一四九四年から一五〇四年頃にかけての小田原の支配者が判然としないのだ。

近年、考古学・地震学の成果によって、明応《めいおう》四(一四九五)年ないし明応九(一五〇〇)年に、相模湾域で関東大震災クラスの大地震(相模トラフを震源とする地震)があったらしいということが判明した。ちょうど「誰が小田原を支配しているのかがわからない」時期のことだ。明応年間に相模湾域で大きな地震と津波被害があったということは、二〇一二年に発掘調査の成果が公表されるまでは誰も想定していなかった。その後の模索の経緯をたどってみたい。

「相模トラフ」の巨大地震

現在の地震学で通説にあたるのは、プレート・テクトニクス理論である。海洋底の地殻は大洋中の海嶺地域において日々新たに産生しており、流体のように移動して、年間に数センチのペースで大陸の地殻の下に沈み込んでいる、という。海洋底地殻によって押し込まれる大陸側地殻が、周期的に跳ね返って歪みを修整する。これが海溝性巨大地震だと考えられている。地震予知に結びつく可能性があることから、海溝性巨大地震の示す周期性が注目されている。

二〇一四年に公表された政府地震本部の報告書「相模トラフ沿いの地震活動の長期評価(第二版)」によれば、相模湾域では、日本海溝から分岐して小田原にいたる海底峡谷「相模トラフ」が巨大地震の巣であるという(左頁参照)。

前記の政府報告書では、一九二三年九月の大正関東地震(関東大震災)、一七〇三年十二月の元禄《げんろく》関東地震、一二九三(正応六・永仁《えいにん》元)年五月の永仁関東地震が、相模トラフに震源をもつ大地震だと判断された。一九二三年と一七〇三年との間隔が二二〇年で、一七〇三年と一二九三年との間隔が四一〇年である。後者の中間点にあたる一四九〇年代にも巨大地震があったのではないか、と論議されている。二二〇年前後の周期になるからだ。

右報告書より早く、静岡県伊東市宇佐美遺跡で、十五世紀末の津波の痕跡が発見されていた。調査にあたった伊東市の学芸員金子浩之によって、二〇一二年に発表された(金子「宇佐美遺跡検出の津波堆積物と明応四年地震・津波の再評価」)。金子の著書『戦国争乱と巨大津波』(二〇一六年、一四〇〜一六七頁)によって要点をみる。

津波堆積物のなかに含まれる遺物は十五世紀のもので、十六世紀の遺物はなかった。生活遺構と結びつく状態にない、ばらばらの状態で散らばっていた。十五世紀末に集落全体が一挙に破壊されて、まき散らされた遺物だと推定された。堆積物の検出地点の標高七・八メートルから、波高一〇メートル程度の津波が想定できるという。

関東大震災のとき、熱海には地震発生から五分後に波高一二メートルの津波がきた(『静岡県史 別編2 自然災害誌』一四二・五二三・五二九頁)という。伊東市域にも同程度の大きな津波が襲来した。後述するように鎌倉にも津波がきている。相模トラフの地震は相模湾沿岸に深刻な津波被害を及ぼすようだ。

じつは宗瑞にかかわる大地震はもう一つある。明応七(一四九八)年八月二十五日に静岡県焼津沖を震源として起きたマグニチュード推定八・二〜八・四の地震(南海トラフを震源とする海溝性地震)だ。西伊豆から紀伊半島に及ぶ広い範囲が深刻な津波被害を受けた(『静岡県史 別編2 自然災害誌』三〇九〜三二四頁)。

山梨県山梨市の窪八幡宮の年代記『王代記』に、「同(明応)七年戊午八月、伊豆ノ御所腹切玉ヘリ、伊勢早雲御敵ニテ」とある(『山梨県史資料編6』一四九頁)。「伊勢早雲」こと伊勢早雲庵宗瑞と「伊豆ノ御所」足利茶々丸《ちゃちゃまる》との抗争は、

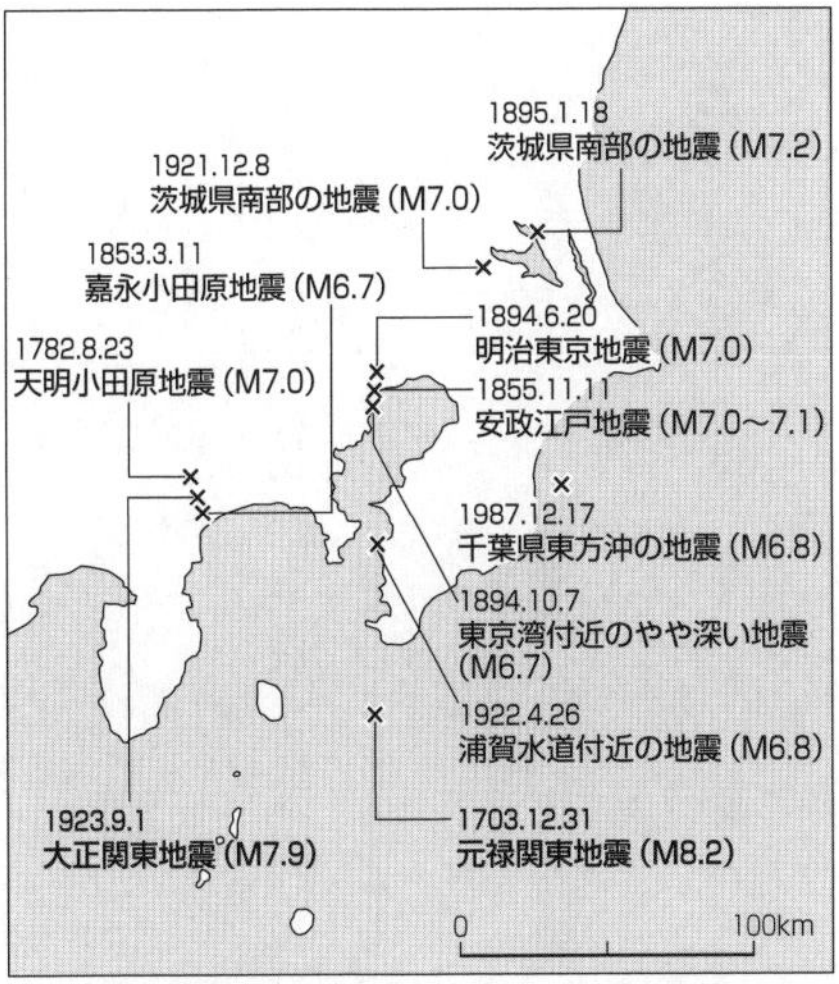

巨大地震の巣といわれている「相模トラフ」 右図は相模トラフ周辺のプレート境界。
出典：政府地震本部報告書「相模トラフ沿いの地震活動の長期評価（第２版）」（https://www.jishin.go.jp/evaluation/long_term_evaluation/subduction_fault/〈最終閲覧日：2021年９月10日〉＊政府報告書では日付までユリウス暦に換算している）をもとに筆者（家永）作成。

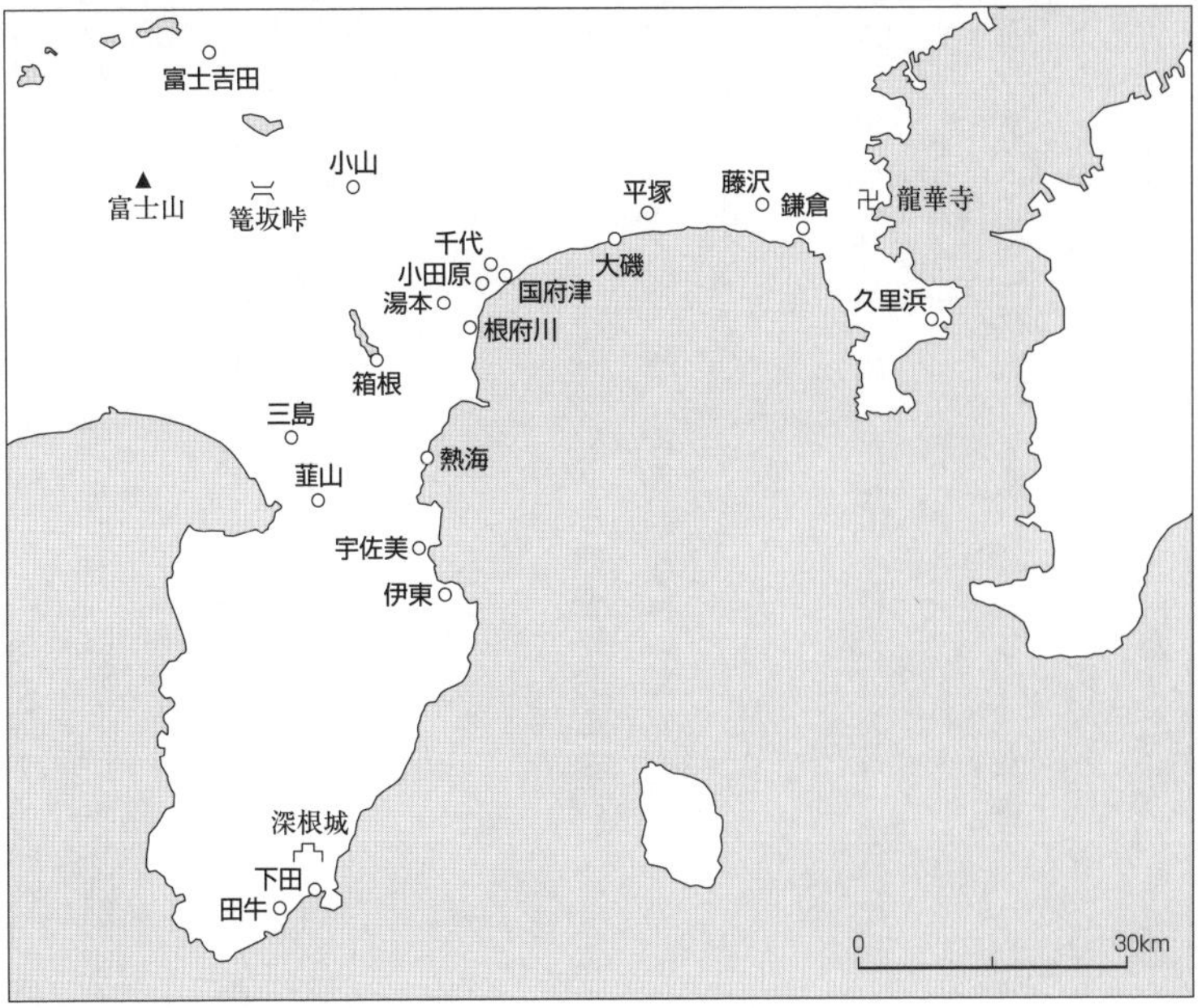

「相模トラフ」周辺

地震と津波の渦中で決着を迎えたらしい。西伊豆の豪族たちは宗瑞と結んで深根城《ふかね》（下田市）に拠る茶々丸と戦っていた。これら西伊豆の豪族たちが大津波で被害をこうむった。宗瑞が駿府《すんぷ》から急行して彼らを叱咤・激励し、茶々丸討滅を強行した（家永遵嗣「北条早雲の伊豆征服――明応の地震津波との関係から」初出一九九九年）。

宗瑞の台頭した時期は、地震と津波の時代だった。茶々丸滅亡の契機になった南海トラフ地震とは別に起こった相模トラフ地震は、宗瑞にとってどんな意味をもっていたのか、という問題が突きつけられたわけである。

『鎌倉大日記』に基づく明応四年説

考古学的な調査では、「年月日」レベルで時期を確定することが難しい。文献資料との照合がおこなわれる。金子は、次に挙げる『鎌倉大日記』明応四年条に注目して明応四年説を立て（金子、前出）、片桐昭彦は『鎌倉大日記』の伝来を調べて（片桐「明応四年の地震と『鎌倉大日記』」二〇一四年）、金子説の補強を図った。

『鎌倉大日記』明応四年条（一四九五年）

八月十五日大地震洪水、鎌倉由比浜海水到千度檀、水勢〔入〕大仏殿破堂社屋、溺死人二百余、九月、伊勢早雲攻落小田城〔ママ、小田原城〕大森入道

明応四年八月十五日に大地震があり、津波が若宮大路に及び、「大仏殿」に流れ込んで破壊した。溺死者は二〇〇人余りという。「千度檀」は若宮大路の参道「段葛」を指すようだ（『梅花無尽蔵』『続群書類従』第十二輯下八三二頁）。翌九月に「伊勢早雲」が小田原城を攻略した。宗瑞は地震被災者を征服して小田原を手に入れた悪漢だ、ということになる。

鎌倉には元禄地震のときにも関東大震災のときにも津波がきたが、いずれも大仏には津波が及んでいない（『鎌倉市史 近代通史編』三二二・三二六・三二九〜三三〇頁、後述『祐之地震道記《すけゆきじしんみちのき》』）。明応地震の際にも津波がきたという蓋然性は高い。

とはいえ、明応年間には鎌倉高徳院《こうとくいん》の大仏には「大仏殿」がなかったらしいのだ。太田道灌《おおたどうかん》に招かれて江戸城にきた詩僧万里集九《ばんりしゅうく》の著作『梅花無尽蔵』が根拠だ。集九は文明十八(一四八六)年十月下旬に鎌倉を訪ねて「銅大仏」を実見した。「無堂宇而露座」と記している(前出)。明応四年から一〇年足らず前の記録で、記録者の素性も明らかだ。『鎌倉大日記』の信憑性に疑問符がつき、これが理由で、政府報告書では明応四年の相模トラフ地震は認定保留となった。

次に「八月十五日」という日付が問題だ。摂関家《せっかん》の近衛政家《このえまさいえ》の日記『後法興院政家記』や宮中女官の公務日誌『お湯殿のうへの日記』の同日条に、京都で有感地震があったという記事がある。金子は相模湾の地震が京都でも感知された証拠なのだと考えた。もっとも、八月十五日に相模で地震があった、ということを記録した者がいるわけではない。この年の京都では有感地震が多い。近衛政家らが関西に震源のある地震を感知した可能性も否定できない。

金子はいくつかの近世史料を用いて明応四年説の裏付けを試みているが、同時代史料は乏しい二〇一九年に小田原城天守閣の収蔵するところとなった山内上杉顕定《やまのうちうえすぎあきさだ》書状(「小田原城天守閣収蔵文書」『小田原城天守閣特別展伊勢宗瑞の時代』図録八六・八七頁、『北区史資料編　古代中世1』二四九号)がある。明応五年七月二十四日付の書状で、宗瑞の弟伊勢弥次郎《やじろう》が大森氏を含む扇谷《おうぎがやつ》上杉氏の与党と提携して相模で戦っているという記述がある。弥次郎は明応六年十二月には伊豆におり、宗瑞と中伊豆の大見三人衆とを取り次いでいる(『静岡県史資料編7』二四〇号)。弥次郎は伊豆と相模を自在に往来しており、地震による街道の損壊という状況をうかがえない。宗瑞の弟伊勢弥次郎が大森氏と提携して戦っているということは、明応四年に宗瑞が大森氏を討って小田原城を奪ったという『鎌倉大日記』の記述に対する反証となる(黒田基樹「北条早雲の事績に関する諸問題」一九九五年)。

金子は鎌倉の繁華街だった「米町《こめまち》」(鎌倉市大町一丁目)への課税帳簿、明応六年七月二十五日善法寺《ぜんぽうじ》年貢注文(「津久井光明寺文書」『神奈川県史資料編3』六四一〇号・金子前掲書一七八～一八〇頁)を挙げて、鎌倉は震災後二年で復興したという。米町は鎌倉駅の南、若宮大路から東に折れて下馬橋《げばばし》を渡ったあたりだった。付属絵図(『鎌倉市史　総説編』四八八～

四八九頁間図版）には段葛（「置石」）が描かれ、南端は下馬橋の真西にある。『鎌倉大日記』の段葛への津波到達記事にあてはまる地区だが、絵図には商家が軒を連ねる繁栄が描かれ、年貢注文にも明応四年の地震・津波や復興にかかわる文言がない。明応四年には特別な事象がなかったようだ。明応四年説を否定する材料と思しい。

『勝山記』による明応九年説

盛本昌広は横浜市金沢区に現存する龍華寺《りゅうげじ》について研究し、甲斐国都留郡《かいのくにつるぐん》の記録『勝山記』を参照して、六浦《むつうら》の光徳《こうとく》寺《じ》と浄願寺《じょうがんじ》とが明応九（一五〇〇）年の相模トラフ地震で破壊され、合併して龍華寺になったと指摘した（盛本「『温古集録』収録の龍華寺棟札写」二〇一五年）。龍華寺の仏像胎内文書は「明応九年十二月」の年紀をもつという。金子も横須賀市久里浜の「蓼原東遺跡」を十五世紀末に津波で壊滅した港町だとし、相模トラフ地震の津波が三浦半島に及んだと指摘している。ただし、盛本説は明応九年説である。

『勝山記』明応九年条（一五〇〇年）

此年マデモ大地動不絶、五月十八日大風吹ク、吉田（甲斐国都留郡富士吉田）トリイ（鳥居）卯月廿日タツ（立つ）、六月四日大地動、上ノ午ノ年（明応七年）大地震ニモ勝レタリ、惣テ、イカナル日モ夜モ動ル事不絶、更ニ無限

明応九年「六月四日」、富士吉田を激しい地震が襲った。三年前から震動が続いてきたが、この日は「上ノ午ノ年」（明応七年）の大地震をも上回る激しい震動であった。その後も、激しい余震が昼夜を分かたず襲ってきた、という。この「上ノ午ノ年大地震」とは、南海トラフを震源とする明応七（戊午）年の大地震である。「此年マデモ大地動不絶」とは、明応七年から同九年にかけて余震が続いていたことを指す。山梨市の窪八幡宮の『王代記』明応九年条にも「此年迄三年震動スル」とある。

明応七年の大地震によって南海トラフ側では地殻の歪みが修整された。地殻の歪みが蓄積されたままの状態である相模トラフとの接触域に不安定な状態が生じたと思しい。これが余震の原因だとすると、明応九年に相模トラフ側のエネルギーが大規模に解放されて、余震が収まったとも考えられる。相模トラフが疑わしい理由である。

明応九年の相模トラフ地震とは、明応七年の南海トラフ地震に刺激されて起こった連動地震とみられる。連動の実例には、相模トラフ側で元禄十六(一七〇三)年十一月に元禄関東地震が起こったのち、南海トラフ側で宝永《ほうえい》四(一七〇七)年十月の宝永地震が起こった事例がある。宝永地震の四九日後に富士山の宝永噴火が始まった。

盛本は京都側史料に『勝山記』の「六月四日」に対応する記事がみえない点から、日付に誤りがある可能性を指摘している。しかしながら、相模トラフの地震は北アメリカプレートの挙動で、京都はユーラシアプレートの上に乗っている。相模と京都とは、それぞれ別の地震挙動となる。例えば、関東大震災の京都での震度は二であった。

『勝山記』は信憑性が高い。甲斐国都留郡の日蓮宗《にちれんしゅう》僧侶たちが残した史料で、書写した経典の奥書にその年の事件を記したものが多くあり、これらを近世初期に集成したものだという。宗瑞の伊豆打入りについて、『鎌倉大日記』は延徳三(一四九一)年と伝え、『勝山記』は明応二(一四九三)年記に「駿河《するが》国ヨリ伊豆へ打入也」と記す(『山梨県史資料編6』二二一頁)。『山梨県史』刊行準備の過程で、『勝山記』延徳三年記の元になった経典奥書(「日国記」『山梨県史資料編6』二四六頁)が発見されて、宗瑞の伊豆打入り記事を含まないことが確認された(末柄豊「『勝山記』あるいは『妙法寺記』の成立」、堀内亨「史料紹介『河口湖町常在寺所蔵史料』」、いずれも一九九五年)。伊勢宗瑞に関する研究は、『鎌倉大日記』を捨てて『勝山記』に乗り換えることで進展した、という経緯があるのだ。

とはいえ、『勝山記』には相模湾域の情報がない。相模側の情報を補う必要がある。

中世史料の解釈の下敷きになる元禄地震の様相

相模トラフを震源とする元禄・大正地震の被害を学ぶ必要がある。明応年間にも同じ状況が起きたはずだからだ。

元禄十六(一七〇三)年十一月二十二日の元禄関東地震に関しては、小田原藩の史料「小田原地震覚書」(『小田原市史史料編　近世Ⅱ』二五三号)、また「元禄・宝永地震」(『神奈川県史資料編5』一七八号)がある。京都下賀茂《しもかも》神社の神職梨木祐之《なしのきすけゆき》(鴨祐之、『日本逸史』の編者)の紀行文『祐之地震道記』(『鎌倉市史近世近代紀行地誌編』一三八〜一五〇頁)には実態が詳しく紹介されている。梨木は京都に戻る途中で戸塚宿(横浜市)に宿泊した夜に地震に遭遇した。以後、伊豆三島宿にいたる道中で震災の見聞を記した。また、『小田原市史通史編　近現代』から関東大震災の情報を補う。

東伊豆には津波が押し寄せた。梨木は三島宿で「土肥・伊藤(伊東)・うさみ(宇佐美)・あたみ(熱海)」の津波被害を聞いた。「あたみと云所は、人家五百軒計有所也、わづかに拾軒ばかり残りたる」という津波被害を書きとめた。「うさみの在郷と覚えたる所は、家一軒もなく、浪に取られたり」という津波の深刻さを記す。明応地震にかかわる宇佐美遺跡の発掘成果、被害所見と照応する記述である。小田原藩の「元禄・宝永地震」は伊豆で「相果候男女六百三十九人」、「小田原地震覚書」は「豆州死人七百七拾弐人」と記す。

後述するが、宗瑞は明応十(文亀《ぶんき》元・一五〇一)年三月に熱海の伊豆山神社に所領を寄進する。明応九年地震で熱海が津波被害をこうむったことへの対応だったという可能性がある。

津波は湘南にも及んだ。梨木は鎌倉の「由比の浜の辺は、津波うちよせて、通路かなひがたき由、村人語ける」と伝聞した。相模川の河口「馬入《ばにゅう》の渡船」や大磯に停泊していた商船が津波に翻弄されたことを書きとめた。

東海道筋はどうか。梨木は二十六日に戸塚を発ち藤沢を経て大磯にいたった。藤沢には破損した家が多かった。相模川河口の馬入では「残りたるいえもなく、みな頽《たお》れてみへ」、「平塚駅も残りたる人家なし」という。「海道の大地裂破たる所に、悉泥水湧出せり」という地盤の液状化が著しかった。大磯も「過半顛倒傾損」していた。

酒匂《さかわ》平野は相模トラフに近接するから、地震被害が顕著だった。梨木の一行が二十七日朝に大磯を発って、羽根尾《はねお》・国府津《こうづ》(小田原市東部)を通りかかると、建物がすべて倒壊していた。後述することだが、宗瑞が替地を寄進する必要を認める「上千葉」(千代)は国府津に近い。

『小田原市史通史編　近現代』(四〇三〜四〇七頁)は、関東大震災で町が焦土に化したとする。全壊家屋は全建物の三八%弱、全焼家屋は全建物の四一%強、半壊家屋は全建物の一〇%弱という。家屋の九割が失われるか損壊した。死亡三七〇人、行方不明四人、負傷者一九一八人という死傷者総数は、町人口の九%近くにあたるという。

元禄地震のときにも小田原の被害は深刻だった。梨木によれば、小田原市中には「一つとして柱の立たる家はなし」「人馬の骸骨は所々にみちみちてみゆ」る惨状だった。「宿中男女千六百人程命を失ふ」と聞き、旅行者も八〜九割が死亡したと記す。小田原藩の「小田原地震覚書」は小田原城郭の被害について、「御天守・御本丸・二ノ丸御屋形、不残《のこらず》震禿《ふるえつぶれ》、其上出火有之、不残焼失候」と記す。武家屋敷も城下の町屋敷もほとんどが倒壊焼失したという。梨木は小田原に止宿できず、二十七日夕刻に箱根湯本にたどり着き、ここで夜を明かした。この村も家々は多く倒壊していた。

元禄地震直後の酒匂平野の宿場は、小田原を含めて住居・宿泊施設をすべて破壊されてしまった状態だったようだ。これは、あとで『宗祇終焉記』を解釈する際に参考知識となる。

小田原は伊豆に入る箱根路と熱海路との分岐点にある。元禄地震に関する史料「小田原地震覚書」には、「箱根・根《ね》府川《ぶかわ》其外所々御関所江之通り道、大分震崩、石土落崩、人馬通路難成」し、とある。梨木は十一月二十八日に湯本を発って箱根に向かった。数十人・数百人がかりでないと動かない巨石が道路を塞ぎ、輿《こし》も馬も使えず、岩石の合間を縫って徒歩で登った。しかし、箱根を過ぎてしまうと、「三島駅迄は、地震の跡聊みえず」という平穏無事な状況になった。

熱海路も被害が大きかっただろう。関東大震災では、熱海線の根府川駅が列車・駅舎もろとも崖下に崩落して、多数の死者がでた（『小田原市史通史編　近現代』四〇九・四一〇頁）。根府川集落は土石流に飲み込まれて、三〇〇人以上の死者がでた（『静岡県史　別編2　自然災害誌』五二四〜五二五頁）。東伊豆では「山津波」も問題だった。

まとめると、熱海をはじめとする伊豆東海岸の集落は津波・山津波で大被害を受ける。東海道筋の宿（宿場）は家屋の倒壊と火災で施設・人員を失い、旅行者を受け入れられなくなる。小田原城は施設・建物を失って要塞機能を喪失する。小田原と伊豆国とを結ぶ箱根路・熱海路は崩落によって通行困難になる。明応の地震も同断と考えられる。

一五〇一年に宗瑞が伊豆山神社に所領を寄進した

明応九（一五〇〇）年六月四日に富士吉田で激しい震動が記録されたあと、宗瑞は翌年三月に熱海の「走湯山《そうとうざん》」伊豆山神社に次の寄進状を発給した。関係を考えてみたい。

「和学講談所本集古文書四十五」〔『小田原市史史料編　中世Ⅱ』八号〕

相州上千葉之内走湯山分、為替地、豆州田牛村、先寄進申、可有御成敗者也、仍如件

明応十年（辛酉）三月廿八日　　宗瑞（花押）

走湯山

「明応十年」は二月二十九日に文亀元年に改元した。宗瑞と京都幕府との関係が悪化していたので、宗瑞のもとには改元情報が届いていないのだろう。伊豆山の得た替地「豆州田牛村」は伊豆の南端、下田市田牛《とうじ》である。宗瑞が伊豆の南端まで手中に収めた明証である。三月末の寄進だから、明応九年分の収税が完了したあとで伊豆山衆徒に引き渡したようだ。『小田原市史』の編者は「相州上千葉」を小田原市内「千代」と推定している。

相模トラフ地震を想定しない場合、宗瑞が使用するために「上千葉」を没収して、その替地を授けた、と解釈するのが穏当である（森幸夫「北条早雲の相模侵攻」一九九五年、黒田基樹「総論　伊勢宗瑞」二〇一三年）。しかし、小田原市「千代」だと、何のために接収したのか説明に窮する。『小田原市史通史編　近現代』は関東大震災のときに「相模トラフに近い酒匂川沖積層の農村部にあたる曽我、千代の各尋常小学校の校舎も倒壊した」（四一二頁）と記す。小田原市内「千代」は「農村部にあたる」からだ。

地震被害を受ける土地だということから、地盤の液状化や津波の遡上による耕地の破壊などを想定してよいのではなかろうか。伊豆山衆徒が、明応九年地震によって「上千葉」からの収税が困難になったと訴えた可能性がある。

明応九年地震を想定すると、「走湯山」そのものの膝元である熱海が壊滅的な津波被害を受けていたという可能性が問題である。その慰謝のためにこの寄進がおこなわれたと解釈するのが本筋ではなかろうか。この場合、地震津波の時期は寄進状に近い明応九年でよいと考えられる。明応四年地震説では時間を隔てすぎていて、理屈が合わない。

元禄地震・関東大震災ともに熱海・宇佐美に大津波を及ぼした。金子が指摘したとおり、明応地震は宇佐美に津波を及ぼしたから、熱海も明応地震で津波被害を受けたと考えられる。その熱海の伊豆山に対して、宗瑞が明応十年に庇護を加えたことは前掲寄進状のとおりだが、宗瑞が明応四・五年に熱海伊豆山に対して何らかの庇護をおこなったという所見はない。明応十年の寄進状は熱海と同時に小田原周辺の罹災を示唆するから、明応地震が明応九年であったことの傍証になると考えられる。

『勝山記』明応八（一四九九）年条をみると、明応九年地震の前年十一月頃まで宗瑞と小田原大森氏との関係は友好的だったと判断される。「此年霜月、王流サレテ三嶋付玉フ也、早雲入道聽テ相州へ送給也」とある。「王」の詳細は不明だが、応仁《おうにん》の乱の際に西軍が擁立した後南朝《ごなんちょう》の皇族かと思われる。宗瑞が「聽テ〔やがて／ただちに〕」「相州へ送」った、その引取り手は三島に通じる相模小田原の大森氏とみてよいのではあるまいか。宗瑞と大森氏とが対立していたと考えたり、小田原が宗瑞に征服されていたと考えたりすると、大森氏と縁の深い扇谷上杉・三浦両氏との関係で辻褄が合わない。
他方で、明応九年六月の地震直後に宗瑞が大森氏を襲って小田原を奪った、という可能性はまったくないとみてよかろう。当時の小田原城がどのようなものであったにせよ、建物は倒壊・焼失していただろう。小田原の宿場・城下集落も倒壊・焼失していた可能性が非常に高い。侵攻路になる箱根路・熱海路ともに損壊が著しかったはずだ。侵略すれば火事場泥棒の非難をあびることは必定であったから、小田原城の焼け跡と小田原宿の焼け跡を手に入れるための代償としては釣り合わない。宗瑞は東伊豆の郷村の被災にも対応しなければならなかった。

明応九（一五〇〇）年の前後、小田原の支配者が誰だかわからない、という状況を考えてみたい。小田原の支配者大森氏の元来の本拠は静岡県小山町域とみられる。相模国内にも岩原城（南足柄《あしがら》市）などの拠点があった。小田原宿の壊滅によって、小田原からほかに拠点を移したという可能性が浮上する。移転の時期は、三島にきた「王」を宗瑞が「相州」に送った明応八年十一月よりもあととみられる。明応九年の地震災害が契機になったとみてよいだろう。

一五〇二年に宗祇と柴屋軒宗長が小田原を通行

文亀二（一五〇二）年七月末、連歌師宗祇《そうぎ》と弟子の柴屋軒宗長《さいおくけんそうちょう》が小田原を通行した。宗長の著『宗祇終焉記』（『群書類従』二十九輯）がある。宗長らは「小田原」に立ち寄ることなく、国府津から箱根湯本へ一日で直行した。大森氏にも宗瑞の部将にも接触していない。

『宗祇終焉記』

〔七月〕廿九日に駿河の国へと出立ちぬるに、その日の午剋ばかりに、みちのそらにしてすんばく〔寸白〕といふむし〔寄生虫〕おこりあひて、いかに共やるかたなし、こし〔輿〕をたてて薬をもちゆれども、いささかのしるしもなければ、いかがはせん、こふづ〔国府津〕といふ処に旅宿をもとめて、一夜をあかし侍りしに、駿河よりのむかへの馬・人こし〔輿〕なども見えて、素純〔東素純〕馬をはせて来りむかはれしかば、ちからをえて、明れば〔七月三十日〕、箱根山の麓湯本といふ所につきし……

宗祇は右の記事の直後、七月三十日夜に八十二歳の生涯を閉じた。『宗祇終焉記』奥書には「自然斎〔宗祇〕此度道中死去、彼御知音の方々、いかがなど尋給ふべく候哉、披見のために注付侍り」とある。末期を看取った宗長が師の縁者らにその様子を伝えようとした作品なのだ。

宗祇は明応九（一五〇〇）年七月に京都から越後《えちご》に行き、宗長は文亀元（一五〇一）年九月に駿河からきて合流した。宗長は越後に行くときには足柄峠を通ったので箱根路・小田原の情報はない。宗祇らは文亀二年七月上旬に関東管領山内上杉顕定の陣所上戸《うわど》（埼玉県川越市）に入り、顕定と戦っていた（第二次長享《ちょうきょう》の乱）扇谷上杉朝良《ともよし》の河越《かわごえ》屋形（川越市）に遷り、江戸城、相模守護代上田氏の鎌倉近くの邸に滞在し、七月二十九日、上田氏の邸を発って箱根に向かった。

二十九日の昼頃に宗祇が重篤な腹痛を発したために、行程を中断して国府津に止宿した。駿河から迎えにきていた「馬・人こし〔輿〕」が夜中に国府津に到着し、駿河から騎馬できた東素純《とうのそじゅん》（東常縁《とうのつねより》の子息）も合流した。箱根路は馬・輿が通行できる状態になっていたようだ。三十日朝出発して、「箱根山の麓湯本といふ所」に着いた。

小田原をパスして国府津から箱根湯本に直行している。「小田原」「板橋」「風祭《かざまつり》」など経由地についての言及がない。大森氏・伊勢宗瑞、いずれの勢力との接触も記さない。小田原に立ち寄らない、小田原に有力者がいない、という点が検討を要するポイントだ。

前述した梨木祐之も、元禄地震の直後に大磯から箱根湯本に一日で直行した。当時は、小田原をはじめとする酒匂平野の宿場が、震災によってすべて壊滅していたからだ。『勝山記』によって明応九年六月四日に相模トラフ地震があったとすると、宗祇・宗長の小田原通行はほぼ二年後のこととなる。「板橋」「風祭」などの町場地名、小田原城の記述がない理由は、震災で壊滅したまま復興してはいなかったからだと考えてよいのではないか。

宗祇・宗長は宗瑞や大森氏の歓待を受けていないことになるようだが、宗瑞と大森氏とが対立していたからだ、というわけでもなさそうだ。宗祇の死没からまもなく、宗瑞が大森氏の支援を受けて篭坂峠《かごさか》(静岡県小山町と山梨県山中湖町とのあいだ)周辺で作戦したとみられる徴証がある。

『勝山記』「文亀元年壬戌」条〔干支より文亀二年記・一五〇二年〕

……九月十八日自伊豆国早雲入道甲州へ打入、吉田城山・小倉山両所ニ代〔武田信縄《のぶつな》側の「城」〕ヲ致テ、国中大勢ニテ巻間、無弓矢、皆他国へ勢衆十月三日夜チリ々々ニケ〔逃〕テ皆死

この頃の東国には私年号が流行し、『勝山記』にもこれが反映して年号表記に混乱がみられる。干支表記は正確と判断されるので、この史料は文亀二年のものとみられる。

宗祇の没後まもない九月十八日、宗瑞が甲斐国都留郡に侵攻した。富士吉田の南方に武田側の築いた「吉田城山・小倉山」の「代」(「城」)で阻まれた。「国中《くんなか》」(甲府盆地)すなわち武田本宗家の大軍に攻められ敗走した、という。富士吉田の南から駿・甲国境への道をたどると篭坂峠にいたる。その南は大森氏の菩提寺乗光寺(小山町生土《いきど》)を含む大森氏の本拠地「御厨《みくりや》」地域だ。宗瑞が篭坂峠経由で甲斐に侵攻できたのは、侵攻の策源地を支配する大森氏が協力していたからだとみてよい。文亀二年七月、宗祇らを歓待する部将を小田原に配置してはいなかったけれど、大森氏と宗瑞とは引き続き同盟関係にあったとみてよいようだ。小田原の町場の復興が十分ではなく、大森氏は本拠をほかに移し、宗瑞も小田原に部下を配置していなかった、とみられよう。

小田原城が空き家でも、「領主支配の消滅」という意味にはならなかった。小田原の領主(年貢取得者)は箱根神社だったとみられるからだ。宗瑞が永正十六(一五一九)年四月二十八日に発給した文書(『戦国遺文後北条氏編』三七号)では、子息菊寿丸《きくじゅまる》(のちの北条宗哲《そうてつ》)に「はこねりやう〔箱根領〕所々」のうちの「おたハら」の年貢や小田原「宿のぢしせん〔地子

銭〕」その他を譲与した。大森氏の離反後に没収したものかと思われる。十五世紀、大森氏の人が箱根別当を務めた。菊寿丸は大森氏の血を引く海実《かいじつ》の跡を継いで箱根別当になる〔『戦国遺文後北条氏編』五六など〕のである。

宗瑞と大森氏との対立事情

宗瑞と大森氏との対立の始まりは永正元〔一五〇四〕年九月より前と考えられる。対立の初見史料は次の書状である。

「宝持院文書」〔『静岡県史資料編7』三六二号〕

先刻如啓候、治部少輔〔扇谷上杉朝良〕幷今川五郎〔氏親〕・伊勢新九郎、令対陣、於軍者可御心安候、……、不移時日自身出陣候様、武田五郎〔甲斐守護武田信縄〕方へ被届可然間、遅々不可有曲、……、恐々謹言

九月廿五日　　顕定〔花押〕

大森式部大輔殿〔大森顕隆か〕

永正元年九月二十七日に扇谷上杉朝良・今川氏親・伊勢宗瑞が山内上杉顕定を破った立川原〔立川市〕の合戦に関係する文書である。この史料では、顕定が甲斐守護武田信縄の来援を望んで、大森顕隆《あきたか》とみられる「大森式部大輔」に仲介するように求めている。「大森式部大輔」は顕定・信縄とともに宗瑞らに敵対していた。

大森氏は文亀二〔一五〇二〕年十月から永正元〔一五〇四〕年九月のあいだに同盟を変更した。大森氏の菩提寺乗光寺の「乗光寺過去帳」〔『小山町史第一巻　原始古代中世資料編』八六五〜八六七頁〕に歴代当主の没年がみえる。文亀二〔一五〇二〕年十一月二日に大森顕隆の叔父にあたる藤頼が没している。同盟政策の変更と関係がありそうだ。

山内上杉顕定は大森氏に武田信縄への斡旋を求めており、大森氏と武田氏との提携に頼ろうとしている。大森氏と武田氏との提携が軸だとみなされる。大森氏自身の同盟政策の変更も武田氏との関係によるのではないか。既述のとおり、

宗瑞は甲斐都留郡内に侵攻して文亀二年十月に大敗を喫している。このような宗瑞の敗北に触発されて、大森氏が甲斐武田信縄や山内上杉顕定に接近するようになった、と考えてよいのではなかろうか。

詳細を省くが、前記の背景には、京都の細川政元《ほそかわまさもと》政権が今川氏親・伊勢宗瑞に敵対するようになっていたという事情がある。政元の近臣赤沢朝経《あかざわともつね》（沢蔵軒宗益《たくぞうけんそうえき》）は斯波氏《しばし》の重臣織田敏定《おだとしさだ》と親しく、府中小笠原長朝《ながとも》を動かして文亀元年六月に斯波氏の遠江《とおとうみ》進攻を支援し始めた。宗瑞の甥今川氏親から遠江の支配を奪い返そうとしたのである。小笠原《おがさわら》赤沢氏は信濃《しなの》小笠原氏の庶家で、赤沢朝経は信濃松本の浅間郷の出身であった。府中松本の小笠原長朝と近しく、これを動かすことができたようだ。府中小笠原長朝は諏訪頼満《すわよりみつ》を諏訪社大祝の地位に就けたという縁故があり、頼満を介して甲斐の諸勢力に影響を及ぼし、宗瑞らに敵対するように働きかけたとみられる。宗瑞は文亀元年閏六月に諏訪氏への対策を開始したが奏功せず、文亀二年十月に都留郡に出兵して挽回を図ったが、大敗を喫した（家永遵嗣「甲斐・信濃における「戦国」状況の起点」二〇一三年）。宗瑞と大森氏との提携は、全国的な同盟関係の変化によって、宗瑞が孤立に陥ったことが原因になってこわれた。大森氏が宗瑞を見限ったと考えるのが穏当であろう。

山内上杉顕定との和睦で小田原支配を公認された

宗瑞が小田原の支配を得たのは、山内上杉顕定との和睦がなった永正二（一五〇五）年頃と考えられる。顕定が宗瑞に東海道の支配と小田原の支配とを認可したと考えられる。

立川原の合戦ののち、山内上杉顕定は越後から大軍を招いて相模・武蔵を席巻し、明くる永正二年四月に扇谷上杉朝良を屈服させた（『北区史資料編　古代中世1』二五五号）。その後、顕定と宗瑞とのあいだにも和睦が成立した。『北条氏所領役帳』や「延命寺文書」（『神奈川県史資料編3』六四六〇号）から、伊勢宗瑞が永正二〜三年に小田原周辺で検地をおこなったことが知られている。和睦によって顕定から支配を公認されたのだろう。

「榊原家文書」には、「久下信濃守」某が伊勢参宮のため「東海道於可透〈とおる〉候」として、「可諄」山内上杉顕定が長尾景春《ながおかげはる》に斡旋を依頼した正月晦日付書状がある(『神奈川県史資料編3』六四七八号)。景春に向かって、「伊勢宗瑞」から久下に便宜を供与させるように斡旋しろ、と言っている。永正三(一五〇六)年六月以降に用いられた顕定の法名「可諄」を用いている。宗瑞は永正六(一五〇九)年七月に顕定から離反するので、永正四~六年に比定される。顕定が宗瑞の東海道支配を認めている点が、小田原支配を公認したことを示唆する。

時期的にみて、宗瑞の小田原支配は、震災からの復興と歩みを同じくして始まったようだ。ただし、宗瑞は死亡直前まで「韮山殿」と呼ばれている(「妙海寺文書」『静岡県史資料編7』七二九号)。宗瑞の政庁は伊豆の韮山にあった。小田原にいて相模での戦争を指導し政務を執ったのは、子息氏綱《うじつな》とみられる。永正十六(一五一九)年八月に宗瑞が没したのち、永正十八(大永《たいえい》元・一五二一)年四月に氏綱が宗瑞のことを「早雲寺殿」と呼ぶ文書(「北条寺文書」『戦国遺文後北条氏編』四八号)を発給している。箱根湯本の早雲寺が宗瑞の墓所になった。

おわりに

金子浩之が二〇一二年に宇佐美遺跡の発掘成果を公表するまで、明応年間の相模トラフ地震の実在を想定する研究者はいなかった。『鎌倉大日記』の記事は知られていたけれど、「確実な史料ではない」と考えられていたからだ。しかしながら、考古学・地震学の知見によって、「地震はほんとうにあったらしい」ことがわかってきた。「ない」と考えていたものが「実在した」という想定外の事態に直面したのだが、確実な同時代史料は乏しい。既知の史料を見直して、未解決の問題に接近してみようとした。

本稿では、相模トラフ明応九年地震説に基づいて論を進めてきたが、実は、地震の発生年次についてはまだ論戦に決着がついていない。「京都でも八月十五日に地震が起こっている。日付の一致は偶然とは思えない、『明応四年八月十五日』という地震の日付は信用して良いのではないか」という意見もあるのだ。

『鎌倉大日記』の「大仏殿」が破壊されたという記事には、大仏が「露座」であったと記す同時代史料『梅花無尽蔵』が反証としてある。鎌倉の繁華街だった鎌倉米町は段葛の南端に隣接していて、「鎌倉由比浜の海水が千度壇（段葛）に到った」という『鎌倉大日記』の記事にあてはまる地区だ。しかし米町に関する明応六年の課税帳簿には明応四年の地震・津波にかかわる記事がなく、商家が栄えていた様子を描く絵図にも、地震や津波の痕跡がない。

京都の人で「この年に相模で大地震があった」と書き残している人がいてくれれば決定打になるのだが、そうではない。これ以外には傍証する史料がない点に『鎌倉大日記』明応四年説の弱点がある。

『鎌倉大日記』よりも信憑性が高い史料『勝山記』には、明応九（一五〇〇）年六月四日の「大地動」という記事がある。マグニチュード八以上と判定されている明応七年の「大地震ニモ勝レタリ」とあるから、明応九年地震はマグニチュード八クラスの可能性があり、明応四年説の比較対照事例たりえる。

明応十（文亀元）年二月、宗瑞が熱海の「走湯山」伊豆山神社に寄進状を授けて、小田原市域とみられる「相州上千葉」の替地を与えた。熱海と「上千葉」が明応九年に被害を受けたことが原因の寄進とみられる。

明くる文亀二年七月、宗祇と柴屋軒宗長は駿河に行こうとして、国府津に宿泊したあと小田原をパスして箱根湯本まで直行して宿泊した。小田原の宿場町としての機能が復興しておらず、大森氏が小田原から他に拠点を遷していて、宗瑞の勢力も小田原に進駐していなかった、と推定した。宗瑞と大森氏とはこの年はまだ同盟関係にあった。

戦国大名領国の形成と震災との関係について得た着目点のひとつは、「大森氏と宗瑞とが小田原の争奪を巡って戦った痕跡がない」という謎について、「大森氏が自発的に小田原を引き払っていた」という推理を導入した点である。大森氏移転の理由にあたる、明応地震で小田原宿の被った震災被害の大きさは、同時代史料では確認できない。元禄地震・関東大震災の被害から推論した。地震やその被害が自然科学的な合理性で推論できるという論法をとった。

『快元僧都記』(『群書類従』第二十五輯)天文三(一五三四)年十一月十五日条に、宗瑞が永正九年八月に鎌倉に打ち入った際に、鶴岡八幡宮の再建を祈念したとある。小田原城の築城と同時期のことだ。同記天文四年八月二日条に、「氏綱は伊豆山(熱海)・三島社・箱根社を修造し、鶴岡八幡宮を再建した」とある。二代氏綱の時期にかけて、後北条氏は相模湾域の主要寺社の再興に熱心に取り組んだようだ。相模湾域の支配者として自己を演出する意図をうかがえるが、同時に、明応九年の震災からの復興という地域社会の動向のなかにおいて理解することも必要なのだろう。

参考文献

家永遵嗣「北条早雲の伊豆征服——明応の地震津波との関係から」(初出一九九九年)黒田基樹編『伊勢宗瑞』(中世関東武士の研究一〇巻)戎光祥出版、二〇一三年に再録
家永遵嗣「甲斐・信濃における「戦国」状況の起点」『武田氏研究』四八号、二〇一三年
片桐昭彦「明応四年の地震と『鎌倉大日記』」『新潟史学』七二号、二〇一四年
金子浩之「宇佐美遺跡検出の津波堆積物と明応四年地震・津波の再評価」『伊東の今・昔』一〇号、二〇一二年
金子浩之『戦国争乱と巨大津波』雄山閣、二〇一六年
黒田基樹「北条早雲の事績に関する諸問題」『おだわら』九号、一九九五年
黒田基樹「総論　伊勢宗瑞」同編『伊勢宗瑞』(中世関東武士の研究一〇巻)戎光祥出版、二〇一三年
末柄豊「『勝山記』あるいは『妙法寺記』の成立」『山梨県史研究』三号、一九九五年
堀内亨「史料紹介『河口湖町常在寺所蔵史料』」『山梨県史研究』三号、一九九五年
盛本昌広「『温古集録』収録の龍華寺棟札写」『金沢文庫研究』三三五号、二〇一五年
森幸夫「北条早雲の相模侵攻」『おだわら』九号、一九九五年

宗門人別帳を解く
山村の人の流れ

高埜利彦

一期一会

不思議なもので、政治学の佐藤誠三郎さんとは一九七二(昭和四十七)年に、たった一度話をしただけなのだが、そのときのことが記憶によくとどまっている。私が大学院学生の修士課程の一年生の頃だったと思うが、専任の先生数人と、大学院担当の非常勤講師の先生が、大学院の一年生(これも数人だったと思う)を招いて会食をする機会を設けてくれた。神田にある学士会館の分館が本郷にあり、その一室でフルコースの形をとった食事が出された。この会が、非常勤の先生に対する慰労や懇親を目的にしたものか、それとも洋食のマナーを知らない大学院生の教育の場であったのか、その趣旨はよく想い出せない。今から五〇年近くも前のことだから、ポタージュスープから始まるフルコースのもてなしには、恐縮しながら有難く頂戴した。現在も学士会館で同様の食事をとることがあるが、現在にいたるどこかでまずくなったのか、それとも五〇年前の大学院生はよほど空腹であったのか、美味しい食事に思われた。懇談しながらの食事も終わる頃、先生方が一人ずつ立ち上がって話をされた。私の左手におられたその年非常勤の永原慶二さんのあとだった気がするが、右手におられた佐藤誠三郎さんが立たれた。話の内容は、前後の脈絡を欠くものの、おおむね次のようなことだった。

大学院で学んだあと、高校の先生になったり研究者になったりするが、高校の先生と研究者との違いは、譬《たと》えて言えば、商品を売る人と造る人の違いであろう。高校の先生は、いかにわかりやすく商品を販売するかを心掛ける必要がある。

その後、ある結婚式に列席した際、佐藤さんご夫妻が仲人をなさっており、仲人としての挨拶を一方的にうかがうことは一度あったが、本来の政治学者としての授業でお教えいただくことはついぞなかった。

五〇年近く前の、佐藤さんの話の主旨はその後も自分のなかで繰り返し反復され、やがて自分自身が大学で教師をするようになって四〇年、その主旨に同意をするにいたっている。故人となった佐藤誠三郎さんとは、あれがいわば「一《いち》期《ご》一《いち》会《え》」ということになった。

歴史像の生産

四月に大学で新入生を迎えたときや、これから史学科を受験しようとする受験生に出会ったとき、私は大学の史学科とは歴史像を生産する工場である、と説明する。高校や予備校で先生に売ってもらった商品である歴史像や、教科書・参考書・概説書などで伝えられた歴史像を、今度は大学の史学科という工場で、自ら生産する側に立場を代えるのだ、と説明する。

具体的には、論文を書くことが歴史像を生産することになる。このように説明すると、新入生たちは自分が大学の四年生になったとき、四〇〇字詰一〇〇枚の卒業論文を、本当に書くことができるのだろうか、と例外なく戸惑いをみせる。一〇枚や二〇枚のリポートでも目が回りそうだったのに、と考える。しかし入学したその日から、演習や講義をとおして四年のあいだに、みな論文を書き上げる実力を形成する。ただし、授業に参加しなければ、その実力は養成されない。

このようにして書かれた卒業論文や修士論文などのなかから、やがてその成果が学会や学術雑誌に発表され、歴史研究者の共有の財産となる。新しい歴史像が共有の財産として認識されると、しだいに中学や高校の教科書が書き直され、歴史像（商品）は販売過程に移される。自分たちの形づくる歴史像が人々に購入されることになる。生産から販売の過程を経て、論文を書くことは大袈裟な物言いになるが、世の中の人々の歴史認識をつくる役割を果たす。

一例を挙げよう。江戸時代の外交体制は、鎖国《さこく》という言葉で長年語られてきた。オランダの東インド会社の医師になり、十七世紀の末に長崎にやってきたエンゲルベルト・ケンペル（北ドイツ生まれ、一六五一〜一七一六）の著書『日本の歴史と紀行』の付録に、ケンペルの論文がいくつか付いているが、その一つに、日本が外国に対して「国をとざしている」状況についてふれたものがある。のちに（一八〇一年）長崎のオランダ通詞をしていた志筑忠雄《しづきただお》が、この論文を日本語に翻訳するとき、はじめて「鎖国」という言葉を用いた。それから二二〇年間、鎖国という訳語は生きつづけるのだが、それはヨーロッパ人との関係だけに着目した考え方であった。

戦後まもなく出版された和辻哲郎《わつじてつろう》『鎖国』（一九五〇年）に代表される得失論は、鎖国によって日本が西欧の植民地とならなかった面をもつものの、西欧文明にふれられずに、近代化が遅れたという損失をもったという評価で、「脱亜《だつあ》入《にゅう》欧《おう》」の思想と軌を一にする考え方であった。この場合の鎖国論は、西欧との関係に限定された発想である。

これに対して一九七〇年代後半から、江戸時代の対外関係に関する新たな歴史像が生まれ出した。江戸時代には、日本は朝鮮と国交をもち、四〇〇名を超える朝鮮使節が日本に都合一二回も訪れ、新将軍の就任を慶賀した。逆に、対馬《つしま》藩（宗氏《そうし》）の家来たちは、朝鮮のプサン（釜山）におかれた倭館《わかん》に派遣され、対朝鮮交易に従事したことなどが次々に明らかにされた。

琉球《りゅうきゅう》王府との関係も、一六〇九年の薩摩《さつま》藩(島津氏《しまづし》)の侵入後、石高《こくだか》八万九〇〇〇石余りの王位に尚氏《しょうし》を就けたものの、外交関係としては、琉球王府は、江戸幕府のみならず、明・清朝とも冊封《さくほう》関係を続ける二元的な外交秩序を持続し一定の自立性を保持していたことも明らかになった。

また、アイヌ社会と松前《まつまえ》藩との関係も徐々に具体像が明らかになっていった。こうして、従来からよく知られた長崎を窓口にしたオランダ商館や民間の中国人との交流のほかに、対馬藩を窓口にして朝鮮と、薩摩藩を窓口にして琉球と、松前藩をとおしてアイヌ社会と、あわせて四つの窓口をとおして、江戸時代の日本は、異国や異民族との交流をもっていたと描かれるようになった。

中学・高校の教科書は、研究成果を反映しておよそ三〇年前から書き改められ、現在では大部分が江戸時代の外交体制を四つの窓口をとおして異国・異民族と交流していたと叙述されている。かつての「鎖国」で学んだ世代と「四つの窓口」で学んだ世代とでは、現在のアジアの国々や民族の捉え方に相違が存在するように思われる。これは、新旧各世代に接した私の印象でしかなく、証明することは困難なのだが、若い世代のほうが、アジアのなかに日本を位置づけ、ともに生きようとする認識を広くもっているように感じる。

一個の歴史像が生産され、学界共通の議論が繰り返されて歴史像は鍛え上げられ、やがて教科書が書き改められ、商品として広く売られ、ついには世代共通の歴史認識をつくるのに役立つ、そんな事例の一つに江戸時代の鎖国イメージは数えられよう。

活字史料集

生産工場にたとえられる歴史像を創り出す過程において、もっとも基礎になる作業は史料を正しく読み、解釈することである。原史料やその写真、または影写本《えいしゃぼん》などを正しく読めなくては始まらない。近世史研究では、地方の個人の家などの所蔵史料が新たに発見されることがまだまだある。しかし、中世史以前となると、そういう事例は稀になる。古代・中世史研究では、活字になった史料を利用する機会が圧倒的に多くなるが、近世史研究でも国や地方自治体の機関が史料集の編纂をおこない、また民間でも積極的に活字史料集を発行してきたことで、いまや膨大な量の日本史史料集が生み出されている。

活字史料集を利用する場合には、原史料や写真を用いるのとは違う注意が必要になる。編纂過程において、誰かが史料を解読し、これを活字史料集として刊行するまでの製作過程において、なんらかの誤り(読み間違いや誤植など)が生じる可能性があることに配慮する必要がある。

地方自治体史には、県史・市史・町村史などがあるが、その一つである『新潟県史』の資料編に掲載された活字史料を用いて、以下に史料解釈を試みることにしよう。

まず、『新潟県史　資料編6　近世一　上越編』から、改めることなくそのままの史料引用をおこなう。

史料A　寛永十七年四月　頸城郡大濁村人別改帳

「(端裏書)(後年加筆カ)寛永十七年
辰ノ四月八日きりしたん(宗門)証文御改事」

史料B　正保年間　大濁村宗門改帳

「(端裏書)年久敷以前之
宗門御改帳ニ御座候　正保年中宗門改帳

大崎郷内大濁□（不詳）人御改指出事

一善右衛門　年四十八
同女方（房）　年三十九
同子ちん　年十五
同娘ちま　年十二
同娘よね　年八ツ
同娘いと　年六ツ
同子せんま　年四ツ
同はわ　年六十九
同弟忠兵衛　年弐（ママ）六
同女方　年弐十一
同子うし　年五ツ
同娘とら　年弐ツ
一作右衛門　年四十五
同女方　年三十五
同娘とら　年十五
同子こま　年五ツ
同子かめ　年三ツ

如此大切ニ取置申候」
大崎之郷内大濁村
本誓寺下　吉木村専念寺旦那
一善右衛門　年五十四
同断　女房　同四十五
同断　子万吉　同廿一
同断　女房　同十八
同断　聟三吉　同廿三
同断　女房　同十四
同断　娘いし　同十二
同断　子おと　同四ツ
同断　母　同七十五
同断　弟忠兵衛　同三十二
同断　女房　同弐十七
同断　子うし　同十一
同断　名子善五郎　同四十三
同断　女房　同三十八
同断（是ハ西条村七兵衛方ニおき候）　子あき　同十六

同おやかもん　年七十八
同女方　年六十八
同なんこ《(名子)》助三　年三十一
同女房　年弐十七
同子たん　年四つ
一半右衛門　年五十六
同女房　年五十二
同子長三郎　年弐十二
同娘ちやうじ　年十五
同子ごん　年八つ
同なんこ権右衛門　年三十八
同女方　年三十五
同子とく　年十
同子百　年五つ
一六右衛門　年五十八
同女方　年五十五
同子善四郎　年十八
同娘せん　年十四

同断　娘うめ　同九つ
同断　一半右衛門　年六十二
同断　女房　同五十八
同断　子長三郎　同二十八
同断　女房　同二十六
同断　娘ちん　同四つ
同断　子てん　同一才
同断　子ごん　同十四

同断　一六右衛門　年六十四
同断　女房　同五十六
同断　子益四郎　同二十四
同断　女房　同廿二
同断　子たん　同五つ
同断（是ハ田畠町平野や□(虫)右衛門所ニしちをき候）　娘やす　同廿二
同断（是ハ横町田中久兵衛所へをき申候）　同子長四郎　同十九

同むすめやす　年十六
是ハ高田御福町山本九兵衛所丑年ゟ巳迄置申候
男拾九人
女拾七人
男女合三拾六人
右之人数壱人も隠置不申候、若隠置候者何様の曲事
可被仰付候、為後日仍如件
寛永拾七年　大にこり村
辰ノ四月八日
善右衛門㊞
半右衛門㊞
作右衛門㊞
六右衛門㊞

同断　一小右衛門　年三十七
同断　女房　同三十三
同断（是ハ下小町林甚介所ニしち物ニをき申候）　娘ちよぼ　同十三
同断　子ちん　同七つ
同断　弟孫三　同十八
同断　名子権右衛門　同四十四
同断　女房　同四十一
同断　子平五郎　同十六
同断　子百　同十一
同断　子六　同六つ
男女合四拾人内弐拾三人男 内拾七人女
右之外ニ
一作右衛門　申ノ三月はしり申候
人数〆五人内男弐人 同女三人
一五人ハ未ノ年ゟしに申候

史料Aは越後《えちご》国頸城《くびき》郡大濁《おおにごり》村（新井《あらい》市大濁豊岡了一氏蔵）の一六四〇（寛永《かんえい》十七）年の人別《にんべつ》改帳であり、史料Bは同村の正《しょう》保《ほう》年間の宗門《しゅうもん》改帳で、年代は不明とされるが、史料Aの六年後のものであることは家族構成の同一人物の年齢差から確

定でき、一六四六(正保三)年と判明する。

長野市から国道一八号線(北国《ほっこく》街道)で上越《じょうえつ》市(高田《たかだ》)や直江津《なおえつ》市方面に向かい、右手の野尻《のじり》湖を過ぎて新潟県に入り、黒姫《くろひめ》・妙高《みょうこう》の山々を左手に見ながら通り過ぎ、国道と並行する関川沿いに進むと新井の町(宿《しゅく》)にいたる。そこから国道を折れて右手(東側)の山並み(東頸城丘陵)に向かい、山間の道を上って行くと小集落があらわれ、また消えて、さらにいくつか小さな峠を越えて進んだところに大濁村の集落がある。そういう山村の、江戸時代前期の宗門人別帳である。

大濁村は、高田藩に属した。高田城には一六一八(元和《げんな》四)年から徳川家康《とくがわいえやす》の孫にあたる松平忠昌《まつだいらただまさ》(結城秀康《ゆうきひでやす》の次男)が入部して二四万石を領した。しかるに一六二四(寛永元)年三月、松平忠昌は越前《えちぜん》本家に転じ、高田には越前宰相《さいしょう》松平忠直《ただなお》の子仙千代《せんちよ》(母は徳川秀忠《ひでただ》の女)が入部した。仙千代は一六二九年には松平光長《みつなが》と改め二六万石余りの領地を支配した。松平光長の支配は一六八一(天和《てんな》元)年の改易《かいえき》まで続くので、史料A・Bの頃の高田藩主は松平光長ということになる。

人別帳を解く

史料Aの一六四〇(寛永十七)年当時、大濁村は男一九人、女一七人、合計三六人、四家族の小集落であることが、末尾の記述からうかがえる。これが六年後の史料Bでは、男二三人、女一七人で合計四〇人とあり、この間に男が四人増えたかのようにみえ、依然小規模の村落であることに変わりはない。

では具体的に、各家族の検討に入ろう。最初の善右衛門一家は、善右衛門夫婦と男子二人・娘三人の家族と、善右衛門の弟忠兵衛夫婦とその男子一人・娘一人の家族と、善右衛門の母(「はわ」)とが同居している。単婚家族が二つで構成される複合家族である。

史料Bで六年後の善右衛門一家をみると、善右衛門夫婦の男子ちんが改名して万吉となり、女房を迎え入れている。

史料Aの「子せんま」と思われる人物はなく、後述するように六年のあいだに死んだ可能性がある。善右衛門の娘三人のうち、よねが聟三吉を入れ、女房と記されている。「娘いと」は「娘いし」と変化なく善右衛門のもとにいる。いとがいしに改名したというよりは、史料Bの宗門改帳作成時に誤記したものか、史料解読者の読み誤りか、印刷の工程での誤植である可能性が考えられる。原史料を見れば解決するであろう。善右衛門のもう一人の娘ちまは、おそらく他家に嫁いだものであろう。また、善右衛門の弟忠兵衛夫婦の「娘とら」の文字が史料Bには見えなくなるので、これも死亡した可能性は高い。

善右衛門と弟忠兵衛の複合家族に、名子《なご》善五郎家族が加わった。善右衛門の屋敷内に居住し、田畑の耕作に従事したものであろう。名子善五郎の「子あき」は同居せず、西条村七兵衛方に奉公に出されている。

次に作右衛門一家の検討に移ろう。史料Aの一六四〇年段階では、作右衛門一家は両親夫婦と自分の女房と娘一人、男子二人の家族と名子助三家族をかかえていた。しかし六年後の史料Bには、作右衛門一家の姿は大濁村には見出せない。史料Bの末尾に注目すべき記載がある。村の人数合わせて四〇人と記したあとに、

右之外ニ
一作右衛門　申ノ三月はしり申候
人数〆五人 内男弐人 同女三人

とある。すなわち作右衛門一家は申(一六四四〈寛永二十一・正保元〉年)の三月に走り百姓となって、他村に移動したものと記される。作右衛門一家は名子家族を除くと、男四人と女三人であったから、女三人は一緒に村を出られたが、男四人のうち二人は死亡したものであろう。一人は「子かめ年三ツ」ともう一人は「おやかもん年七十八」であろうか。

三番目の半右衛門一家に目を移そう。半右衛門夫婦は男子二人と娘一人のいる単婚家族だが、このほかに名子権右衛門家族をかかえている。六年のあいだに、半右衛門の子長三郎は女房を娶り「娘ちん四つ」と「子てん一才」が誕生し

ている。半右衛門のもう一人の男子ごんは十四歳となり家に残っている。また娘ちやうじはおそらく他家に嫁いだものであろう。名子権右衛門家族は、六年のあいだに半右衛門の家を離れ、小右衛門のもとに移っている。半右衛門の子どもたちの成長により労働力に余裕が生じたためであろうか、半右衛門は名子を放出した。名子権右衛門家族は「子とく」が「平五郎」と改名したが、「子百」はそのままであり、新たに「子六」が誕生している。男子の改名は十五歳頃を境におこなわれたものであろう。年齢からみて元服にあたる習慣が存在したのであろうか。

四人目の六右衛門一家は単婚家族で、男子一人と娘二人がいる。六右衛門の女房は史料Aの一六四〇年に五十五歳であったが、六年後の史料Bでは五十六歳とあることから、別人の可能性がある。息子善四郎は「子益四郎」と記載されているが、益は善の誤記ではあるまいか。益四郎に嫁がきて、その夫婦に男子たんが生まれている。六右衛門夫婦の二人の娘のうち、せんは嫁に行ったのであろうが、「むすめやす年十六」は丑(一六三七)年より巳(一六四一)年まで、城下町高田の御福町[1]山本九兵衛の所に五年季奉公に出されている。山本九兵衛は未詳であるが、高田藩松平光長家中に山本姓が数名見えることからも武家であろう。娘を奉公に出す際、父親六右衛門は賃銭を受け取ったのであろう。娘やすは、年季明けのあとも家に帰らず、今度は高田田畠町の平野屋□右衛門の所に質に入れられている。屋号をもつことから、平野屋は城下町の商人であろう。父六右衛門は、平野屋に娘をおいた際、ここでも金を受け取ったことであろう。

ところで史料Bの六右衛門の家族には、男子「長四郎十九」が増えている。長四郎は「横町田中久兵衛」の所におかれているが、六年前の史料Aには該当する人物が存在しないことから、連れ子と考えることができよう。六右衛門の女房の年齢から、史料AとBでは別人ではないかと前述したが、長四郎が連れ子と考えれば、六右衛門女房は後妻ということになる。

最後に、史料Bに突然あらわれる小右衛門家族をみてみよう。小右衛門と女房の年齢は、史料Aの作右衛門の家にかかえられていた名子助三夫婦の年齢と合致する。そのことから名子が上昇して百姓株を取得したものかとも思われたが、小右衛門の「娘ちよぼ」と「子ちん」の存在は、名子助三上昇説をはっきりと否定する。作右衛門一家が走り百姓となって他村に出たのとは逆に、百姓小右衛門家族は他村より入村してきたものと考えるべきであろう。

　以上、史料AとBの比較をおこない、一六四〇年から四六年の六年間の大濁村の住人の変化を検討した。前述したように村の人口は、史料末尾の集計をみる限りでは、三六人から四〇人に四人の増加があったようにみられる。しかしその実態は、これまで検討してきたように単純ではない。まず、史料Aに存在していた人物で、六年後の史料Bでは存在が確認できない人物は、合計一六人いると考えられる。三六人中一六人、つまり四四%の人がいなくなっているのである。嫁に行ったと思われる人数三人(同村内の可能性は否定できないが)、作右衛門とともに走った人数五人、史料Bの末尾に記されているように「未(一六四三)ノ年今《(より)》し《(死)》に申候」が五人、それに加えて、走り百姓作右衛門がかかえていた名子助三家族三人の合計一六人がその内訳である。

　これに対し、六年のあいだに大濁村の住人となった人々は二〇人を数える。史料Bの一六四六年の宗門改帳の大濁村合計人数四〇人のうち、半分の五〇%は最近六年間に加わった人ということになる。このうち、出生した者は五人、嫁いできた女性が三人、後妻が一人、聟入り男性一人、後妻の連れ子一人、小右衛門家族五人と名子善五郎家族四人が二〇人の内訳となる。ちなみに結婚年齢は、女性の最年少が十四歳で、およそ十代後半に結婚している。

　六年のあいだに、一村の半分近い人間がいなくなり、半分の人間が加わるという村の人の流れは、ごく一般的なことなのか、それとも異常な姿というべきなのか。この疑問を解く鍵に、史料B末尾の記載が役に立とう。作右衛門が「申(一六四四)ノ三月」に走ったことや、五人が「未(一六四三)」から死んだという記述である。では、一六四三年から四四年にかけて、一体何が起こったのだろうか。結論を急げば、いわゆる寛永の飢饉《ききん》が、越後国頸城郡の山間部の小村をも例外とはせずに襲っていたのである。

　寛永飢饉はまず西国から始まった。一六四一(寛永十八)年肥後《ひご》国では、前年の牛の疫病死に続き虫の害が起り、豊後《ぶんご》国臼杵《うすき》では夏の大日照りと秋の臼杵城下大洪水にみまわれた。一六四二(寛永十九)年には因幡《いなば》国鳥取藩で、他国から飢人が走り入る状態となっており、岡山藩では牛の疫病が広がっている。次第に東国でも飢饉の影響は深刻度を増し、会《あい》津《づ》藩では一六四二年会津四郡の飢饉により百姓の困窮は募り、村を捨てて家族とともに他国へ数多く走ったという。江戸では、一六四三(寛永二十)年二月、日本橋に乞食が集まり六〇〇人を超える状態で、そのうち毎日五人、三人と死に果てていると、沢庵《たくあん》和尚は記している。[2] いくつもの原因が重なって、寛永の飢饉は全国的な規模となった。

これに対し幕府や大名たちは危機感をもち、飢饉対策を講じて、百姓が成り立つ(再生産できる)ように種々の法令を出した。そのなかで一六四三年三月十一日に、幕府は関東の幕領(地頭《じとう》・代官《だいかん》)を対象に「土民仕置条々《どみんしおきじょうじょう》」を命じ、地頭(旗本《はたもと》)・代官の仕置き(治政)が悪く、百姓が堪忍できない場合には、年貢皆済のうえ他郷へ居住することを許容している。江戸時代の百姓支配の原則は、検地帳《けんちちょう》と人別帳によって百姓を土地にしばりつけ、年貢・夫役《ぶやく》を取り立てるとされ、百姓が土地を離れることを禁止していた。しかし、このときばかりは幕府自ら、百姓の他郷への移動を認めた。

寛永飢饉の様相を先行研究から学ぶことによって[3]、大濁村の史料A・Bの語る寛永飢饉時の様相をあらためて確認することができる。飢饉による死者を生み出したこと、また、他村への走りがみられたが、入村もあったこと、そして、年季奉公という名目での実質的身売りが、全国各地でみられたように大濁村においても飢饉と結びつけて理解できそうなこと、などである。

大濁村には、一六六四(寛文《かんぶん》四)年二月の「大濁村高付帳《たかつけちょう》」が残されている。[4] 史料Bの一六四六年から一八年後にあたる。村全体で石高七七石七斗七升と青苧《あおそ》高二二石、白布高三斗、山高一石、地高六四石四斗七升とあり、地頭は望月又左衛門と記されている。善右衛門・半右衛門・六右衛門(名子加右衛門)・九郎左衛門(名子清蔵)・権右衛門の五人の百姓がそれぞれの持高とともに記載されている。史料Bで小右衛門のかかえる名子であった権右衛門が百姓として自立した可能性をうかがわせる。また善右衛門は大濁村庄屋の肩書きをもっていることも、一つの変化といえる。

ところで、善右衛門とほかの四人の持高を比較したところ、二対一の比率になることがわかった。また、四人は均等に持高を保有していることもわかる。善右衛門はほかの二倍であるがそれも含めて、村高を六等分し、各人が保有しているという割地《わりち》の制度を採っていたのである。割地制度を採る理由は何か。同じ高田藩頸城郡広島村では関川の氾濫による割地制度が採られていた事例などから、大濁村では地図に記される大濁川の氾濫が原因で割地制度を採っていたものと想像していた。一六六四年の「大濁村高付帳」のなかにも「子ノ川欠《かわかけ》」と、大濁川による欠損が生じていたことからの想像でもあった。しかし、現地を訪れたことでこの想像は覆された。急斜面を切り開いた耕地とそこに住む現地の声は、この村がしばしば「すべっ」たことを指摘してくれた。地すべり(土砂崩れ)が耕地を襲い、田畑の境界を取り払ってしまったことが割地制度の最大原因と考えられた。史料を解釈するには、地図だけでは十分ではない。

マクロとミクロ

近世の人口学には、宗門人別帳を数量的に分析する研究がある。六年ごとの人別帳に記された合計の人数の変化を追い、折れ線グラフなどを作成して、どの年に増加したか減少したか、大きな傾向をつかむのに役立てる。マクロに地域全体の傾向を把握するのには有効な数量的処理である。例えば、一七二一(享保《きょうほう》六)年から一八四六(弘化《こうか》三)年までの人口動態を国ごとにみると、一七二一年を一〇〇%とした時、常陸《ひたち》国では幕末に七三%となり、下野《しもつけ》国では六八%となり大幅の減少を示す。これらは江戸時代の半ばから末期まで人口について右肩下りのカーブを描く地域である。これに対して西南地域の薩摩国では一六二%、周防《すおう》国では一六五%といずれも人口は右肩上りになる。[5]

このように約一二五年間をマクロに捉えた人口の編年変化は、その地域の生産力や経済力が発展的であったのかどうかという推量の前提になろう。また、個別の事例、例えば二宮尊徳《にのみやそんとく》が下野国で報徳仕法と呼ばれる農村復興事業を展開した地域との関係でいえば、人口の大幅減少傾向は一つの大きな前提となろう。

しかし、たんに人別帳の末尾に記された合計の数字の変化を比較しただけでは、大濁村の一六四〇(寛永十七)年と一六四六(正保三)年の六年間の変化は、村人が四人増加しただけに終わってしまう。これでは、本稿で宗門人別帳を解いて判明したように一六人減って、二〇人増加したという村の人の流れは一切みえなくなってしまう。ミクロに一家族の一人ひとりを追いかけることではじめて、越後国頸城郡の山村を襲った寛永の飢饉のすさまじさを、宗門人別帳は雄弁に語り出すのである。

註

1 『上越市史　別編5　藩政資料二』上越市、一九九九年
2 沢庵和尚全集刊行会編『沢庵和尚全集』巻四、(岩波文庫)
3 菊池勇夫『近世の飢饉』吉川弘文館、一九九七年、藤田覚「寛永飢饉と幕政(一)・(二)」『歴史』五九・六〇号、一九八二・八三年
4 『新潟県史　資料編6』新潟県、一九八一年
5 板倉聖宣『日本歴史入門』仮説社、一九八一年

公家の名目金と懐事情

江戸時代の公家・鷹司政通の場合

佐藤　雄介

歴史を研究するなかで、もっとも楽しい時間はいつかといわれれば、史料を読んでいるときだと思う。勝手にこのようなことをいうとお叱りを受けるかもしれないが、おそらく、そのような気持ちをもつ研究者は多いのではないか。卒業論文を書き上げた学生が「史料を読むことが楽しかった」と言ってくれると、素直にうれしい。やはり歴史学の醍醐味は、史料を読むことにあるのだろう。

ただし、その際には、いくつか気をつけなければならない点がある。それらをクリアしたうえで、省略された主語などを適切に補いながら、一言一句を精確に読解する（さらに、そこからさまざまな論点・疑問点を引き出す）ことが、「史料を読む」という営為なのだと、筆者は理解している。

「気をつけなければならない点」は多々あるが、その一つが「史料批判」である。本稿では、まずこの「史料批判」の問題について、⑴桜田門外の変に関する届書の草案、⑵十九世紀初めに長崎に来航したロシア使節レザノフ一行の姿を描いた「レザノフ来航絵巻」から考える。そのうえで、史料を読み、そこから何を考えるのかということに関して、江戸時代後期・幕末の朝廷で権勢をふるい、当該期の政治史に多大な影響を及ぼした公家《くげ》・鷹司政通《たかつかさまさみち》を対象に論じていきたい。

史料批判(1)——桜田門外の変に関する届書の草案

さて、史料を読む際、最初に留意しなければならない点は何かといえば、その史料の性格を考えることである。史料に書かれていることには、必ず書き手のバイアスがかかるし、なんらかの作為が加えられる場合もある。ときには、誰かの手による捏造(偽文書)の可能性すら疑ってかかる必要があろう。つまり、史料を読む際には、その史料の性格を批判的に考えることが大前提になる。私たちは、これを「史料批判」と呼んでいる。その一例として、よく知られているのが、桜田門外の変に関する井伊直弼《いいなおすけ》名義の幕府への届書であろう。

ご存じのとおり、大老・井伊直弼は、勅許(天皇の許可)がないまま、日米修好通商条約を結び、その後、安政《あんせい》の大獄で多くの人物を処罰した。彼の最期は、安政七(一八六〇)年三月三日、桜田門外で、水戸浪士らに襲撃され、殺害されるというものであった(桜田門外の変)。ところが、この死亡日について、東京都世田谷区の豪徳寺《ごうとくじ》にある直弼の墓石には、それとは異なった記述が記されている。

豪徳寺は、江戸における井伊家の菩提寺で、井伊家の墓所がある。そのなかに直弼の墓石も存在しており(図1)、そこには死没日が「閏三月二十八日」と刻まれている。これに従えば、直弼は三月三日の時点では生きていたことになる。一体、どういうことなのだろうか。

この点に関して、東京大学史料編纂所編『大日本維新史料　類纂之部　井伊家史料』二十六巻に、井伊直弼名義で幕府に出された届書の草案が載せられている。その内容を要約すれば、「今朝、私〔井伊直弼〕が江戸城に登城する途中、桜田門外で、「狼藉者《ろうぜき》」たちが私の乗った駕籠を目掛けて襲撃してきた。〔井伊直弼の〕供の者たちが防戦した結果、こちら〔井伊家〕側にも死傷者が出たが、襲撃を退けることができた。私〔井伊直弼〕は、防戦の指揮をとったところ、怪我をした

図１　井伊直弼の墓（豪徳寺）
出典：世田谷区立郷土資料館提供

ので、いったん藩邸に帰る」というものになる。

つまり、この史料では、井伊直弼は桜田門外の変で殺されず、怪我をしたものの、生き延び、藩邸に帰ったことになっている。もちろん、実際は、直弼はその場で殺害されているため、この史料は歴史的事実とは異なったことを記しているといえる。ある種の「偽装」であろう。

先述したとおり、この史料および事件の「偽装」に関しては、従来からよく知られているところであり、さまざまな著書などで言及されてきた。紙幅の関係上、そのすべてを挙げることはできないが、例えば、吉田常吉はこれを「老中の指示に従い、（直弼の）横死を秘するための工作であった」（吉田常吉『井伊直弼』三九八頁）と述べている。つまり、大老であり、彦根《ひこね》藩という譜代《ふだい》大藩の藩主でもある井伊直弼の暗殺という事実を幕府と彦根藩が相談のうえ、隠蔽しようとした結果、作成されたのがこの届書（の草案）なのである、ということだ。実際、桜田門外の変後、将軍から見舞いの使者が発せられるなどしており（維新史料編纂会編『維新史　二』）、井伊直弼は「生きている」ことにされている。井伊直弼の喪が発せられたのは、閏三月三十日のことである。

この「偽装」自体はよく知られているが、この史料を何の史料批判もせずに、事実が書いてあると思い込んで読むと、「あれっ、井伊直弼は桜田門外の変を生き延びたのか」となってしまう。

史料批判(2)――「レザノフ来航絵巻」

もう一つ例を挙げておこう。東京大学に、史料編纂所という研究所がある。前述した『大日本維新史料　類纂之部井伊家史料』を編纂した機関である。前近代日本史史料の調査と複製の収集、およびそれらを用いた史料集の編纂と研究を使命にしているが、そこに、「レザノフ来航絵巻」という絵巻が所蔵されている。作製者は不明だが、ロシア使節レザノフの長崎来航を題材にしたもので、ロシア使節や諸藩の警備の様子などが描かれている大変興味深い絵巻である。

本題に入る前に、レザノフ来航の経緯を簡単にまとめておこう。寛政《かんせい》四(一七九二)年に、ロシア使節ラクスマンが漂流民大黒屋光太夫《だいこくやこうだゆう》らをともない、根室に来航した。ラクスマンは日ロ間の通商開始の可能性について、探りを入れてきたが、幕府の対応は、ラクスマンに長崎への入港許可書を与えるにとどまった。

その後、文化《ぶんか》元(一八〇四)年にロシア使節レザノフがラクスマンに渡された入港許可書を携えて長崎に来航し、通商開始を要望したが、幕府は冷たい態度をとり、ロシア側の要望を拒否した。これに対してレザノフは、幕府の態度を変えさせるべく、部下に命じて、樺太《からふと》島や択捉《えとろふ》島などを攻撃させた。そこで奪われたと思われる大砲などが、いまもロシアの博物館(軍事史博物館など)に現存している(保谷徹「ロシアに持ち去られたフランキ砲の謎」)。この蝦夷《えぞ》地で勃発したロシアと幕府側との紛争は、当時の日本のさまざまな人々に強い衝撃を与えたという。

やや話がそれたが、「レザノフ来航絵巻」は、文字通り、レザノフの長崎来航を題材にした絵巻である。そのなかに、レザノフが長崎奉行所に赴く場面を描いた部分がある。問題は、そこに描写された出島であり、オランダ船が描かれて

図2　「レザノフ来航絵巻」
出典：東京大学史料編纂所所蔵

いる（図2）。ところが、このとき（文化二〈一八〇五〉年三月）、出島にはオランダ船がいなかったことが指摘されている（松方冬子「〈展示解説〉露国使節レザノフ来航絵巻」）。史料としてこの絵巻を用いて、「このとき、オランダ船が出島におり……」などと述べると、大きな間違いを犯してしまうことになる。

このほか、史料批判の例を挙げればきりがない。例えば、裁判関係の史料ではしばしば、被告・原告それぞれの立場にのっとった主張がなされるし、個人の日記にしても、そこには必ず書き手の主観が入り込む。以上のように、史料を読むときには、その史料そのものの性格を批判的に考える必要がある。このように史料の性格を批判的に考えることを、私たちは「史料批判」と呼んでおり、史料を読む際に、もっとも気をつけるべきことの一つと考えている。

鷹司家の名目金

さて、以上のような点に気をつけながら、史料を読んでいて、これは何だろうと疑問を感じ、そこからいろいろ調べていくうちに、あっ、そういうことか、と驚く。歴史を研究するなかで味わえる「喜び」の一つであろう。筆者の場合、卒業論文執筆のために、江戸時代の公家であり、武家伝奏《ぶけてんそう》などを勤めた広橋兼胤《ひろはしかねたね》の日記「兼胤《かねたね》記《き》」（東京大学史料編纂所所蔵）を読んでいる最中に、そのような「喜び」に出会うことができた。幸いなことに、その後もそのような「喜び」をともなう史料との出会いを繰り返すことができ、今も研究者としての道を歩みつづけている。

近年では、近世後期・幕末政治史に大きな影響を与えた公家である鷹司政通《たかつかさまさみち》のことを調べているときに、その瞬間に出会うことができた。鷹司政通は、近世後期から幕末の朝廷で、関白《かんぱく》・太閤《たいこう》として長く辣腕《らつわん》をふるった公家として知られている。政通の権勢の源に関しては、⑴関白・太閤の地位に長くあったこと、⑵祖父輔平《すけひら》・父政熙《まさひろ》ともに関白を勤めたこと、⑶祖父輔平は、東山《ひがしやま》天皇の子供である閑院宮直仁親王《かんいんのみやなおひと》の子であったという「血」、⑷経済力といった点が、従来の研究で挙げられている。

筆者が出会えた史料は、その鷹司家の経済力にかかわるものである。もっとも「経済力」といっても、それは領地についてのものではない。江戸時代において摂政・関白を勤めることができる五つの家(「五摂家《ごせっけ》」)のなかで、鷹司家の領地は一五〇〇石と少なかった。従来の研究では、これ以外に、大名からの援助や幕府からの特別手当ての存在などが指摘されており、それらを含めて政通の「経済力」とされている。筆者が出会えたのは、領地以外の収入のなかでも、それまでほとんど実態が明らかにされてこなかった鷹司家の貸付金に関する史料である。具体的には、東京大学法学部法制史資料室所蔵「京阪文書」に収められているもので、安政四(一八五七)年十一月付で、公家の石山家の家司《けいし》(家来)木村丹下《たんげ》らから「鷹司御殿御貸付所」に提出された銀子借用証文である。

そこには、「心観院《しんかんいん》」の「御遺金」として幕府から鷹司家へ進上された「御銀」(「心観院様為御遺金、鷹司様江被為進候御銀」)のうちから石山家が銀一貫目を借用すること、その返済には、石山家の俸禄米《ほうろくまい》があてられることなどが記されている。一見、何の変哲もない銀子借用証文である。ところが、じつはこの史料には、いくつもの興味深い論点が含まれている。詳しく述べていこう。

まず、この史料中にあらわれる「心観院」とは、閑院宮直仁親王の娘(倫子《ともこ》)で、宝暦四(一七五四)年に、徳川家治《とくがわいえはる》(のちの第十代将軍)に嫁いだ。彼女は明和《めいわ》八(一七七一)年に病没するが、それ以前に、彼女の弟の一人が公家の鷹司家に養子に入り、同家の当主となっていた。その人物こそが鷹司政通の祖父・鷹司輔平である。前述したとおり、この証文には「心観院様為御遺金、鷹司様江被為進候御銀」とあるが、それはつまり、心観院が病没した際に、将軍家との関係から鷹司家に対して与えられた遺金なのである。

ここで注意したいのは、鷹司家はこの心観院の遺金を元手に名目金《みょうもくきん》と呼ばれる貸付金を運用していたということである。名目金とは、幕府の認可のもと、堂舎の修復などを名目にしておこなわれる貸付金で、幕府から一定の債権保護が与えられる特権的なものであった。それゆえ、御三家や一部の寺社、公家などにのみ認められていた。

つまり、この証文は、史料上の文面をそのままとると、公家の石山家が同じ公家の鷹司家から借銀、とくに幕府から進上された心観院の遺金のうちから銀子を借用していたことになる。しかし、それは実際には、文字通りの意味での心観院の「遺金」ではなく、それを元手に鷹司家が運用していた名目金（以下、心観院名目金と記述する）のうちから借りていたと考えられるのである。

このような証文が、前述した「京阪文書」には、いくつも残されている。寺社の名目金の研究は相当数あり、公家の名目金の存在もそのなかですでにふれられてきたが、具体的な研究はほとんどなかった。つまり、この証文は、研究の蓄積が薄い公家による名目金の実態の一端を示す貴重な史料なのである。調査してみると、この「京阪文書」だけではなく、京都市歴史資料館架蔵写真版（撮影した史料を印刷してまとめたもの）「高嶋《たかしま》（弥《や》）家文書」にも、同種の史料が存在した。これらの史料をみてみると、心観院名目金の貸付先は、判明するものだけでも、堂上《とうしょう》公家や朝廷の下級官人である地下《じげ》官人、財政をはじめとした朝廷のさまざまな実務を担った口向役人《くちむきやくにん》といった朝廷関係者のみならず、京都町奉行所の与力《よりき》ら幕府役人などにまで広がっていた。鷹司家による名目金が、京都において広く展開していた様子が見て取れる。

差加金と茶染屋五兵衛

さて、名目金については、その元手に町人や百姓らが自分の資金を加えるという事例がよく知られている（「差加金《さしくわえきん》」）。そうすることによって、実質的に自分たちの貸付けに幕府からの債権保護を付与することができるのであるが、本来は違法行為である。しかし、実際には広くおこなわれていたことが、すでに周知の事実となっている。心観院名目金の場合はどうであったのだろうか。

前述した「高嶋（弥）家文書」には、年代不明で、茶染屋五兵衛《ちゃぞめやごへえ》という商人に宛てられたと思われる鷹司御殿役所「御定法」が残されている。この史料から、心観院名目金についても、差加金が禁じられていたことがわかる。しかし、これは「御定法」上は、つまり規定上はそうなっていたというだけであった。「高嶋（弥）家文書」や「京阪文書」中のいくつかの史料から、実際には、この規定は遵守されておらず、茶染屋五兵衛やほかの商人による出銀がなされていたことが確認される。

さらに、天保《てんぽう》十一（一八四〇）年付の証文（「高嶋〈弥〉家文書」）は、より興味深い。この史料には、公家の押小路《おしこうじ》家が心観院名目金から銀一〇貫目を借用していることが記載されている。しかし、これをそのまま文面通りに理解してはならない。ほかの史料と合わせて考える必要がある。具体的には、天保十四年五月付で、茶染屋五兵衛に出された准后御所取次（口向役人の一種）高木下野守《しもつけのかみ》ら借用証文（「高嶋〈弥〉家文書」）である。この史料から、天保十一年に高木らが「鷹司様御名目」、すなわち心観院名目金として押小路家に銀一〇貫目を貸し付けていたこと、今度、その返済分を担保に、茶染屋五兵衛（後述するように、心観院名目金の運用の一端を担っていたと考えられる）から借銀をすることになったことがわかる。つまり、天保十一年付の証文上では、押小路家の借銀は心観院名目金からのもののようにみえるが、実際には高木らからの押小路家に対する貸付けを心観院名目金に仕立てていたと考えられる。これもまた差加金の一種といえ、心観院名目金の場合、町人だけではなく、口向役人からの差加金もあったようである。天保十一年付の証文だけを単純に分析するのではなく、天保十四年付の証文もあわせて考察することで、このようなことが浮かび上がってくる。

さて、心観院名目金の実質的な運用は、鷹司家がおこなっていたわけではなかったと考えられる。先程述べた茶染屋五兵衛が、少なくともその一部を担っていたことが、「高嶋(弥)家文書」などからうかがわれる。茶染屋五兵衛に関しては、宮内庁編『明治天皇紀　一』嘉永《かえい》五(一八五二)年十一月十七日条に、

……当時京都に茶染屋五兵衛なる者あり、人呼びて茶五と曰ふ……恰も江戸に於ける札差の如く、凡そ廷臣の廩米を受くる者にして之れに頼らざるもの殆ど之れなきなり……《○宮様御降誕御用私記、禁中行事記聞附録　○茶染屋五兵衛の事は、編修官上野竹次郎の曽て遺老に聞く所を参酌して記す、》(傍線および波線は筆者)

との記述がある。波線部に、「遺老」への聞取りを勘酌しているとあり、注意が必要であるが、この史料によると、茶染屋は、札差《ふださし》のような存在であったという。札差とは、幕府から給付される俸禄米の受領や米問屋への売渡しなどを旗本や御家人《ごけにん》から委託された商人で、俸禄米を担保とした貸付けもおこなっていた。心観院名目金に関する借用証文をみていると、返済が俸禄米などでなされているケースが散見されるが、茶染屋五兵衛の札差的なあり方を考えれば、ある意味、当然のことなのであろう。

貸付先

心観院名目金の貸付先は、前述したように、堂上公家や地下官人、口向役人、京都町奉行所の与力など多岐にわたるが、そのなかでも特徴的なものについて、一つだけ詳しくみてみよう。具体的には、三条実万《さんじょうさねつむ》と広橋光成《ひろはしみつしげ》への貸与で

ある。前者に関しては、実万が武家伝奏に任命された約半年後の嘉永元(一八四八)年八月に金四〇両が、後者については、安政二(一八五五)年に銀三貫目が、心観院名目金から貸し付けられている。実万は、非常に有能な公家と評判された人物で(藤田覚『天皇の歴史六　江戸時代の天皇』)、京都町奉行所の与力らが嘉永三(一八五〇)年に作成した探索書でも、家柄もよく、博学で、鷹司政通の信頼も厚いなどと記されている(東京大学史料編纂所所蔵『松平乗全関係文書』所収「官家風聞書」)。一方、広橋光成の広橋家は、歴代の当主が武家伝奏など朝廷内の要職を勤めた家である(前述の兼胤もその一人)。自身が君臨していた朝廷運営を、より潤滑におこなうために、政通が有能な、あるいは要職を勤める公家に貸付けをおこなっていたのではないだろうか。

貸付先については、ほかにも興味深い点があるものの、紙幅の関係上、これ以上述べることはできない。何にせよ、心観院名目金はほかの堂上公家など朝廷関係者らに広く貸与されていた。額としては小口なものも多いが、朝廷関係者らに対する金融として機能していたことがわかり、経済面における彼らに対する鷹司家(政通)の影響力がうかがわれる。心観院名目金ではなく、茶染屋五兵衛名義の貸付金が多くの朝廷関係者らに貸し付けられていたという事実もあり、そこには鷹司政通の意向もある程度反映されていたと推測される。あわせて考えれば、鷹司政通が経済的な面で彼らに及ぼしていた影響力というものが、よりいっそう強くうかがえるのではないか。

史料から読み取れること

従来、京都において、寺社などによる名目金が広範に展開していたことは知られていたが、ここまでみてきたように、公家である鷹司家の名目金も広く存在していた。その運用には、札差のような存在の茶染屋五兵衛がかかわっていたと考えられ、本来は禁止されていた差加金もおこなわれていた。このことは都市京都の金融の多様性を示すとともに、都市京都と天皇・公家との関係性の一端を示すものでもあろう。また、その貸付先からは、朝廷関係者らに対する政通の経済的な影響力がうかがわれ、政通の長期にわたる朝廷運営の背景には、このような要素もあったのではないかと推測される。政通の朝廷運営、あるいは朝廷内のパワーバランスを考えるうえで、今後も掘り下げていくべき問題である。

以上のように、見方によっては何の変哲もない一つの借用証文が取っ掛かりとなり、ほかの史料を複数組み合わせて考えていくことで、研究の世界は広がっていく。史料を読む、ということには歴史学のおもしろさが凝縮されていると思うし、史料を読むことに「喜び」を感じなくなったら、おしまいだとも思う。ただし、自戒を込めていえば、そのおもしろさや「喜び」を味わうためには、史料批判の力など、さまざまな能力が求められる。そのことを忘れないようにしたい。

本稿は、JSPS 科研費 JP20K13181 の助成を受けたものである。

参考文献

荒木裕行「京都町奉行所における朝廷風聞調査について」松澤克行（研究代表者）『東京大学史料編纂所研究成果報告二〇一三―五　近世の摂家・武家伝奏日記の蒐集・統合化と史料学的研究』二〇一四年、八三～一〇一頁
佐藤雄介「近世後期の公家社会と金融」『日本史研究』六九七号、二〇一九年、六六～九二頁
佐藤雄介「近世後期・幕末の鷹司家貸付所名目金と心観院」朝幕研究会編『論集　近世の天皇と朝廷』岩田書院、二〇一九年、二八一～三〇二頁
藤田覚『天皇の歴史六　江戸時代の天皇』（講談社学術文庫）講談社、二〇一八年
保谷徹「ロシアに持ち去られたフランキ砲の謎」東京大学史料編纂所編『日本史の森をゆく』（中公新書）中央公論新社、二〇一四年、九〇～九四頁
松方冬子「（展示解説）露国使節レザノフ来航絵巻」東京大学史料編纂所第三六回史料展覧会図録『東アジアと日本　世界と

日本』二〇一三年、四四頁
三浦俊明『近世寺社名目金の史的研究』吉川弘文館、一九八三年
吉田常吉『井伊直弼』吉川弘文館、一九六三年

歴史書を読むということ
新井白石と福沢諭吉、そして丸山眞男

千葉　功

歴史書を読むとはどのような行為であるのか。この小論では、歴史叙述として後世に大きな影響を与えた二つの歴史書として、新井白石《あらいはくせき》『読史余論』と福沢諭吉《ふくざわゆきち》『文明論之概略』を取り上げ、歴史書の読み方がもつ意味を考えてみたい。

新井白石『読史余論』

新井白石の史論のなかでもっとも読まれ後世に強い影響を与えたのが、『読史余論』である。

白石は徳川家宣《とくがわいえのぶ》が甲府《こうふ》宰相時代の元禄《げんろく》八（一六九五）年から朱熹《しゅき》『資治通鑑《しじつがん》綱目』（司馬光《しばこう》『資治通鑑』を独自の観点から再編成した歴史書）を講義していた。そして、正徳《しょうとく》二（一七一二）年の春から夏にかけて侍講が終わるたびに、座を改めて「本朝代々の沿革、古今の治乱」について進講したが、この進講の副産物が『読史余論』の原型である。白石本人がいうところによると、進講の際、懐中にしていたものであるから、懐がふくらまないように細字で紙面にギッシリと書かれたものだという。正徳六（享保《きょうほう》元・一七一六）年の致仕以後も白石は新たな研究や他書の述作に精力を傾注したため、『読史余論』については進講用草稿にほとんど手を入れることなく、享保九（一七二四）年になって定稿本が成立した。

白石は歴史研究にあたって、単純に歴史的事実として正確であるばかりでなく、道徳上の見地からしても理にかなって義《ただ》しい（＝理義）と判断される事実こそが、選ばれて史書に記載されるのに価すると考えた。このような客観性と主観性との微妙なバランスのうえにこそ、白石の歴史研究は成立する。

『読史余論』の典拠としては、全体では林鵞峰《がほう》『日本王代一覧』や北畠親房《ちかふさ》『神皇正統記』に依拠することが多い。ただし、孔子《こうし》が『春秋』をつくったとき採用したと信じられた方法（＝筆削）を白石も用いて、記載記事を無批判に転載せず、彼なりの主張をそこに寓しつつ転載したり無視したりする。例えば、儒者としての白石は、『日本王代一覧』の仏教関係記事をほとんど捨てて顧みない。『神皇正統記』を引用するにしても、批判的な意見を付したりするのである。

『読史余論』の内容要約

上巻では、冒頭の総論においていわゆる「九変五変論」を簡単に説明したあと、公家《くげ》政治に関する「九変」のほうを詳しく述べる。

公家政治に関する九変は、摂政《せっしょう》の起こりを「一変」、関白《かんぱく》の起こりを「二変」、外戚《がいせき》の専権を「三変」、後三条《ごさんじょう》天皇による親政を「四変」、院政の開始を「五変」、鎌倉幕府の成立を「六変」、北条氏《ほうじょうし》の執権《しっけん》政治を「七変」、建武中興《けんむちゅうこう》を「八変」、南北朝《なんぼくちょう》の分立を「九変」とする。

次に武家政治に関する五変は、源頼朝《みなもとのよりとも》による鎌倉幕府の創設を「一変」、北条氏の執権政治を「二変」、建武中興と足利尊氏《あしかがたかうじ》による室町《むろまち》幕府の創設を「三変」、織田《おだ》・豊臣《とよとみ》政権の成立を「四変」、徳川家康《いえやす》による江戸《えど》幕府の成立を「五変」とする。

公家政治に関する九変は、徳をそなえず政治的能力ももたない公家（天皇家と藤原氏《ふじわらし》その他の貴族）が天命に合致できずに、王朝政権を滅亡へと導いていく過程である。白石自身は上巻の内容を次のようにまとめている。

> 謹按《つつしみてあんずるに》、鎌倉殿天下の権を分たれし事は、平清盛《たいらのきよもり》武功によりて身を起し、遂に外祖の親をもて権勢を専にせしによれり。清盛かくありし事も、上は上皇の政《まつりごと》みだれ、下は藤氏累代権を専にせしに倣《なら》ひしによれる也。されば、王家の衰し始は、文徳《もんとく》、幼子をもてよつぎとなされしによれりとは存ずる也。尊氏天下の権を恣《ほしいまま》にせられし事も、後醍醐《ごだいご》中興の政、正しからず、天下の武士、武家の代をしたひしによれる也。尊氏より下は、朝家はたゞ虚器を擁せられしまゝにて、天下はまつたく武家の代とはなりたる也。

すなわち、白石は「王家の衰し始」を、文徳天皇が幼子である惟仁《これひと》(のちの清和《せいわ》天皇)を世継ぎとしたため、清和天皇の践祚《せんそ》後は外祖父の藤原良房《よしふさ》が摂政となったことに求めている。
また、『本朝通鑑』と違って、『読史余論』には延喜《えんぎ》・天暦《てんりゃく》聖代観がみられない。村上《むらかみ》天皇についても、はっきりとその道徳上の非および政治上の誤りを指摘し、藤原登子《とうし》への寵愛によって「これより朝政《あさまつりごと》衰ふ」とし、唐《とう》の玄宗《げんそう》皇帝の楊貴妃《ようきひ》への寵愛により政治が乱れた故事に重ねる。

摂関家のほうも冷泉《れいぜい》天皇を退位させて円融《えんゆう》天皇を立てたりする「姦邪《かんじゃ》の人」であって、その不忠不孝がたたって子孫が繁栄しないことを「天の報応あやまらずといふべし」とする。

外戚政治から脱した後三条天皇の治政に対しては「誠にかしこき御事也」と称賛する一方で、白河《しらかわ》以後の院政に対しては、上皇《じょうこう》が政治をとり、天皇が形ばかりであることに「世の末《すえ》になれるすがたなるべきにや」と白石はみる。そして、保元《ほうげん》の乱(一一五六年)によって、「父、父たらず、子、子たらず。兄、兄たらず、弟、弟たらず。夫、夫たらず、婦、婦たらず。君、君たらず、臣、臣たらず」と、北畠親房『神皇正統記』のいう「名行〔名教〕のやぶれ、一言以て蔽へり」といった状態であると白石はいう。このように白石は、戦乱の原因となった院政期の政治の紊乱《びんらん》と道徳的退廃に対して、激しく非難する。

よって、公家政治を復活しようとした承久《じょうきゅう》の乱(一二二一年)に対しても、白石は冷ややかである。「後鳥羽《ごとば》院、天下の君たらせ給ふべき器にあらず。ともに徳政を語べからず」と断言する。平家の都落ちの際、後白河《ごしらかわ》が三宮（惟明《これあきら》親王）をさしおいて弟の四宮（後鳥羽）を即位させたことがそもそもの間違いだし、後鳥羽が兄の安徳《あんとく》と世を争うのも「名正しとはいふべからず」。始めが正しくないので、その末として承久の乱が起きたと白石は考える。

皇統の正閏《せいじゅん》が問題となりがちな南北朝時代において、白石は北朝の天皇を武家が戴いた「共主」（中国の戦国時代に天下が一つになってその宗主として戴く周王室を指す）とする。すなわち、劣勢の足利尊氏が南北両帝の争いのようにするために光明《こうみょう》天皇を即位させたように、まったく足利の自己目的のために天皇を押し立てたのであって、「まさしき皇統」とはいえないという。

いずれにせよ、南北朝合一後は、天下の人は皇家あることを知らなくなるが、それもこれも、文徳天皇の幼子（のちの清和天皇）をもって太子としたことがそもそもの始まりであると結論づけるのである。

続いて、中・下巻では武家政治に関する「五変」を述べる。

「天子」自ら「天下兵馬の権」を掌握した「上古」には問題がなかった。ただし、天武《てんむ》天皇が天智《てんち》の正当な世継ぎである「大友《おおとも》天皇」にそむいて勝利後に即位した壬申《じんしん》の乱（六七二年）は、「上古」における天皇自らの征討とは違うという。すなわち、『本朝通鑑』など林家の歴史書では大友皇子を天皇と認めないのに対して、白石は『礼記』のいう嫡子嫡孫相続の原則を破って天武が「世をうば」ったものとして壬申の乱を捉える。実際、天武系は七代目の子孫である称徳《しょうとく》天皇までで その血統が途絶えてしまうのであって、白石は天武天皇の叛逆という悪行に対する天の応報として天武天皇の子孫が絶え、天智系の光仁《こうにん》天皇へと家系が交替したとみた。

さて、白石は天下がついに「武家の世」となったのを必然とみるが、個々の執政者に対する評価はおしなべて厳しい。源頼朝に対しても、つねに自分の勲功に思い上がり、皇室を脅かして制約することを「まことに天の功をぬすめりとやいふべき」と断じる。たしかに頼朝の「英雄の資」も認めているが、同時に頼朝は残忍かつ猜疑心が強いために親しい兄弟一族を多く殺して、その「孤」＝頼家《よりいえ》・実朝《さねとも》を北条氏に託したために、ついには後継者を滅ぼされたことを、「天の報応」だと白石はいう。

執権政治をおこなった北条氏に対する評価も厳しい。時政《ときまさ》の「姦計」や「詐謀」をあますところなく指摘し、義時《よしとき》などは「本朝古今第一等の小人」とされる。時頼《ときより》も、将軍である藤原頼経《よりつね》・頼嗣《よりつぐ》父子を放逐し、宝治《ほうじ》合戦という「姦計」で三浦《みうら》一族を滅ぼし、長子である北条時輔《ときすけ》を捨てて幼子の時宗《ときむね》を後継としたことを強く批判する。貞時《さだとき》はもちろん、高《たか》時《とき》など論じるに足らない。北条氏のなかで唯一高く評価するのが泰時《やすとき》であり、北条氏が陪臣でありながら長く続いたのも泰時の徳政によるものだという『神皇正統記』の記述を長々と引用しており、泰時に対する評価は白石も是認していたと推測される。

また、足利氏に対する評価も辛辣である。そもそも、初代将軍の尊氏が結局武家の棟梁となれたのも、士民にとって公家政治が武家政治に劣ることがわかり、誰でもよいから武家時代を再興してくれる人を主君にしようと思っていたところ、好都合なことに尊氏が朝廷にそむいたからである。

足利将軍家にとって全盛期である三代義満《よしみつ》についても、その「名」は人臣でありながら、実際は天下を支配して、天子を立てて世の「共主」としている。世態の変化にあわせて「一代の礼」、すなわち足利家が「天子より下れる事一等にして、王朝の公卿《くげ》・大夫《たゆう》・士の外《ほか》、六十余州の人民等、ことごとく其臣たるべきの制」にすべきであったのに、そうしなかったことを白石は非難する。

また、南北朝の合一後も、義満・義持《よしもち》・義教《よしのり》が両統迭立の復活という約束を反故にして、持明院統《じみょういんとう》をもって皇位継承させたことに対して、白石は三種の神器を奪うための「穿窬《せんゆ》の盗」(こそどろ)であって、「天下の主」たる者のすることではないという。

義教も才ではなく神籤で選ばれたこと自体もっとも愚かなことであると白石はみる。「驕侈」「驕奢」の主がでると天下は乱れるが、その乱れは義教の代に長じて、義政《よしまさ》の代で極まったという。ちなみに、義政の「驕奢」に対比する形で、義視《よしみ》や義尚《よしひさ》の「徳沢」「徳」を高く評価する。

結局、足利氏は、もともと尊氏が「叛臣」なので、「叛臣」「賊子」が絶えず、ついに滅んだ。応仁《おうにん》の乱（一四六七〜七七年）後、足利家は管領細川《ほそかわ》家に脅かされ、「逆威」をふるった細川家も「陪臣」（三好《みよし》家）のために滅びるが、それも自業自得と白石はみる。

織豊《しょくほう》政権に関しても、「天性残忍」である織田信長《のぶなが》が「詐力」をもって志を得たのであって、非業の死を遂げたのも自業自得と白石は突き放す。ただし、天下の衆が「神祖」＝家康の掌握に帰すきっかけをつくったことや、比叡山《ひえいざん》焼討ちによって僧徒の「凶害」を除いたことは評価する。しかし結局は、信長は「覇者」たろうとしてその功が半途で終わった人物であり、「詐術」を駆使する様を鬼面をもって小児を驚かす類であると白石はあざける。

また、秀吉《ひでよし》に対しても、「天報」によって家が二世も続かなかったので、論じるに足りないという。ただし、秀吉の遺風（⑴刑罰が重いこと、⑵キリスト教の力を殺ぐために仏教を奨励したこと）が今の世まで害をなしていることを指摘する。

『読史余論』の特徴

まず儒教の「応報」の観念（善行には福、悪行には禍という応報がともなう）がみられることが特徴的である。それも個人の運命ではなく、「家」の運命のうえにあらわれるとみるところが日本的である。この「応報」の観念が為政者に適応されると、為政者の善政・失政に応じて天が政権の与奪を決定するという「天人相関思想」となる。「天の報応」から説明することによって、怨霊の類の働きを歴史の世界から排除しようとする白石の姿勢がうかがわれる。また、足利義教の将軍家継承のように、人事をつくすことなくして、（くじ引きをすることで）神意を問うことを批判する。

さらに、玉懸博之によると、個人の力を超えた社会的状勢を示すものとして「勢」、さらには「変」という観念が重要な役割を果たしている。よって、為政者の徳不徳と世の治乱とがストレートに結びつけられる『神皇正統記』では、優れた為政者の在位中に世が乱れることには説明がつけにくくなり、そのような事例があるとこれを「時の災難」として例外視して処理したのに対して、『読史余論』では、「勢」という観念を導入することによって、例外としてではなく必然的なものとして説明することが可能になる。

よって、大川真が指摘するように、『読史余論』がほかの史論に卓越している点として、政権変遷の原因分析を政権担当者個人の資質のみならず、政治体制や制度、統治方式などの側面からも明らかにしていることが挙げられる。為政者個人の道徳ではなく、政治そのものを直視して政権を批評していく態度は、皮肉にも、白石の批判者であり近世後期最大の歴史家である頼山陽《らいさんよう》に継承されていく。

また、「神君」徳川家康を除く個々の為政者の不徳を挙げつつも、武家政治そのものは朝廷政治よりまさっていたとして、武家の政権獲得が是認されるのも特徴である。白石は、『神皇正統記』の「およそ、保元・平治《へいじ》より此のかたのみだりがはしきに、頼朝と云人もなく泰時と云ものなからましかば、日本国の人民いかゞなりなまし」という一節を三度も引用する。よって、尾藤正英は、『読史余論』の構想として、古代王朝から武家への政権の移行を一種の易姓革命《えきせいかくめい》として捉えようとしたとさえ主張するのである。

一方で、尊氏以降の天皇に関して、白石は武家の「共主」として捉える。中田喜万によると、武家が「天下の権」(政治実権)を完全に把持し、天皇はただ「虚器」を戴く形式的な存在にすぎないと白石は考えた。この武家と天皇の関係を踏まえたのが「共主」という語である。

よって、歴代の武家政権がこの「共主」へどのように対応してきたのかを白石は一貫して問題にし、とくに義満のあり方を強く批判する。すなわち、義満は「天下の権」を完全に把持しているにもかかわらず、朝廷の官位を叙任されれば、形式的には義満もその臣下も等しく「王臣」となり、実際の主従関係と齟齬《そご》をきたす。一方で朝臣を自分の臣下と同様に扱うことは「僭窃《せんせつ》」となる。このように、白石は、「実」(実効的な政治支配)にふさわしい「名」(名義)を創出するという「正名」論の立場から、武家独自の勲階制度を創出すべきだという。実際、白石は朝鮮通信使の来日に際し徳川将軍の称号「大君」を、実効的政治支配をおこなう治者の号である「国王」へと改めようとしたが、それは彼の主張の実践にあたるのだろう。

福沢諭吉『文明論之概略』

『文明論之概略』は、「あたかも一身にして二生を経るが如く」江戸時代から明治時代への激動を生きた福沢諭吉が、一八七五(明治八)年に刊行した体系的な「文明論」である。「文明論」に対する福沢自身の定義は、「文明論とは、人の精神発達の議論なり。その趣意は、一人《いちにん》の精神発達を論ずるにあらず、天下衆人の精神発達を一体に集めて、その一体の発達を論ずるものなり」というものである。精神の「発達」過程を論じる以上、日本や西洋の歴史を語ることになり、『文明論之概略』も立派な歴史書である。もちろん、通史ではないので、福沢の日本史観は個々バラバラにあらわれることになる。

西洋の歴史的事例に関しては、フランソワ・ギゾー(François Guizot)の『ヨーロッパ文明史(*General History of Civilization in Europe*)』やヘンリー・バックル(Henry Buckle)の『英国文明史(*History of Civilization in England*)』をおもに利用している。もちろんギゾーやバックルの著書には日本の事例はでてこないので、日本の歴史については日本の歴史書を利用することになる。福沢がおもに利用したのは新井白石『読史余論』や頼山陽『日本外史』であるが、それら歴史書から事例を引きつつも価値評価をまったく反転させて用いることが極めて多い。もちろん、これも歴史書の重要な読み方であろう。『文明論之概略』の第二章「西洋の文明を目的とする事」では、中国と日本との比較論がでてくる。中国では「至尊」

の位と「至強」の力とをあわせた独裁の神政府という単一元素であるのに対して、日本は「至尊」の天子（天皇）に対して「至強」の将軍という二元素であることが自由の気風を生み、西洋文明の摂取にはより有利だとして、中世以来七〇〇年間の武家政治の存在を高く評価する。

また、同じく第二章では、独特な「国体」概念を使用している。すなわち、福沢は「国体（nationality）」「政統（political legitimation）」「血統（line）」の用法を区別したうえで、「国体」＝自国民による支配ないし民族自決、「政統」＝政治的正統性ないし正統的政治体制（君主制・封建制・民主制など）という独特な用法・定義をしている。

よって、福沢は、頼山陽が『日本外史』巻之五論賛で北条氏が天皇をまるで「孤豚」（親を離れた子豚）のようにみていたとして北条氏の専横に悲憤慷慨《ひふんこうがい》した一節を逆用して是認（「その言、真《まこと》に然り」）したうえで、たとえ政権が朝廷を去って天皇が「虚位」を擁するようになっても、他国民の支配を受けたことがなかったことを評価する。いわんや、南北朝時代において南朝と北朝が血統の順逆を争ったとしても、それは同じ天皇の血統を受けたもの同士の争いにすぎないのである。

次に、第四章「一国人民の智徳を論ず」では伝統的史観を俎上にあげて、一刀両断のもとに切り捨てる。福沢が批判の対象としている伝統的史観は、(1)英雄史観（治者史観）、(2)治乱興亡史観、(3)大義名分史観・勧善懲悪史観であった。

後世の歴史書がいうように、木下藤吉郎《きのしたとうきちろう》（のちの豊臣秀吉）が六両の金を盗んで出奔したときから、すでに日本国中を横領する素志があったという説を福沢は退ける。さらに、秀吉の母は太陽が懐に入るのを夢見て妊娠したとか、後醍醐天皇が南木の夢に感じて楠木正成《くすのきまさしげ》を得たとかいった類を「虚誕妄説」と片づける。つまり、英雄的な人物については荒唐無稽な伝説をもっともらしく付会して、幼児から、いな生前からその兆候があったかのように説くのは、人を惑わすだけでなく、歴史家自身が自己欺瞞で「惑溺《わくでき》」に陥っているのだと批判している。

また、楠木正成が湊川《みなとがわ》の戦いで討死にしたのは後醍醐天皇の不明ではなく、「時勢」（福沢のいう「時勢」とは「其時代の人民に分賦せる智徳の有様」を指しており、換言すれば「民情」といってもよいものであった）によるものだと福沢はいう。『日本外史』や『読史余論』などの歴史書では、後醍醐天皇の北条氏滅亡後の論功行賞で筆頭が足利尊氏、その次が新田義貞《にったよしさだ》なのに対し、楠木正成以下の「勤王の功臣」は捨てて顧みられなかったため、尊氏をして野心を逞しくさせ、再び王室の衰微を致したとされる。そして、今日にいたるまでこの段にいたると、切歯扼腕《せっしやくわん》して尊氏の兇悪を憤り、後醍醐天皇の不明を嘆息しない者はいない。しかし、これは「時勢」を知らない者の論だと福沢はいう。

すなわち、当時天下の権柄《けんぺい》は武家の手にあって、後醍醐天皇も「時勢」に従ったのだという。権威を自ら有し自立した足利家を、名望に乏しく尊氏からは隷属視される楠木正成よりも優先するのは当然のことで、逆に当時天下に「勤王の気風」がいかに乏しかったかを例証する。保元・平治の乱（一一五六・五九年）以後、歴代天皇に不明不徳の例は枚挙にいとまがなく、「天子は天下の事に関る主人にあらずして、武家の威力に束縛せらるる奴隷のみ」と福沢は言い切る。政権が王室を去って武家に移ったことこそ「積年の勢」なのであって、楠木正成は尊氏と戦って死んだのではなく、「時勢」に敵対して敗北したのだと福沢はいう。

よって、楠木正成は「忠臣」とはされない。『文明論之概略』とほぼ同時期に書かれた『学問のすゝめ』では、いわゆる「楠公権助論《なんこうごんすけろん》」が展開された。ただ主人へ申し訳ないとして命を棄てた者を忠臣義士というならば、一両の金を落として、旦那へ申し訳ないとして並木の枝にふんどしを掛けて首をくくった権助と同じではないかと冷笑した。福沢が唯一、日本史上「マルチルドム〔殉教 martyrdom〕」にあたるのは佐倉惣五郎《さくらそうごろう》のみとする。福沢自身は楠木正成（「楠公」）の名前を出さなかったにもかかわらず、世間は「忠臣」とされた正成をおとしめるものと捉えて、強い感情的反発を巻き起こした。

第五章は、タイトル自体は「前論の続」としながらも、実質的には智徳の歴史が語られる。王政復古がおこなわれ、さらに廃藩置県までいたった理由は、王室の威光や執政の英断ではなく、別の原因だという。

すなわち、日本の人民は積年専制の暴政に苦しめられ、才智ある者も門閥によって事をなすことができなかったが、人智が発達するにつれてようやく門閥を厭う心が生じてきた。とくに天明《てんめい》(一七八一〜八九年)・文化《ぶんか》(一八〇四〜一八年)の頃には詩集・稗史・小説に事寄せて、また国学者流・漢学者流も言外に、不平を訴えるようになった(江戸時代初めの新井白石の書〈おそらく『読史余論』〉や中井竹山《なかいちくざん》『逸史』が時勢に制せられて幕政に佞するところがあるのに対し、文政《ぶんせい》期〈一八一八〜三一年〉の頼山陽『日本外史』は専制への怒気をもらしていると福沢はいう)。

ただし、政府の暴力と人民の智力との天秤において、平衡を破ったのはペリー来航であった。すなわち、幕府の外交上の失策や人民の外国との接触、さらには攘夷《じょうい》論があわさることによって、幕府を倒す目的で衆論が一致し、全国の智力がことごとくこの目的に向かって、「革命」＝明治維新を成就したという。つまり、攘夷論はあくまで「革命」の近因であって、一般の智力が「復古攘夷の説を先鋒に用いて旧来の門閥専制を征伐した」ことこそが遠因というか真因なのだという。そして、行きつくところ、封建制廃止＝廃藩置県にまでいたる。このように福沢は、王政復古史観をとらないことをはっきりと表明するのである。

第九章「日本文明の由来」は、バックルやギゾーといった下敷なしに書かれた、福沢のオリジナリティーあふれる章である。

日本は西洋諸国と違って「権力の偏重」という現象がみられる原因として、「酋長《しゅうちょう》」たる神武《じんむ》天皇の「征服」以来、「治者」と「被治者」の区別が生じ、「被治者は治者の奴隷に異ならず」という状態になったことを挙げる。『日本書紀』にみられる仁徳《にんとく》天皇の有名なエピソード(三年間課役《かやく》を止めた結果、民家に炊煙があがるようになったのを見て、民が富むのを自分が富むのと同一視した)も、王室による天下の私有を示すものとされる。その後、武家政治が起きても、それは「治者」内部における権力の移動にすぎず、治者と被治者の分界は逆にますますはっきりする。福沢は『読史余論』の九変五変論を次のように批判する。

新井白石の説に、天下の大勢、九変して武家の代と為り、武家の世、また五変して徳川の代に及ぶといい、その外《ほか》諸家の説も大同小異なれども、この説は、ただ日本にて政権を執る人の、新陳交代せし模様を見て、幾変といいしのみのことなり。都《すべ》てこれまで日本に行わるる歴史は、ただ王室の系図を詮索するものか、あるいは君相有司の得失を論ずるものか、あるいは戦争勝敗の話を記して講釈師の軍談に類するものか、大抵、これらの箇条より外ならず。稀に政府に関係せざるものあれば、仏者の虚誕妄説のみ、また見るに足らず。概していえば、日本国の歴史はなくして、日本政府の歴史あるのみ。

福沢からすれば、『読史余論』における有名な九変五変論にしても、天下の大勢が変じたものとはいえないのである（福沢は、同じ外題《げだい》の芝居を九回ないし五回繰り返し催すようなものとさえいう）。

このように、福沢は治者・被治者の分界の固定化と「権力の偏重」という日本史の特質を剔抉《てっけつ》する。被治者は治者間の戦争に対してもしょせん「見物人」として接するのであって、「日本には政府ありて国民《ネーション》なし」という福沢のテーゼの重要な例証になっている。

そして丸山眞男

福沢諭吉の思想に多大な影響を受けた人物の一人に、戦後最大の知識人といってよい丸山眞男がいる。丸山は東京帝国大学法学部の助手をしていた一九三八年、福沢の『文明論之概略』や『学問のすゝめ』を本格的に読み、その一行一行が当時の軍国主義時代への痛烈な批判のように読めて、痛快の連続だったという。丸山が日本の思想家のなかでとくによく勉強したのが荻生徂徠《おぎゅうそらい》と福沢諭吉であった。丸山は「福沢惚れ」という服部之総の批判を逆手にとって、「とことんまで惚れてはじめてみえてくる恋人の真実」というものがあると反論する。

福沢が新井白石『読史余論』を利用しつつ、価値評価を反転させるといった「読み」をおこなうのに対して、丸山は福沢に惚れぬき、血肉化した福沢の論をほかに転用することで議論を組み立てていったのではないか。丸山が敗戦直後の一九四六年に発表し、彼の名を一躍有名にした論文「超国家主義の論理と心理」のなかで、『文明論之概略』の一節を「抑圧移譲」の原理と命名して引用したことを認めている。また、丸山が、福沢の文明論に関して「civilization をでき上った一定の形態としてでなく、まさに civilize してゆくことというふうに、動詞の名詞化としてとらえているのが、看過してはならない点です」（丸山『「文明論之概略」を読む』上一一三頁、傍点は筆者（丸山））と述べるとき、丸山の「永久革命としての民主主義」という思想の背後に福沢を想定することも、あながち頓珍漢とはいえないのではないだろうか。

福沢的な「読み」にしても、丸山的な「読み」にしても、歴史書を読むには多様な読み方があってよい。それがひとまずの断案である。

参考文献

新井白石関係

新井白石「読史余論」松村明・尾藤正英・加藤周一校注『日本思想大系 新井白石』岩波書店、一九七五年
大川真「新井白石『読史余論』」苅部直ほか編『岩波講座 日本の思想』第三巻、岩波書店、二〇一四年
玉懸博之「『読史余論』の歴史観」『近世日本の歴史思想』ぺりかん社、二〇〇七年
中田喜万「新井白石における「史学」・「武家」・「礼楽」」『国家学会雑誌』一一〇巻一一・一二号、一九九七年
尾藤正英「新井白石の歴史思想」松村明・尾藤正英・加藤周一校注『日本思想大系 新井白石』岩波書店、一九七五年
益田宗「解題（読史余論）」松村明・尾藤正英・加藤周一校注『日本思想大系 新井白石』岩波書店、一九七五年
宮崎道生「『読史余論』考」『新井白石の史学と地理学』吉川弘文館、一九八八年

福沢諭吉関係

小泉信三『福沢諭吉』（岩波新書）岩波書店、一九六六年
福沢諭吉／松沢弘陽校注『文明論之概略』（岩波文庫）岩波書店、一九九五年

福沢諭吉『学問のすゝめ』（岩波文庫）岩波書店、一九四二年
丸山眞男『「文明論之概略」を読む』上・中・下、（岩波新書）岩波書店、一九八六年

「工場法ヲ定ム」
記録から読み解く官僚制の変容

下重直樹

教育制度のなかでデザインされた知識や教養としての歴史の学習と、歴史に対する学術研究は何が違うのだろうか。もちろんその答えを性急に求める必要はないが、さしあたって、自らの力で史料と出会い、これを読みこなしながら過去を再構成して表現することは、何を研究しようとも共通の基盤であるといえるのではないか。研究活動をとおして広く社会の歴史認識に働きかけ、即物的にすぎるかもしれないが、心血を注いだ研究対象への味気ない教科書の記述を多少なりとも豊かにすることで、同じ小径《こみち》を歩み、乗り越えていくであろう次の世代を期待する。現代の歴史研究者の畢生《ひっせい》の業はこれにつきるのかもしれない。

ところで、戦前期の日本の法律に工場法というものがある。同法は教科書的な記述によれば、日清・日露戦争後の産業革命以降に発生した社会運動にのぞみ、労使対立を緩和しようとする若干の社会政策的配慮のもとで制定がめざされたものであり、日本で最初の労働者保護法であったが、資本家の反対を受けて明治四十四(一九一一)年にようやく制定され、極めて不備な内容であったとともに、施行がその五年後にまでずれ込んだ(『詳説日本史 改訂版』山川出版社、二〇二〇年)と説明されている。

これだけのことを要領よく記述すれば、およそ受験としては十分で、多くの人々はそれ以上の理解を深める機会もないだろう。だが、幸か不幸か歴史を研究しようと考えてしまった私たちは、そこで歩みを止めることはできない。この法律がどのような経過をたどって生み出されてきたのか、これを必要とした社会情勢、かかわった組織や人々の意識を現在に残された史料から読み取り、その意義を論じてみせねばならないのである。

「相当ノ儀」と「不得已儀」のあいだ

工場法の制定についてのもっとも基本的な記録は、国立公文書館に所蔵されている「工場法ヲ定ム」と題された一連の公文書である。これは閣議決定にいたるまでの内閣における書類を綴った原議《げんぎ》であるが、公文書というと、どうしても無味乾燥で退屈なものと思われがちである。そもそも政治・行政が法に定められた記録の作成義務を怠っているような今日では、日々生み出される公文書でさえ紋切型の表現が並んでいるのだから、かかる先入観をいだいてしまうのもやむをえないかもしれない。

もっとも、その多くは史料から情報を引き出す読み手側にも若干の問題があるように思われる。「ではお前はどうなんだ」と問われると内心忸怩《じくじ》たるものがあるが、しばしお付き合いいただきたい。

原議の冒頭は帝国議会の議決を経た工場法案への天皇の裁可《さいか》、公布を求める上奏のための閣議書で、総理大臣以下、第二次桂《かつら》太郎《たろう》内閣の閣僚の花押、内閣や法制局のスタッフの印が並んでいる。次いで後議院となった貴族院議長からの進達書、裁可の奏請書、修正を受けた法案の本文、帝国議会に提出するための裁可印を得た上奏書が綴られ、法案の決定のための閣議書(図1)が時を遡るかたちであらわれる。

さて、おもしろくなってくるのはようやくここからである。閣議書には内務・農商務両大臣が閣議決定を求めた工場法案については「不得已儀《やむをえざるぎ》」であり、請議のとおり認めると記されている。罫紙の銘《めい》は「法制局」であるから、審査をおこない、「必ずしも結構とは思わないがやむをえない」と思考したのは同局である（ちなみにこの文書に続く法案は、農商務省の罫紙に墨書《ぼくしょ》されていて、共同請議であっても原案は農商務省で立案されていたことがわかる。罫紙の銘はその文書の作成組織がどこかを特定する重要なヒントになるのだから、文章のみに気をとられておろそかにはできない）。

法制局が政府の法令案の内容を審査し、まったく問題がないと判断した場合は、「相当ノ儀」と記して文字通り太鼓判を押して閣議に提案するのが常であり、墨書きの文書がすたれたのちには「相当ノ儀」と不動文字を印刷した様式が使われていた。たとえ情勢に鑑みてやむをえないとしても、内容について疑義がある場合は、遠慮なく原案に手を入れるとともに、わざわざ紙を貼り直して「不得已儀」と書き込んだというのだから、従来堅持してきた憲法解釈を一片の決裁書のみで弊履《へいり》のごとく打ち棄ててしまった今日からみれば、まことに矜持《きょうじ》に富み大変辛辣《しんらつ》なやり方でもある。

さて、話を本題に戻そう。内務・農商務両省が「至急」として閣議請議を求めたのが明治四十三（一九一〇）年十二月三日であり、法制局が「不得已儀」と記したあげくにようやく閣議決定にいたったのが翌年一月二十四日である。年末年始を挟んでいたとはいえ、随分と難儀なものである。この冬、法制局がなぜこのような文言を書面に残さざるをえな

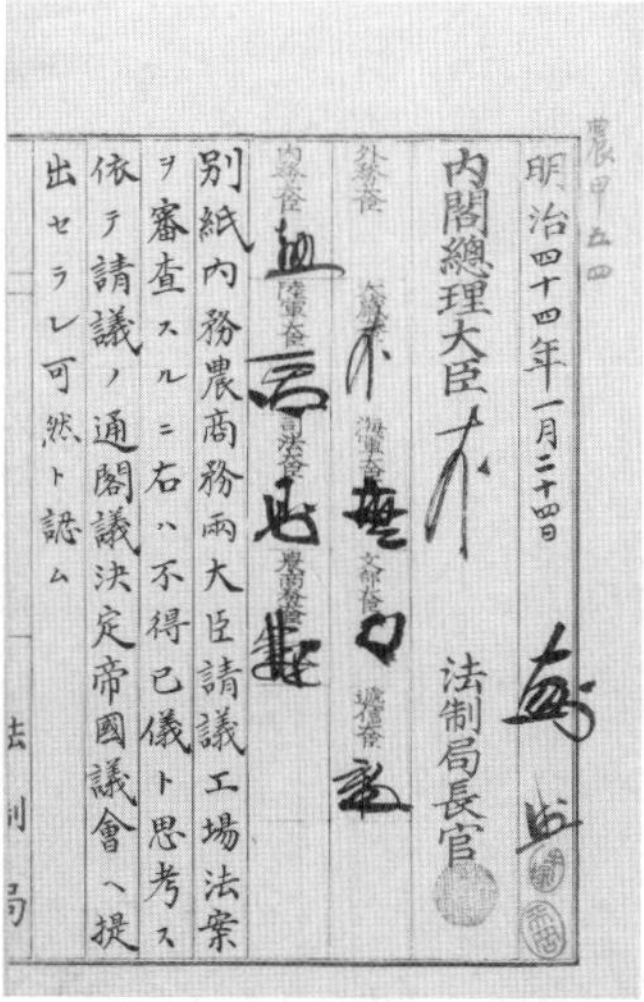
農甲五四
内閣總理大臣　　法制局長官
明治四十四年一月二十四日
外務大臣　大藏大臣　海軍大臣　文部大臣　遞信大臣
内務大臣　陸軍大臣　司法大臣　農商務大臣
別紙内務農商務両大臣請議工場法案ヲ審査スルニ右ハ不得已儀ト思考ス依テ請議ノ通閣議決定帝國議會ヘ提出セラレ可然ト認ム
法制局

図１　法案の決定のための閣議書

かったのか、さらに記録を読み進めていこう。

自己主張する官僚たち

閣議請議から決定にいたるまでのあいだ、これほどまでに時日《じじつ》を要したのは法制局の判断のもとで各省間での意見のすり合わせがおこなわれたためであった。

戦前期の法制局は法令案の審査や解釈といった純技術的な側面だけではなく、法令によってデザインされる各省の施策に対する総合的な調整機能も負っていた。現在のように官邸や内閣官房といった内閣の補助部局の体制は十分ではなく、人事院も存在していなかったため、行政整理の際には法制局が事務局を担うこともあった。次官会議が閣議決定の前段階での最終的な調整の場として機能していたともいわれるが、会議録などの記録が存在せず、その実態は必ずしも解明されてはいない。

もっとも、工場法案について閣議決定の前に各省間での見解の相違に決着がついていなかったことを踏まえると、少なくとも日露戦争後のこの時期においては省庁間の事前調整や次官会議による確認というシステムが確立していたわけではないことが推測できるのである。

法制局が農商務省に求めて実現した各省への意見照会に反応し、次官名で回答をしてきたのは司法、文部、逓信《ていしん》の三省であった。順にその内容を紹介していこう。

十二月十三日付で提出された司法省の意見は条文の多岐に及ぶものであった。職工が業務上で負傷し、あるいは疾病《しっぺい》に罹《かか》り、または死亡した場合に支給される扶助金に関して、その過失の有無を挙証する責任を工業主側と職工側のどちらが負うのかについて疑義が生じやすい。ゆえに条文の修正が必要として「職工保護の精神を貫徹」するために工業主側の責任とすることを求めるなど、どちらかといえば弱者に寄り添おうとする姿勢を読み取ることもできる。

このような法文の趣旨を明確にするための字句の修正意見に加え、工業主に代わって工場を監督する「工場管理人」を設ける必要はないとした意見にも注目できる。工業主が本来負うべき刑事・民事上の責任を逃れるために「工場管理人」を利用する「悪例」は、「社会政策上の必要を充《みた》し、職工の保護を以て重要なる目的とする工場法制定の精神に悖戻《はいれい》する」ものであり、「資本家の横暴を助長し職工の反感を招く」ことにより、「国家の治安」に影響を及ぼすおそれがある点に、同省の強い懸念が示されていたのである。いわゆる「冬の時代」の始まりを告げた大逆《たいぎゃく》事件による社会主義・無政府主義者の検挙と公判が進むなか、司法当局としては当然のリアクションであったといえよう。

今日では「社会政策」という言葉はなんら珍しいものではないが、当時は貧富の差が生じる理由を個人の資質に帰するのが一般的な認識であり、これを経済・社会によって生み出される構造的問題として捉え、政策的なアプローチによって積極的に解決すべき対象とする理解がようやく芽生え始めた時代であった。この新たな政策分野を担うことになったのは、内務省、農商務省といった従来のタテ割り型の組織であり、各省横断的な施策への取組は既存の行政組織の構造にも一石を投ずるものであった。経済振興を主とする農商務省から労働行政が分離され、内務省に社会局が設けられたのは大正九(一九二〇)年、さらに厚生省が誕生したのは昭和十三(一九三八)年のことである。

次は文部省であるが、同省からは十五歳未満の学齢児童で尋常《じんじょう》小学校に就学する者の労働に関して、就業時間の上限である一二時間のうちにその就学に要する時間が含まれるのかを確認する文書が十五日付で提出された。なお、明治四十(一九〇七)年に改正された小学校令では尋常小学校の就学年齢は六歳から十二歳までの六年間であり、十四歳まで二年間就学する高等小学校がその上に設けられていた。法案は十二歳未満の児童の就業を制限する一方、経過措置により軽作業については一定の条件のもとで十歳以上の就業を認めるなど、児童の酷使を禁ずる条文が憲法にも掲げられている今日の観点からは到底考えられないような規定もあるが、この点についてはとくに問題にはされていない。日本で

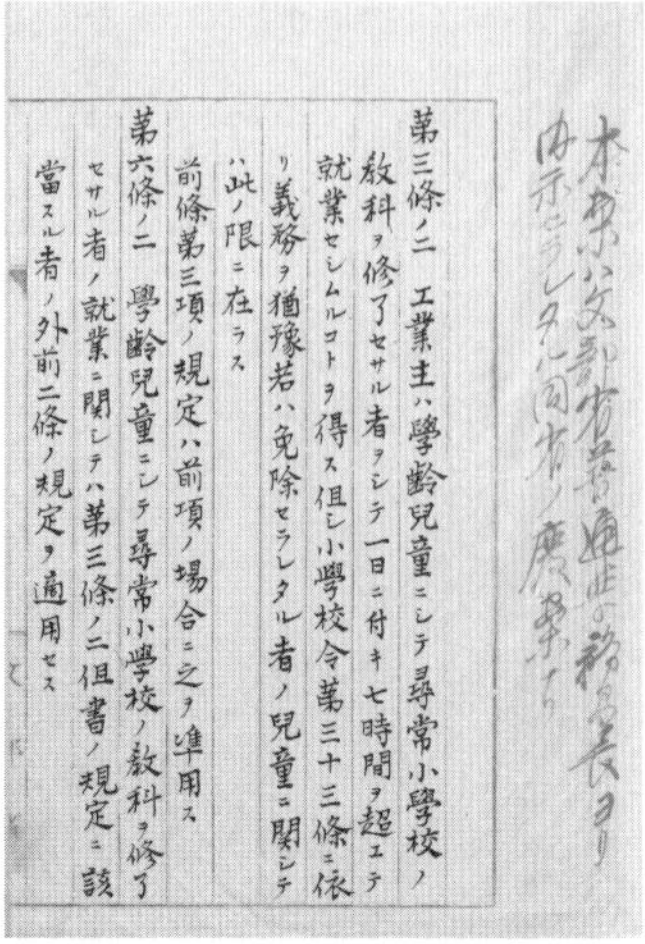
第三條ノ二　工業主ハ學齢兒童ニシテ尋常小學校ノ敎科ヲ修了セサル者ヲシテ一日ニ付キ七時間ヲ超エテ就業セシムルコトヲ得ス但シ小學校令第三十三條ニ依リ義務ヲ猶豫若ハ免除セラレタル者ノ兒童ニ關シテハ此ノ限ニ在ラス
前條第三項ノ規定ハ前項ノ場合ニ之ヲ準用ス
第六條ノ二　學齢兒童ニシテ尋常小學校ノ敎科ヲ修了セサル者ノ就業ニ關シテハ第三條ノ二但書ノ規定ニ該當スル者ノ外前二條ノ規定ヲ適用セス

図２　文部省が法制局に示した修正案

児童福祉法が制定されたのは戦後であり、原則として十五歳未満の児童の就業を制限した国際労働機関（ＩＬＯ）の「就業が認められるための最低年齢に関する条約」が定められたのが一九七三年であったことを考えれば、後進資本主義国にすぎなかった当時としては無理もなかったことかもしれない。

教育行政を担う組織として最低限であっても言うべき線を守っていた文部省であるが、注目したいのは、もし就業時間内で就学のための時間が保障されていなければ、尋常小学校に就学する児童に対しては七時間を超える労働を禁止する条文を追加するべきであるとした普通学務局作成の修正案が添付されている点である（図2）。同省内で「廃案」とはしたものの、法制局に内示されたのち廃棄されずに記録として残されたことにより、私たちは当時の文部官僚たちがどのような意見をもっていたのかをうかがい知ることができる。

最後に紹介するのは逓信省である。年の瀬も押し迫った二十八日付で提出されたその意見は、工場や附属する施設・設備に危険がある、あるいは衛生や風紀に関して公益を害するおそれがある場合に「行政官庁」が改善や使用停止を命じることができるという規定に対するもので、「電気工場」（電気事業者）に関しては「行政官庁」として逓信大臣（逓信省が主管すべきであるという解釈を一方的に展開したものであった。唖然《あぜん》としてしまうような、関連業界への介入に対する強烈な「縄張り」の主張であるが、文書に付された記号から、全省的な意向というよりも、前年の七月に設置された電気局から発出された意見であったことがわかる。同局は当時著しい発展を遂げつつあった電気事業を専管した組織であり、明治四十四年に制定された電気事業法により、電力行政の主務官庁としての逓信省の地位はさらに確固たるものとなっていく。省庁間での行政分野ごとのセクショナリズムの高まりと同時に、局課単位の個別的な意見の突出もめだつようになってくる。

「政治主導」とその装置

各省から提出された意見を踏まえて法制局が法案を修正し、閣議への進達をおこなったのは年が明けた一月九日のことであった。ところが、この閣議書には法制局長官の印と内閣書記官長を除いて、すべての閣僚の花押が記されておらず、「廃案」と朱書した付箋もあることから、決定にいたらなかったことがわかる（図3）。

工場法案には、明治四十二（一九〇九）年に帝国議会へ一度は提出されたものの、資本家からの強い反発を受けて撤回された経緯があった。法制局としては「工場の繁盛に伴ひて発生すべき諸種の弊害を防制し、一般国民の健康を保全し、秩序ある工業の発達を期図する」ために立法措置の必要性は認めつつも、いくつかの重要な条項に関してその施行を一五年後に延期するなど、「遺憾の点」があるという立場を閣議書の冒頭で述べている。しかしながら、法案の請議官庁である農商務省としては、すでに広く「公私の機関」の討議に付して賛同を得てきた内容であるから、議会への再提案自体はもはや撤回できない事情があることも認識しており、同局は必要やむをえない範囲で修正を加えたこと、さらに司法、文部、逓信の三省から提出された「異見」を整理し、丁寧に理由も付して修正をおこなったものの、農商務省側で同意を得られていない点があると、各省間の調整に限界があったことも記されているのである。

法制局が各省の「異見」をどのように参酌《さんしゃく》したのかは、この閣議書に付された「修正理由」を読み進めることで理解することができる。

司法省の意見としてさきに紹介した労務災害に対する扶助金については、「過失の有無に関する挙証の責任を弱者たる職工の側に負はしむるは当を得ず」として同意を示した一方、工場管理人制度については原案を支持しつつ、工業主の責任転嫁のために悪用できないかたちに条文の修正をおこなったとある。学齢児童の就学時間を確保すべきであるという文部省の意見については、法制局においてさらに検討を加えたらしく、原案では「学校課程外に於て十二時間の労務を為す者」を規制することが困難であることを農商務省にも確認させ、条文の修正に及んだと記されている。

司法・文部両省とは異なる角度から自己主張を展開した逓信省の意見の扱いについて明示はされていないものの、工場法案が適用を受ける「工場」の範囲を定義しておらず、一切の「工場」に適用する場合、「権限所管等の問題に付疑義百出」することは必至なので、適用対象となる工場の種類を勅令（工場法施行令）で定めるべきであるという付帯意見

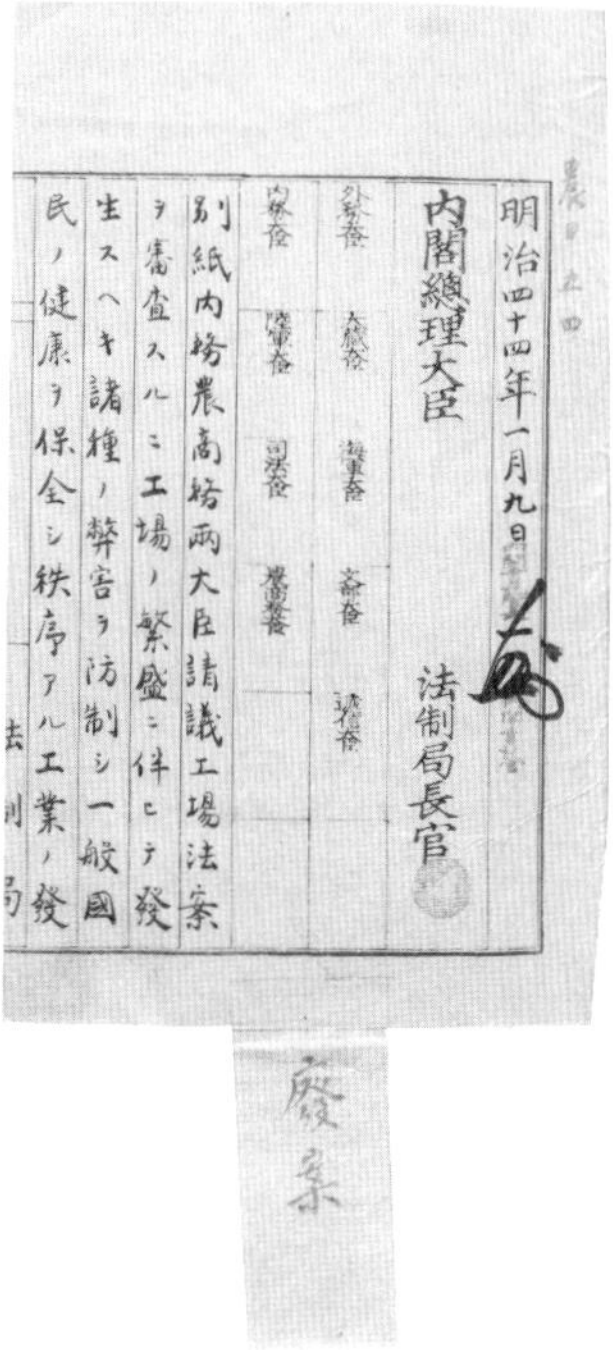
明治四十四年一月九日
内閣総理大臣
法制局長官
別紙内務農商務両大臣請議工場法案ヲ審査スルニ工場ノ繁盛ニ伴ヒテ発生スヘキ諸種ノ弊害ヲ防制シ一般国民ノ健康ヲ保全シ秩序アル工業ノ発
廃案

図３　廃案とされた明治44年１月９日付の閣議書

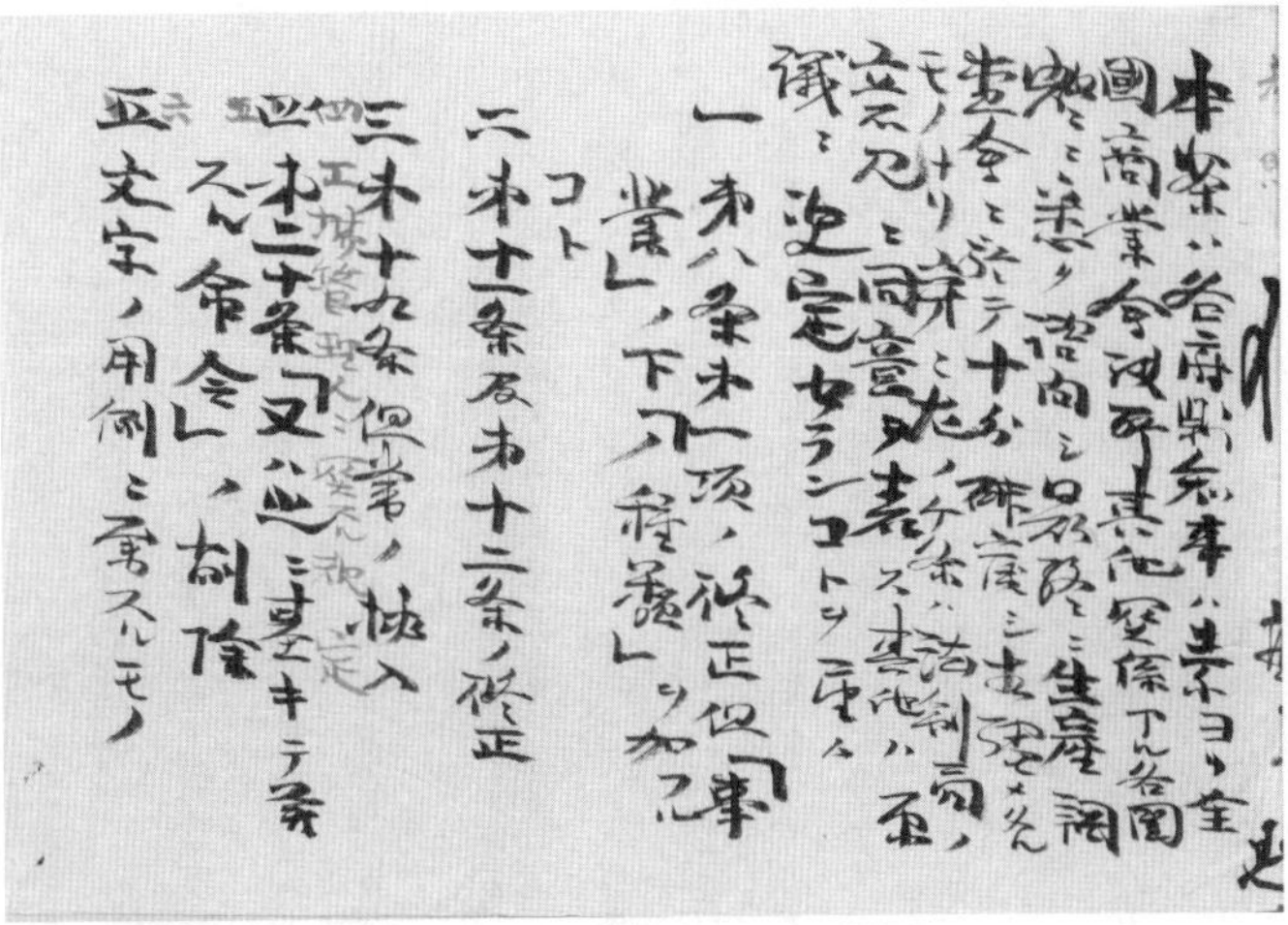

図4　閣議書の前に挿入された「参照」とある紙片

が記されたのは、このあたりの事情を反映したものであろう。同法の施行は大正五(一九一六)年まで先送りされることになったことから、幸か不幸か「権限所管」をめぐる紛争の処理については先送りができたのである。

そのほか、法制局からは立法技術的な修正に加え、労働時間延長の特例として一部の条項に設けられた経過措置のための期間を一五年から一〇年に短縮し、違反事例に対する罰金を五百円から千円に増額して実効性を高める提案がおこなわれた。これらはかつて帝国議会に提出したものの資本家の反対意見に抗しきれずに撤回の憂き目に遭った旧法案と同程度のものとする修正であった。

法制局による調整と審査の提案がどのように処理されたのかを知る手がかりは、閣議書の前に挿入された一枚の紙片に残されている(図4)。「参照」と記されたこの文書には、総理大臣の桂の花押のもと、ほかの閣僚の花押も確認できる。極めて個性的(?)な筆跡で墨書された書面には次のように記されている。

本案は各府県知事は素《もと》より全国商業会議所其他関係ある各団体に悉く諮問し最終に生産調査会に於て十分研窮《けんきゅう》し相認めたるものなり。穿々〔旁々《かたがた》の誤記か?〕左のケ条は法制局の意見に同意を表す。其他は原議に決定せら〔れ〕んことを望む。

（原文の片仮名を平仮名に改めた）

この紙片は、内閣書記官室や法制局への事前の案件登録を経ずに、任意の様式でおこなわれた「略式閣議」の決定文書である。一部の条文の修正や「工場管理人」に関する規定、文字の用例に関する純技術的な修文を除いて法制局の提案を却下し、農商務省の原議を基本とするよう閣議決定したことが読み取れよう。ここで農商務省の罫紙に墨書された法案を注意深く見返していくと、法制局が修正提案のために貼り付けた付箋がはがされている部分があることにも気がつくはずである。

とすると、閣議の席上でこの紙片を作成したのは農商務大臣であった大浦兼武《おおうらかねたけ》（一八五〇～一九一八）であったと考えるのが自然であろう。大浦は一介の巡査から異例の昇進を遂げて各地の県知事や警視総監として辣腕《らつわん》をふるい、貴族院議員、逓信大臣などを歴任し、のちに内務大臣も務めた人物である。警察畑を歩んだことから政党の操縦に長け、薩摩《さつま》出身でありながら山県有朋《やまがたありとも》から篤い信認を得て、「山県閥」のリーダー格の一人として政界に存在感を放っていた（このため政敵であった政友会《せいゆうかい》の原敬《はらたかし》からは蛇蝎《だかつ》のごとく忌みきらわれていた）。また、大浦の独特の筆跡は難解で時折誤字も入り混じり、近代政治史研究者泣かせで知られている。

要旨としては、「法案については各種経済団体にも意見を聴取し、最終的に生産調査会でも十分に議論したのだから、あまりうるさいことを言わずに原案通りにせよ」ということにつきるのであるが、今日流行《はや》りの言葉を使えば「政治主導」での決定であり、一歩誤れば「政治家の不当な介入だ」とか「忖度《そんたく》だ」といった声も聞こえてきそうなものである。生産調査会は明治四十三年四月に日露戦争後の経済・産業政策に関する調査・審議をおこなうため農商務大臣の管理下に発足した機関のことである。同会には各省高等官、貴・衆両院の議員、学識経験者として民間からも委員を求めており、各省の所管行政に横断的にかかわる事案について、政財界や有識者の意向を背景としながら、閣僚が政治による決着をつけた格好である。第二次桂内閣以降、こうした調査・審議機関を設けて政策形成を進めるスタイルが定着していくのであるが、これは経済界の政治的な影響力の高まりと、突出する各省のセクショナリズムをハンドリングし、内閣による「政治主導」を確保するための装置として機能することが期待されていたためである。すなわち、法制局が政策の総合的な調整を図る機関としてそれまでの行政システムにおいて担っていた役割は、日露戦争後から大正期にかけて変容を余儀なくされていったと言い換えることも可能であろう。

もちろん、法制局としてもたびたび「政治主導」をやられていたのでは、法体系の維持や法理を追求すべき組織として立つ瀬がないのであって、「不得已儀」として違和感を示さざるをえない。一方で利害対立が先鋭的な分野において新たな政策を実現させるためには、非合理的にみえるプロセスであってもこれを甘受《かんじゅ》し、妥協も辞さないことが往々にして必要になる場合もある。その意思決定の経緯が不透明であっては論外であるが、政治的な判断や決着のすべてが不当なものであるとは限らないのであり、後世においてその妥当性を検証するためには史料となる記録やアーカイブズの存在が不可欠となるのである。

工場法その後――記録からアーカイブズへ

ここまで紹介してきた工場法の制定原議は、内閣の記録である「公文類聚《こうぶんるいしゅう》」というシリーズに収録されたものであり、その施行令の関係書類もここに含まれている。さらに、生産調査会の事務局として調査・審議を参照しつつ原案を作成した農商務省や、これに対して意見を提出してきた司法、文部、逓信の三省においてもそれぞれ関係する公文書が発生し、一定のルールのもとで管理がされていたはずである。しかしながら、その多くは大正十二(一九二三)年九月に発生した関東大震災や、のちに戦災によって消失するなど、現在においてもなお私たちが目にすることができる材料は、残念ながらごく限られたものになっている。

幸いなことに、工場法の運用解釈については、現場の取締りにあたった各道府県知事や民間事業者などから出された照会に対する回答綴が、同法が施行された大正五年から戦後の労働基準法制定を経ても受け継がれ、「工場法関係」と題するシリーズ名で国立公文書館において保存されている。これらの一連の記録が今日まで残ったのは、実際のところはいくつかの偶然が重なった結果であった。

簿冊の目次にあたる件名目録に注意を向けてみよう。同法施行時の所管課は農商務省商工局工場課であったが、もっとも古い件名目録の銘には「社会局」とあることから、これらの文書を最初に編綴《へんてつ》し、記録として整理したのは農商務省から事務と文書の引継ぎを受けた内務省社会局であったことがわかる。同局は大正九(一九二〇)年に発足しており、震災による農商務省の火災から逃れることができたのはこのためであろう。さらに社会局は内務省の外局であって、文書の取扱いと保存に関するルール(処務《しょむ》規程)も別に定めるなど、独立性の高い機関であり、昭和十三(一九三八)年一月には厚生省へと改組されることになった。戦後に解体され、混乱期に多くの公文書が失われた内務省の本省部局とは異なり、厚生省が保有していたこれらの簿冊は、昭和二十二(一九四七)年九月に発足した労働省(労働基準局監督課)へと引き継がれたことが、巻頭に新たに添付された目録から読み取れる。社会局時代に付せられた件名目録を付け替えずにそのまま利用していたことから、記録の内容には手を加えず、「工場法例規」とされていた原題のみを労働省の文書保存規程に合わせて「工場法関係」と改めたようである。工場法は同年制定の労働基準法によって廃止されたものの、これらの記録は過去の例規としての性格から永年保存の対象とされ、アーカイブズとして現代に伝わったのである。

公文書というものは、今日においても過去においても、必ずしも自己説明的なドキュメントではないし、ほかの記録も可能な限り読み解いていくことで研究が展開する。時の経過のなかで選別がなされてきた公文書を史料として利用する場合、このような組織と記録の管理史(出所《しゅっしょ》と来歴)や各時代の記録管理システム(=コンテクスト)を理解したうえで、実際の文書の内容（＝コンテンツ）を参照していくことが不可欠なのはいうまでもない。歴史学における史料批判とアーカイブズ学における記録認識論は、目的こそ異なっても、同じく記録アーカイブズに向けられた方法としては殊更に峻《しゅん》別《べつ》できるものではなく、むしろ相互に影響を受け、補完し合う関係にある。

もっとも、いかに精緻な分析手法やアプローチを生み出したところで、記録が着実に生み出され、適正な管理とアーカイブズ資源化を経てアクセスが確立しない限り、これらはたんなる「画餅《がべい》」にすぎなくなる。ことに特定の研究者のみに公開された素材を用いた研究には反証可能性が担保されず、その真価を問うこともできないのであり、アクセスは広く社会に対して開かれる必要があろう。

本稿で取り上げてきた工場法は、戦後の労働基準法により効力を失い、その運用解釈を綴った例規についても現用記録としての価値を次第に失っていったにもかかわらず、これが国立公文書館へと移管されたのは五〇年以上を経過した平成十二（二〇〇〇）年であった。それまでのあいだに広く社会に対して公開されず、結局は行政機関情報公開法の制定と管理組織の厚生労働省への改組というインパクトを待たざるをえなかった点には、さすがにまったく問題がなかったとはいえまい。

もちろん、永年保存文書として今日まで丁重に管理をしてきた事実と、これに携わった人々の労苦をねぎらう雅量《がりょう》は持ち合わせなければいけないけれども、記録やアーカイブズにかかわる私たちは、今後もすべてを僥倖《ぎょうこう》にのみ頼ってはならないのである。歴史の素材としての史料を自らの研究のために消費するだけではなく、将来生まれてくる後進のために守り、伝えるために積極的に国や社会のシステムへコミットしていくことも必要であろう。歴史を研究しながら、むしろそのような問題意識を強くいだくようになれば、職業としてのアーキビストをめざすことも一つの選択である。

筆者は、いつか消えてしまうかもしれない記録に対する愛惜《あいせき》の念や、アーカイブズを通じて今日に甦《よみがえ》る過去への憧憬《しょうけい》は、歴史を学んで研究をしようとする者であっても、アーキビストをめざそうとする者であっても変わらないエートスであると信じている。

参考文献

内閣法制局史編集委員会『内閣法制局史』大蔵省印刷局、一九七四年
中野目徹・熊本史雄編『近代日本公文書管理制度史料集　中央行政機関編』岩田書院、二〇〇九年

なお、本稿で取り上げた「工場法ヲ定ム」(類01128100)と「工場法関係(大正五〜十四年)」(平12厚労00018100)は、国立公文書館のデジタルアーカイブによってもその画像データを参照できる。

記録を残す人たちとその仕組について

戦前期学習院公文書の構造と伝来

保坂裕興

アーカイブズという資料

私たちが過去の事実を確かめようとするとき、また歴史を研究・構築しようとするとき、文書、モノ資料、図・絵、遺物・遺跡、構造物、図書・雑誌、オーラルヒストリーなどさまざまな歴史資料を用いることになる。それらのうち文書や図・絵などを中心とし、団体・組織や個人の活動に由来するものは、記録情報系の資源であり、大きく次のように分解して捉えることができる。すなわち、組織や個人が自らの業務・活動の過程で作成または受領したメモ・手紙・証明書などの文書(documents)は、それ自体がある役割を果たし、その限りでその形跡をとどめる行為の副産物である。そのような文書のうち、継続的に使用するため一定程度整理し、リストや登録簿に記載して特定し、維持するものを記録(records)、さらに永続的な価値ゆえにふさわしい保存措置・利用のための措置をおこなったものをアーカイブズ(archives)という(スー・マケミッシュほか編『アーカイブズ論――記録のちからと現代社会』)。これらは記録情報資源の体系をなし、その高い使用性と精細性により古くから人間と組織の活動を支えてきた。

だが時代によって、地域によって、またコミュニティや団体・組織によって、これら記録情報の使い方や管理方法には大きな異同がある。このため、これらの文書・記録などに関与する人たちがどのように作成・使用し、保存管理したか、また、その全体がどのような仕組になっていたのかを解明することは、歴史研究の基礎的研究の一つとなる。なぜなら、それらの資料をどのように使用できるかということや、関連する資料がどのように存在し、どの程度に広がりのある実証的な論議ができるかということに直接かかわるからである。これらを解き明かすアプローチは、文書史、文書管理史、記録管理史などと呼ばれることがある。

日本でも知られるようになったアーキビストは、端的にいえば、記録情報資源の「保存」と「利用」を科学的に研究し、実践する専門職だが、この基礎的研究を専門的業務として歴史研究と共有する。アーキビストは、一般に公文書館・文書館などと呼ばれるアーカイブズ機関に(海外では博物館・図書館やさまざまな研究所などにも)配置されるが、文書、記録、アーカイブズを調査・研究し、評価選別、収集、整理・記述(例えば目録作成など)、保存・修復、レファレンスサービス・利用提供をおこなう。その記録情報資源がもともとどのように作成・使用され、保存管理されたかという問題やその全体の仕組がどのようになっているかという問題は、それら資料の評価選別や目録作成はもちろん、最終的に人々による資料の「利用」に大きな影響を及ぼすことになるのであり、基礎的でかつ重要な業務なのである。世界のアーキビストたちが過去百年以上にわたって築いてきたアーカイブズ学という分野では、「出所原則」と「原秩序尊重の原則」という二大原則のもとに、資料の存在を具体的・集合的に把握することによって、この基礎的研究と「保存・利用」業務に取り組んできた(国文学研究資料館史料館編『アーカイブズの科学』)。

アーキビストはまた、これから生み出される記録の作成や評価をも射程に入れ、一連のアーカイブズ・プログラムを設計・運用する。過去の記録への働きかけと現代記録への働きかけの両方をおこなうことをとおして、社会の記録情報資源としてのアーカイブズを体系的に構築し、過去から現在、また現在から未来へと受け渡していく使命をもつ。歴史研究とは異なる目的と使命をもちながらも、先の基礎的研究に取り組みつつ、アーカイブズの「保存」と「利用」に貢献しようとするのである。

戦前期学習院公文書を事例とする基礎的研究

ここでは、ある一つの記録情報資源、実際には学習院アーカイブズが保存している戦前期の宮内省学習院時代の公文書を事例として、アーカイブズ学的な方法による基礎的研究の一部を試みたい。同アーカイブズは、二〇一一年四月、学校法人学習院に院長直属で設置された機関であり、前身となる院史資料室(一九八一年設置)の資料を引き継ぐなどして開設された。宮内省学習院公文書は、例規録、式事録、教務録、職員録などの公文書を体系的に含んでおり、現在の学習院アーカイブズの中核資料の一つとなっている。この公文書群は戦後のどこかの時点で宮内庁より学習院に返戻されたものであるとされてきたが、いつ、誰によって、どのように引き継がれたのかは、ごく最近まで知られていなかった。また、戦前から戦後にかけてのさまざまな文書が混在している。つまり、資料はたしかに存在していて、利用もできるのだが、公文書群がどのような性質のものであるかということを含め、その基本構成や関連資料の存否等々も十分に説明できない状態である。この資料が今後も五十年、百年と学習院や関連する人たちの歴史を語る歴史資料として活用されていくためには、先述の基礎的研究を欠かすことができないのである。

本稿ではこの足がかりとして、この文書群に関する二つの「記録の記録」とでも呼ぶべき資料を用いる。一つは、大正から昭和戦前期の学習院庶務課が作成した「公文引継関係書類」(学習院アーカイブズ所蔵)である。宮内省の一部局であった学習院は、その主要な作成文書を使用後に宮内省図書寮に納め、保存してもらっていたのであるが、その経緯・手続きなどが詳しく知られるものである。もう一つは、戦後の昭和二十二(一九四七)年に学習院が私立学校として再スタートして一〇年となるのを前にして、昭和三十一（一九五六）年から院史編纂に取り組んだときに作成された「学習院史編纂関係書」（同前所蔵）である。これは院史編纂委員会の業務文書などを綴じ合わせたものであり、編纂の進捗や資料の借用、収集、返却などの経過が知られる。戦前期公文書が昭和三十八（一九六三）年に学習院に返還されたことを証明する文書もこのなかに綴じられている。当時はもちろんアーキビストはいないのだが、学習院における当時の教職員たちが、その業務遂行のために文書を整理・編冊してこれらの簿冊を残した。いずれも、当時の記録・資料をどのように取り扱ったかを知ることができる簿冊であり、まさに「記録の記録」と呼ぶべきものである。これらの記録を残した人たちとその仕組を探究するため、さっそく前者の簿冊を紐解いてみよう。

簿冊と文書

「公文引継関係書類」は、背付きの表紙がかけられ、四ツ目綴じにされた簿冊である。冊首に日付・件名の目次があり、以下は「学習院」や「宮内省」の罫紙を用いた文書、回覧により修正・承認および決裁する稟議《りんぎ》用罫紙の文書、謄写版やコンニャク版による文書、横長の和紙継紙文書、領収書・受取証などの小型文書など、さまざまな形式の文書が綴じ込まれている。全体は案件ごとに年次順とされ、一案件のなかは首部（最初の位置）に学習院を「本位」とする主要文書、例えば最終結果を示す文書などをおき、そのあとに関連する文書を綴じる形である。このため、一案件内の文書をみると時間を遡り、その経緯を示す古い文書が綴じ込まれている場合がしばしばある。

一点の文書と簿冊の関係は多少の説明を要するので、最初に第一件目の文書をみておきたい。

第一件目の首部、つまり冒頭の第一点目の文書は大正八（一九一九）年一月付で、宮内省図書頭の森林太郎《もりりんたろう》（鷗外《おうがい》）が学習院院長北條時敬《ほうじょうときゆき》に宛てたもので、「公文書類保存期限ノ区別、及び編纂簿冊名ノ改定」について、原案通り前年十二月に大臣決裁したことを通知した文書である。冒頭におかれているので、これが結果となる文書である。同件の二点目、稟議用罫紙に記された次の文書は、そこにいたる経緯を垣間見せてくれる。

資料一

学習院	発第　一三四　号

立案　大正七　年　五　月　二　日　　　庶務課長　朱印　　　書記　朱印
決裁　大正々　年　々　月　三　日

（決裁欄）
院長　朱印　　　教務課長　朱印

（本文）

図書頭へ回答案

大正七年五月三日　　　院長

○○○○　宛

回答

去月二十九日第六二号公文書編纂ニ関スル御照会ノ件了承。学生録中入学退学ノ内（以上六文字朱加筆）初等学科ノ分ハ別冊ニ編纂相成度。又職員録学習院長ノ専断ニ係ル職員中嘱託員ト小者トヲ分類シテ編纂相成度。要スルニ、公文書御（一字朱消）引継ノ際、総テ本院ニ於テ仮ニ編纂シタル順序ノ通リ（以上三文字朱消）ニ成ルヘク（五文字朱加筆）御編纂相成候様致度候也。

大正七(一九一八)年五月二日に立案されたこの文書は、同件三点目の文書によって、先に簿冊に綴じ込む文書の順序については基本的に定めていたものの、「書類によってはさらにその内を分類し、種別を立てる方が執務上便利なものもあるだろうから」、意見を出してもらいたいとして、宮内省図書頭森林太郎が「照会」したことへの回答書案である。回答本文は、回覧するあいだに案文を朱書で三箇所修正しており、「学生録」の入学・退学について初等学科の分を別冊にすること、また「職員録」については「嘱託員」と「小者」を分けること、すなわち、学習院側が「仮に編纂」したとおりになるようにしてもらいたいと要望している。最終的に翌三日、院長が押印して決裁している。

また、資料の引用部分には表示できなかったが、本文の上部には、「学習〇〇」の割印がある。また文書右端には「学習院　発第一三四号」とある。戦前期公文書群のなかに「発件簿・受件簿」が一部残存しているので、そのような「発件簿」に登録され、記録にとどめられて送付されたと推察される。つまり、浄書のうえ、印を押切し、一三四号の発件番号を付して宮内省図書頭に送付したことがわかる。この意味で、この文書は、写しや控えではなく、学習院が作成した本紙であり、原文書である。なお、三点目の図書頭からの「照会」文書には、図書寮発第六二号の発件番号と、学習院側の第七五号の受件番号がある。このように、一点一点の文書は発件番号・受件番号により特定され制御されて作成・使用・受け渡しされていた。このような文書を案件別にとりまとめたものが一件となり、それを種類別・年度別などにより編纂したものが簿冊である。また、簿冊のなかの文書とほかの簿冊・文書は押印、割印、発件・受件番号などのさまざまな方法で関連づけがおこなわれ、間違いや紛失などが起きないように管理されていた。したがって、冒頭で示した見方でいえば、これらの簿冊と内部に綴じられた文書は「記録」レベルの管理がなされていたといえる。

内容に戻れば、この回答書により、学習院の簿冊の作り方の細部が確定し、学習院は完結した文書を仮編冊し、宮内省図書寮に引継ぎをおこない、簿冊にして保存をしてもらうことが軌道にのる。

宮内省図書寮による公文書の編纂と保存

「引継」を受ける宮内省の側には、省内の公文書管理をおこなう制度があった。「公文引継関係書類」の第一件目に含まれた画期となる規則などやそれへの追記・改定などを時間順に整序すれば、以下のようになる。ただし、この簿冊に綴じられた順序は結果に近い文書が先に綴じられるので、おおむねこの逆である。

(1)明治四十四(一九一一)年十二月二十七日「公文書類編纂保管規程」(以下「規程」とする)
(2)明治四十五(一九一二)年四月一日「公文書類編纂保管規程細則」(以下「細則」とする)
(3)大正二(一九一三)年七月二十三日「公文書類保存期限ノ区別及び編纂簿冊名」
(4)大正六(一九一七)年十二月二十七日「規程」改正(大正七年一月一日施行)
(5)大正七(一九一八)年十二月二十五日「公文書類保存期限ノ区別及び編纂簿冊名」改定

これら規程、細則、保存期限・簿冊名により、宮内省では公文書類の編纂・保管が進められた。学習院での例をみるならば、大正二年九月十五日付で、院長が学習院内の五課二部に「達」を出し、(1)(2)(3)を伝えたものの、実際に動き出したのは大正七年四月であった。これにあたって、学習院は目録付きの引継書を作成して諸文書を引き継ぎ、宮内省図書寮が領収書を発行する手続きをとっており、以後は例外なくこの形をとった。この開始の遅れは(4)(5)の変更と幾分の関係があると考えられるが、後述する。

ここではこの制度の骨格を捉えておきたい。(1)の規程によれば、次のような管理・手続きの原則が定められている。

①公文書類は部局別に類輯し、編纂すること
②編纂する簿冊名は図書頭と部局長官が協議して確定すること

③部局が作成し、完結した公文書類は図書寮に引き継ぎ、保存すること
④保存期限は「永久」「二十年」「五年」の三区分とすること
⑤保存期限が経過した公文書類は図書頭と部局長官が協議して廃棄あるいは猶予すること
⑥図書寮は公文書類台帳を作成すること
⑦図書頭は「編纂及保管」に関する細則を定めること

すなわち、学習院は宮内省の一部局であるので、学習院という単位で類する文書を集め、あらかじめ協議して決めた簿冊名のもとに文書を編冊した（①②）。また、それを図書寮に引き継いで保管するのだが、その保存期限は永久、二〇年、五年の三区分とされ、期限が経過した文書については廃棄あるいは猶予とされた（③④⑤）。先に「記録の記録」とした簿冊「公文引継関係書類」の後半には、大正七年以降の引継書、図書寮の領収書、保存中の文書の借用書、そして廃棄や返戻に関する問合せなどがほぼ残らず綴じ込まれており、この制度が終戦直前まで機能していたことが知られるのである。

なお、この「公文引継関係書類」は、定められた簿冊名一覧のなかには存在しないので、学習院庶務課に必要があって作成した公文書管理業務の簿冊であったとみられる。この例のように学習院側がその業務の必要性から作成・使用し、内部で保管してきた簿冊も少なからず存在したことになる。

⑥にある図書寮が作成する公文書類台帳については、「細則」でも取り上げられ、正本・副本を作成することのほか、調製の仕方、記載事項の変更・削除の仕方などが定められている。現在の宮内庁宮内公文書館には、この制度のもとで最初に作成された「学習院　公文書類台帳」（識別番号六七六四五）と、制度以前の「宮内省公文書台帳　学習院」（識別番号六七四三二）などが伝存していて閲覧できる。前者は、大正二年十二月一日付で調製され、学習院本院分と女学部分を対象とする目録台帳であり、明治四十五・大正元（一九一二）年度分の永久保存八種、二〇年保存四種、五年保存五種、合

計三二冊を保存期限別に登載するなど、先の規程に依拠して作成されたことがわかるものである。一方、後者は作成年が不明であるが、明治四十二(一九〇九)年より四十四(一九一一)年までの学習院本院の文書と、明治十八(一八八五)年から四十四年までの学習院女学部文書(ただし正式には明治三十八〈一九〇五〉年度までのものは華族女学校の文書であったもの)が登載されており、簿書名、年度、引継年月日などが記されている。これによれば、明治四十四年の規程以前にも、学習院の文書を宮内省が引継ぎを受けて保存していたことがうかがえる。しかし、その記載順序は暦年度順であり、保存年限別による登載方式ではないこと、凡例で「簿書名は原簿に従い」とされ、簿冊名の協議による確定はおこなわれていなかったことが知られる。やはり、明治四十四年の「規程」が画期となり、本格的に編纂・保存が進められたことがわかる。また、用語としては「簿書」から「簿冊」へ、また「公文書」から「公文書類」へと変化している。少なくとも宮内省側が作成した文書においてこれらの用語は終戦まで継続している。

「保存期限問題」と公文書への意識

「公文引継関係書類」の一件目の案件はおよそ七〇帖ほどのボリュームがあるのだが、その奥をたどると、このできたばかりの規程の改正案件が大正四(一九一五)年から同六(一九一七)年にかけて宮内省の事務官会議で争われ、さながら「保存期限問題」となっていたことがわかる。そのあらましは次のとおりである。

大正四年八月、図書頭山口鋭之助《やまぐちえいのすけ》は宮内大臣に対し公文書類保存期限を永久、五〇年、二〇年、一〇年の四区分とし、手数や経費の増加を抑える提案をした(堀口修『宮内省の公文書類と図書に関する基礎的研究』七九頁)。そののち大正五(一九一六)年六月、事務官五味均平《ごみきんぺい》がそれを受けて、全部局についての保存期限適用案、五〇年保存とすべき簿冊名と件数、現状の簿冊数および五〇年保存適用後の保存簿冊数などを調査・推計し、具体的な提案をおこなう。それに対し、同年十一月、主事神谷初之助《かみやはつのすけ》が再考を求めたのであった。

五味による提案は、五〇年保存を設定することにより永久保存の数量を減らすことにあるのは明らかであるが、ほかにも総ざらい的な調査をおこなうなかで永久保存するべき文書などを再編成しようとした点も見逃すことはできない。「公文引継関係書類」には、この提案による保存年限別の簿冊名案が残されており、従来の永久保存七種類のうち、教育録甲編、寄宿録、進退録、物品録甲編の四種が五〇年保存の候補とされ、本院分だけで一三四冊が対象になるとしていた。また、従来五年保存に分類されていた教育録丙編、炊事録、物品録丙編は、一〇年保存とはされず、「総《すべ》て廃棄見込」とされた。

これに対し神谷の再考提案は、五〇年保存を含む四区分方式を採用するのでは「規程」施行から日も浅く、「朝令暮改」になるとして批判し、現行の方式を続行するように求めるものであった。神谷は同件中の「公文書類保存期限に付いて」で次のように述べる。

資料二

……当時制定の際、その保存期限を永久、二十年、五年の三種と定められたるは蓋し政府各省の振合を参酌《さんしゃく》して、逓信省の制度に依られたるものにて、保存期限はなるべくこれを簡短にし、実際書類を整理する者の取扱を簡便にせんとせられたると、又一つには宮内省の書類は先例となるべきもの多きを以て、なるべく永久に保存する方安全と認められ、或る書類は五年、二十年にて廃棄すれどもその他の書類は永久に保存せんとの主意なりと承知致し居り候。……

五味氏の改正案に所謂五十年保存の如きは政府各省にもこれなきのみならず、五十年の長き期間保存を要するものの如きは即ち永久的のものにこれあり、五十年の古文書を廃棄することは実際上行はれざることと相成り申すべし。結局永久保存に相成り申すべしと存じ候。……

すなわち、宮内省の保存期限は逓信省の制度に拠ったものであり、それは保存期限を簡短にし、実務者の取扱いを簡便にすること、宮内省の書類は先例となるはずのものが多いので、なるべく永久保存にする主旨であると承知してきたとする。また、五〇年間保存する必要があるものは永久的なものであり、「五〇年の古文書」は廃棄できず、結局、永久保存になるとする。手数や経費の問題ではなく、宮内省業務の性質や実務上の妥当性を問いかけるものであり、当時の事務官たちのもう一つの公文書管理認識を示すものとみることができるだろう。

これが奏功したのかは不明であるが、大正六年十二月の「規程」改正（一〇一頁の(4)）のなかで、保存期限問題は従来の三区分方式を継続することとし、保存期限は永久、三〇年、一〇年に変更することで落着する。

保存期限と編纂簿冊名の変更

学習院の場合は次頁の表のとおりとなった。ただし、見方には注意が必要である。大正二年当時、学習院は女学部を含む一つの部局であったのだが、大正七年九月には女子学習院として独立し、宮内省内において学習院と女子学習院の二つの部局に分かれた。このため、左欄にある大正二年の保存期限・編纂簿冊名は女学部をも対象とするものであったのが、右欄の大正七年のほうは女子学習院を含まず、再編後の学習院にのみ適用されたものとなる。さらに、「公文引継関係書類」の第一件目首部はこの改定に関するものであったので、この簿冊自体がこの改定を契機に作成され、かつ以降の引継書・領収書などを含めすべてがこの再編後の学習院の文書に関するものであることになる。

第一に指摘したいのは、永久保存のカテゴリに皇族教育録、学生録、会計予算決算録という三簿冊を新設したことである。この経緯については、規程改正ののちの大正七年三月、図書寮が保存期限と簿冊名について事前の協議をもちかけてきたのに対し、学習院は「公文書類保存期限改正に関する学習院の希望」をとりまとめ、提出していた。そこでは

表　学習院公文書類の保存期限および編纂簿冊名の変化

大正2（1913）年7月

保存年限	内容
永久保存	1　教育録甲編 学生ノ入学退学成績懲罰行軍游泳武術並教科用図書ノ選定、幼稚園幼児ノ入園退園及成績ニ関スル書類ヲ編次ス
永久保存	2　寄宿録 寄宿舎学生ノ入舎退舎訓育等ニ関スル書類ヲ編次ス
永久保存	3　式事録 卒業式其ノ他ノ場合ニ於テ臨幸臨啓皇族ノ臨場並式事ニ関スル書類ヲ編次ス
永久保存	4　土地建物録 土地建物ノ保管及営繕ニ関スル書類ヲ編次ス
永久保存	5　例規録 主管事務ノ例規書類ヲ編次ス
永久保存	6　物品録甲編 主管物品ノ内教授器械標本図書ノ購入保管及修理ニ関スル書類ヲ編次ス
永久保存	7　進退録 職員ノ進退身分（〔割書き〕大臣官房秘書課主管ノモノヲ除ク）ニ関スル書類ヲ編次ス
20年保存	1　教育録乙編 授業時間割並学生修学成績等ノ証明ニ関スル書類ヲ編次ス
20年保存	2　診断録 学生ノ身體検査及診断ニ関スル書類ヲ編次ス
20年保存	3　会計録 収入支出ニ関スル会計書類ヲ編次ス
20年保存	4　物品録乙編 主管物品ノ購入保管及処分ニ関スル書類ヲ編次ス
5年保存	1　教育録丙編 学生ノ修学旅行及御苑其ノ他ノ拝観ニ関スル書類を編次ス
5年保存	2　炊事録 寄宿舎ノ炊事ニ関スル書類ヲ編次ス
5年保存	3　物品録丙編 主管物品ノ内庁用ニ属スル物品ノ購入及処分ニ関スル書類ヲ編次ス

大正7（1918）年12月

保存年限	内容
永久保存	1　皇族教育録 皇族ノ教育ニ関スル書類ヲ編次ス
永久保存	2　学生録 学生ノ入学退学修学成績及懲罰ニ関スル書類ヲ編次ス
永久保存	3　式事録 臨幸臨啓皇族ノ臨場並式事ニ関スル書類ヲ編次ス
永久保存	4　土地建物録 土地建物ノ管理異動ニ関スル重要書類ヲ編次ス
永久保存	5　会計予算決算録 会計予算決算ニ関スル書類ヲ編次ス
永久保存	6　例規録 主管事務ノ例規書類ヲ編次ス
永久保存	7　進退録 高等官同待遇職員判任官同待遇職員ノ任免階等昇級増俸叙位及年金ニ関スル書類ヲ編次ス
30年保存	1　教務録 授業時間割行事游泳武術並教科用図書ノ選定其ノ他教務ニ関スル書類ヲ編次ス
30年保存	2　寄宿録 寄宿舎学生ノ入舎訓育等ニ関スル書類ヲ編次ス
30年保存	3　職員録 規定ニ依ラサル恩賜及手当金賜与ニ関スル書類、学習院長ノ専行ニ係ル職員ノ命免増俸ニ関スル書類ヲ編次ス
10年保存	1　雑件録 学生ノ修学旅行遠足其ノ他見学拝観並修学成績等ノ証明ニ関スル書類ヲ編次ス
10年保存	2　会計録 収入支出ニ関スル会計書類ヲ編次ス
10年保存	3　物品録 主管物品ノ購入処分ニ関スル書類ヲ編次ス

「一　学生の入学・退学・就学・成績・懲罰に関する書類」を分割して永久保存にしてもらいたいという提案があった。学生録はこれに拠ると考えられる。また、大正二年の教育録甲編を中心にみれば、その内容が大正七年の学生録と教務録に、二〇年保存であった教育録乙編は教務録と雑件録に、そして五年保存であった教育録丙編は雑件録に転移したものとみられる。皇族教育録は、先の保存期限問題の論議のなかで、五味が提案した四区分の永久保存のなかにはじめて記され、また会計予算決算録は簿冊名は固まっていなかったものの、同区分に記されていたものであった。これらがそのまま残されたとみられる。このように簿冊新設にはいくつかの経緯が複合して存在した。

第二に、進退録をめぐる変化である。大正二年には職員の進退・身分のすべてを網羅するかのような記述であるが、大正七年には高等官・判任官などの案件に限定され、一部は三〇年保存として新設された職員録に移入したようにみえる。第三に、五年保存とされていた炊事録と物品録丙編が内容的にもこの簿冊一覧から消えたことである。かつての五年保存三種については、すでに五味の四区分案において削除されていた。ほかにも寄宿録の保存年限を三〇年保存としたことなどがある。

これらは一体何を物語っているのだろうか。保存期限問題における事務官五味の手間・経費削減のアイディア、対する神谷主事の業務の性質や実務上の妥当性に関する公文書認識、学習院職員の現場からの発想が反映されていた。総じて宮内省における公文書管理の初期において、宮内省、同図書寮、学習院という当事者が、公文書管理制度によりどのような情報を管理すべきかということについて、論争と試行錯誤をおこないつつ取捨選択をおこなったということではないか。もちろんそこでは、組織の内外における環境・状況の変化へのさまざまな対応が試みられていたはずである。政治や行政のあり様を含めて、この基礎的研究の先の課題となる。

この基礎的研究はまだ始まったばかりであり、これまでみてきたルールと実際に各所に残されてきた文書などとの照合確認作業が必要になる。ただそこで留意しなければならないのは、先の、(1)明治四十四年の規程第一五条で「本令施行前の公文書類に付いても仍て本令の規程を準用す」とされ、また、(4)の大正六年の規程改正では「本令施行前の公文書類に付いては総て本令の規程を適用す」とされたことである。実際にも、宮内省図書寮における学習院の簿冊調製の完成はほとんどが大正九(一九二〇)年となっている。つまり、仮編纂されて図書頭に引き継がれた公文書類は、大正二年の保存年限・簿冊名によって簿冊とされず、大正七年の保存年限・簿冊名に従って再編成されて簿冊とされたと推定される。簿冊の照合確認作業は難航を極めることとなるが、本来の存在を確認するため乗りきらなければならないであろう。

廃棄、学習院への返戻、借用による利用

大正六年の規程改正では、それまで「保存期限を経過したる公文書類は、図書頭・関係部局長官に協議して廃棄の処分を為すべし」(旧第七条)とされていたものが、「……、図書頭において適宜廃棄の処分を為すべし。但し、時宜に依り必要ありと認めたる書類に付ては関係部局長官は期限満了前、その廃棄の猶予を図書頭に申し出ることを得」とされた。いわゆる廃棄協議をなくして図書頭の判断で廃棄できることとし、しかし必要な書類については廃棄猶予を申し出ることができるようにした。このような合理化も、「保存期限問題」の山口・五味らの考えが反映したものである可能性があろう。

そして規程改正を終えたのちの大正七年十二月、図書寮が最初におこなったのは、「編纂保管項目に該当せざる書類」とされた明治十八年以来の明治期の簿冊一九九冊を学習院に返戻する作業であった。またその際、「永久保存を要すべき御見込みのものこれあり候はば、至急御検出、御送付あいなりたし」とした。

この事例が象徴するように、図書頭は廃棄権限をもってはいたが、以後も学習院の簿冊を一方的に廃棄することはな

かったようである。学習院側は、例えば大正十三(一九二四)年三月、大正七年の改正で図書頭に納める必要のなくなった旧二〇年保存の診断録について、明治二十二(一八八九)年より大正四年分まで返戻を受けてきたが、大正五年分は図書寮が引き継いだままとなっているので、学習院側で一括保存したいと申し出ていて、それが実現している。また、大正十四(一九二五)年の事例では、明治末年より大正初年の簿冊一三冊について「法定の保存期限経過候に付……廃棄あいなり然るべき哉」との照会を受け、そのうち一〇冊を学習院が引き取っている。

また図書寮において保存中の簿冊については、しばしば借用をおこなっていた。大正十四年四月には、学習院院長が「当院において執務上必要これあり候に付、借用いたした」いとして、明治十九(一八八六)年から大正十(一九二一)年までの教務録一八冊、ほかに学生録、雑件録を含め合計五〇冊を借用している。

これらのように、保存期限が経過した簿冊について一定のやりとりがあり、その多くは学習院が返戻を受け、また期限経過前であっても、執務上必要な簿冊については借り出して使用していたのであった。このような簿冊の管理と使用は終戦前まで続けられたのであった。

新学習院の院史編纂と戦前期公文書類の返戻

多少の驚きをもって認めなければならないのは、二〇一一年の学習院アーカイブズ開設にかかわった教職員の誰もが、これまでみてきた宮内省図書寮と学習院とのあいだにおける保存、借用、返戻など、そして昭和三十八(一九六三)年における宮内庁書陵部からの戦前期公文書簿冊の保存分二六七冊が学習院に返戻された事実を承知していなかったということである。わずか五〇年余りのあいだに、どのような文書などに依拠して仕事をし、どんなふうに管理をしていたのかを忘却していたことになる。

時は、昭和三十一年九月、学習院院長安倍能成《あべよししげ》は、学習院史編纂委員会委員を理事および各学校教職員など三〇名に、同会委員長を児玉幸多《こだまこうた》教授に委嘱した。その第一回委員会の議事要旨によれば、院長は「私立学校となって明(る)三十二年が十年になる。同時に、開校以来八十年に相当するので、院史を編纂したい」と述べ、新たな院史編纂を宣言した。もう一つの「記録の記録」である簿冊「学習院史編纂関係書」には、この文書をはじめとして、以後の委員会業務から、同三十八年の『学習院の歩み』(結果として学習院創立八五周年記念刊行物となった)刊行、そして昭和四十(一九六五)年代の情報収集など補完作業にいたるまでの文書(実物)の一切が綴じられている。

なかを紐解こう。まず冒頭部分で編纂方針に関する文書がみられる。全体を「戦前凡(そ)十年、戦時・終戦、学制改革・私立学校の三段階」に分けるとともに、従来は「制度史的」であったので趣を変えるとし、実際には学校の重要事項を年代順に記し、「重要問題については記録、口述、座談会その他に」よって詳述するとした。そのため資料収集について「編纂原稿以外、広く資料・写真等を集め、保存する」という方針を最初に確認したのであった。同簿冊全体を数量でみると、全三六件のうち、委員会開催・予算など四件、編纂要項・原稿執筆依頼など四件、資料調査および借用・返却関係一六件、座談会関係四件、事後的事務処理四件、事後的情報収集四件である。すなわち、委員会業務を迅速・適確に完遂したことがうかがえることに加えて、編纂方針にあったとおり、座談会の開催を含め資料の収集・保存に特段の注力をしたことがうかがえる。また資料のおもな借用先は宮内庁書陵部であり、戦前期に図書寮に納めて保存していた簿冊を借用していたのであり、編纂委員長の児玉教授たちは戦前期以来のやりとりを継続した記憶として承知していたのである。

この簿冊における最大の発見は、「宮内省学習院」時代の公文書簿冊二六七点を、昭和三十八年二月、宮内庁書陵部長より学習院長が引き継いだ目録付きの文書である。これらは明治十年代から昭和十年代に及ぶもので、当時、永久保存とされた「式事録」「土地建物録」「例規録」ほか一〇以上の簿冊シリーズからなるものであった。前後の文書によれば、新学習院となり院史を編纂するにも基礎資料が欠落しており、編纂開始直後から宮内庁所蔵の同文書などを借り出して使っていたが、昭和三十七(一九六二)年十一月になってそれらが廃棄予定となったことを聞き及び、引継ぎを願い出て、学習院に返還されたのであった。

院史編纂の成果物たる『学習院の歩み』は小冊子体のものであるが、どれほど資料を重視し、過去の事実に向き合ったものであるか、ぜひご覧いただきたいと思う。この資料重視の方針は、次の学校史『学習院百年史』(全三編、一九八〇〜八七年)においても継続された。

未来への扉を開くアーカイブズ学

児玉教授が音頭をとった委員会は、この簿冊にその諸活動の文書を収めることをとおして、業務を迅速・適確に遂行するとともに、未来に向けて、この重要資料や座談会速記録などを含め、収集した資料・情報に関する文書一切を残した。この簿冊を読み解くことによって、私たちは現在の収蔵資料の構成や来歴を復元する糸口を得ることができる。また現在の私たちは、これらのアーカイブズ(資料)から、当時の学校施設、教育課程、教員・生徒の様子などを詳しく知り、また、今なぜ自分たちの学校がこのような姿形となっているのかを思い描くことができる。そして、次はどうあるべきか、と問うこととなるのである。戦前期学習院庶務課の職員、そして戦後における児玉教授をはじめとする院史編纂委員会にかかわった諸氏は、いわばアーキビストがいない時代のアーキビストであるとみることができるのであり、アーカイブズ(資料)をメタデータとなる「記録の記録」とともに残し、現在の私たちとつながる扉を開いたといえるのではないか。

筆者にとっても、始まったばかりの基礎的研究ではあるが、この戦前期公文書群についてメッセージを残して、現時点での責任を果たそう。同公文書群は、明治四十四年の規程、大正六年の同改正を基軸としながら、学習院での作成・仮編纂・引継ぎ、図書寮による簿冊調製・保存・廃棄・返戻などにより「公文書類」管理の仕組ができていた。これらを現在までの伝存経路に注目して整理すれば、次の四つの主要なものがあったこととなる。(1)規程の対象となり、図書寮で保存され、そのままになったもの(現在の宮内庁で保存されていると推定される)、(2)規程の対象となり、図書寮で保存されたが、保存期限経過などにより戦前期に学習院に返戻されたもの(戦前期に借用して学習院にそのまま残存したものもあるだろうと推察される)、(3)規程の対象となり、図書寮で保存され、戦後になって宮内庁より学習院に返戻されたもの、(4)規程の対象とならず、学習院が作成、使用、保存管理してきたもの、である。これらこそが、「出所」や「原秩序」の一部となる可能性がある事柄である。これらに沿って現存資料と照合することによって、伝存している文書、廃棄されたはずの文書、不明となっている文書、関連する文書などの存在を浮かび上がらせ、特定することができる。これをとおして、この公文書群(全体)の完全性を担保すること、またそこで知られたさまざまな情報により小群ごとの資料の性質を特定すること、それらを基本となる目録(解説に盛り込まれる場合もある)に記述し、一部では必要となる適切な利用制限をおこないつつ、最大限の利用の促進を図ることが求められる。これを進めて未来への扉を開くアーカイブズにしたいものである。

参考文献

『学習院の歩み』学習院、一九六三年
『学習院百年史』第一編~第三編、学習院、一九八〇~八七年
国文学研究資料館史料館編『アーカイブズの科学』上・下、柏書房、二〇〇三年
堀口修『宮内省の公文書類と図書に関する基礎的研究』創泉堂出版、二〇一一年
スー・マケミッシュほか編(安藤正人ほか訳)『アーカイブズ論――記録のちからと現代社会』明石書店、二〇一九年

東洋史

下級官吏の目から見た秦の社会
簡牘史料の世界

海老根　量介

はじめに

本稿では中国古代の王朝、秦《しん》について考えてみたい。「秦」と聞いて皆さんは何を思い浮かべるだろうか。世界史の教科書では、秦の中国統一と始皇帝《しこうてい》によっておこなわれた諸政策のことが述べられている。また、世界遺産の始皇帝陵や兵馬俑《へいばよう》について取り上げたテレビ番組を見て、興味を惹かれたことがある人もいるだろう。最近大ヒットしているとある漫画の影響で、秦の名だたる武将たちの活躍・六国《りっこく》との激しい戦いを想像する人も少なくないかもしれない。

もちろん、始皇帝によってさまざまな方面で進められた統一事業の実態を解明することは非常に重要なトピックであるし、統一の過程で秦と諸国との戦争がどのように進展したかは今後も検討されつづけなければならない問題である（もっとも、実際には史料的制約から、このことを考察するのは難しいのだが）。謎に包まれた始皇帝陵・兵馬俑は現在も考古発掘や科学技術などを駆使した調査が着々とおこなわれており、我々のロマンをかきたててくれる。ただ、こうした華々しい「表」の事柄だけが歴史学の対象であるわけでは決してない。私はこれまで、「当時の社会がどのようなもので、普通の人々はそのなかでどのように生活を送っていたのか?」「当時の地方行政はどのようにおこなわれていたのか?」といった、「表」の事柄に比べるといたって地味な内容に一貫して興味をもってきた。このようなおそらく世界史の教科書でほとんどふれられることのないようなテーマも、歴史学においては重要な研究対象となりうるのである。そして現在、そうしたテーマを研究することのできる環境が急速に整ってきている。それは新史料の出現である。

かつては秦の歴史を考えるならば、『史記』をはじめとする伝世文献に大きく依存せざるをえなかった。ところが、そういった伝世文献に記されているのは、王や政権を握る有力者など、一部の為政者の事跡が中心であり、その反面「地域社会に暮らす人々がどのように生きていたか」といったことについて考察する手がかりは乏しかった。そのような状況は、大量の出土文字史料の出現によって一変することとなった。

二十世紀以降、中国では遺跡の発掘が盛んになり、長いあいだ地中に埋もれていた文物が続々と発見されるようになった。とくにここ五〇年余りはその勢いが顕著になってきている。中国の著しい経済発展の結果として各地で開発が急激に進み、それにともなって偶然古墓や古井戸といった遺跡が掘り起こされ、そこに眠っていた簡牘《かんとく》史料が発見されることがあいついでいるのである。

「簡牘」とは何か。秦の時代、書写材料としての紙はいまだ普及しておらず、人々は文字を竹簡《ちくかん》・木簡《もっかん》などと呼ばれる竹や木を加工したものの上に記していた。竹簡・木簡のなかには、一行書きのものから幅広で複数行を記すもの、一枚で用いられるものや多くの枚数を綴り合わせて(編綴という)冊書の形で用いるものなど、用途に応じて多くの種類があるが、これらを総称して「簡牘」と呼んでいる。

こうした簡牘史料の特徴とは何だろうか。まず、簡牘史料はまぎれもない同時代史料であるという点が挙げられる。伝世文献は成書の経緯や年代がはっきりしないものが多く、また後世に昔を振り返って記されたものも少なくない。例えば『史記』中の秦の描写は、『史記』が記された漢代から振り返ってみた秦像が反映されている可能性が考えられる。

それに対して簡牘史料(そのなかでもとくに法律・行政文書など)は、秦の時代に、秦の人たちによって作成・使用された史料であるという点で大きなメリットをもつ(もちろん、簡牘史料であっても書写年代以前に成書年代が遡ることがあるが、秦の簡牘であれば少なくとも秦人がそれを利用していたことだけは担保される)。しかも、伝世文献は現在に伝わるまでに何度も人の手が加わっていることが多いが、簡牘史料に関しては当時のなまの史料であるという点も無視できない。

簡牘史料のメリットはそれだけにとどまらない。秦の簡牘史料は、おもに古井戸もしくは古墓のなかから発見されている。前者の場合、県級官衙《かんが》の遺跡に付属する古井戸のなかから廃棄された行政文書が発見されており、その内容をもとにして秦の地方行政のありさまを復元することが可能になった。後者の場合は、簡牘史料の多くが比較的小規模な墓葬から出土している。こうした墓の被葬者は下級官吏などあまり身分の高くない人物であることが多い。すると、そこから出土した簡牘は、そのような人々がどのように生きていたかを探る貴重な史料となるのである。先述したように、『史記』などの伝世文献では、秦の地方における行政の実態や身分の高くない人々がどのように生きていたのかを知ることは難しい。簡牘史料は、そうした事柄を解き明かす手がかりとなるという意味でも非常に価値がある。

そもそも、今から二二〇〇年前の史料が続々と発見されていること自体、驚くべきことである。本稿では、先述のような特徴をもつ秦の簡牘史料を用いて、秦の地域社会の様子を覗いてみることにしたい。もっとも、現在までに発見されている秦の簡牘史料はかなりの量にのぼり、そのすべての内容を俎上に載せるには紙幅が足りない。そこで本稿では比較的初期に発掘され、大きなセンセーションを巻き起こしたある一座の秦墓から出土した簡牘史料を題材として取り上げ、そこからどのような理解ができるのかを論じることにしよう。

睡虎地秦簡と墓主「喜」の生涯

一九七五〜七六年、湖北《こほく》省雲夢《うんぼう》県睡虎地《すいこち》で戦国時代晩期から秦代にかけての一二座の秦墓が発掘された。このなかの一一号墓から、一一〇〇枚以上にも及ぶ竹簡が発掘されたのである。この竹簡は一般に「睡虎地秦簡」と呼ばれている(図1)。

睡虎地一一号秦墓は一棺一椁墓で規模は大きくなく、墓主(埋葬されていた人物)はあまり身分の高くない人物と目された。また睡虎地秦簡の内容をもとに、墓主のプロフィールや活動していた年代がかなり詳細に判明している。普通、古墓の確実な年代や墓主についてここまで詳しくわかることはそう多くない。そういう意味でも睡虎地秦簡は貴重である。

さて、睡虎地秦簡は内容からいくつかの冊書に分けられる。以下にその内訳を簡単に紹介しておこう。

『編年記』　秦昭王《しょうおう》元(前三〇六)年〜始皇三十(前二一七)年の年表で、この間の重大な出来事(おもに秦がどこを攻めたか)が記されるほか、墓主とみられている「喜」とその親族に関する事柄が付記されている。

『語書』　秦王政(のちの始皇帝)二十(前二二七)年に、南郡守(長官)の騰《とう》が属下の県・道に宛てて、法律を遵守した統治をおこなうよう布告した文書。

『秦律十八種』　一八種類の秦の律(法律)の抄録。おもに県レベルにおいて行政を取り仕切る際に必要な事項についての規定が多い。

『秦律雑抄』　さまざまな律文を数条ずつ集めた内容。秦律が右の一八種類だけでなくほかにもさまざまな種類があり、また睡虎地秦簡に含まれているものがすべての条文でもないことがうかがえる。

『效律』　官府の物品管理に関する律文を集めて一篇としたもの。『秦律十八種』にも「效律」がみえるほか、『秦律

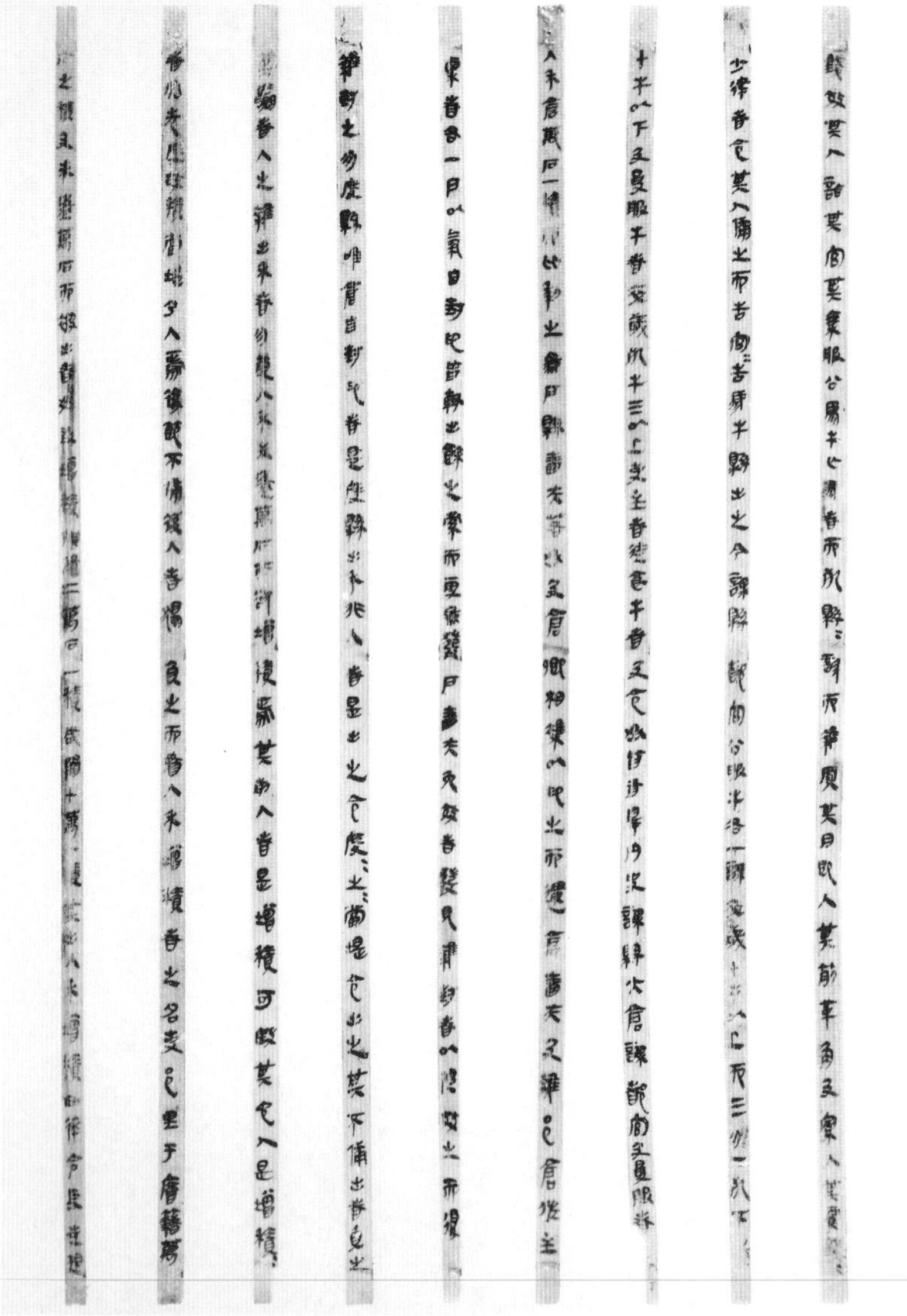

図１　睡虎地秦簡
出典：陳偉主編『秦簡牘合集(壹)』中，武漢大学出版社，2014年

十八種』では「倉律」とされる条文も含まれている。

『法律答問』　律文中の用語や、判断に迷うような事案について問答形式で解説を記している。法律を適用する際の手引書のような役割を果たしたと思われる。

『封診式』　殺人や泥棒など、さまざまな裁判案件を処理するにあたって進められる各種の調査や取調べの内容をまとめた文例集。実際に文書を作成する際に、こうした文例集を参照していたのであろう。

『為吏之道《いりしどう》』　官吏として心得るべき事柄を記した官箴書《かんしんしょ》。多く四字句で構成される。

『日書』　祭祀や土木工事、嫁取り、出行、人との面会など、日常生活中のいろいろな行為についておもに日取りの吉凶を占う書物。さまざまな種類の占いが追込み書きで雑多に記されている。甲種・乙種の二種類が含まれる。


このように、睡虎地秦簡には秦律を中心に、行政文書の文例集や手引書、官箴書など、地方行政にかかわるような内容が多く含まれていた。これは墓主の生前の生活と関わりがあると思われる。そこで次に『編年記』に基づいて墓主の経歴をみていこう。

睡虎地一一号秦墓の墓主であると目される「喜」は、秦昭王四十五(前二六二)年十二月甲午《こうご》の日の鶏鳴時(朝方の時間帯)に生まれた。秦王政元(前二四六)年、十七歳のときに彼は「傅《ふ》」つまり成年として戸籍に登記され、同三(前二四四)年八月に十九歳にして「史」(書記官)の身分を与えられ、その三カ月後の同四(前二四三)年十月(秦では十月を年初とする暦を用いていた)には安陸《あんりく》県の郷史となった。郷とは県の下の行政単位であり、郷史はその書記官である。一般に秦の県吏は出身地から選ばれるので、喜は安陸(すなわち睡虎地の所在する一帯)の出身なのだろう。その後、同六(前二四一)年四月には安陸県の令史(県廷の書記官)となり、同七(前二四〇)年正月には安陸県と同じく南郡に属する鄢《えん》県の令史に移っている。同十二(前二三五)年四月には「喜治獄鄢」という記述があるから、この頃彼は鄢県において裁判案件の処理に携わっていたようだ。同十三(前二三四)・十五(前二三二)年の従軍を経て、秦王政二十一(前二二六)年、彼は南郡の属(郡の属吏の一種)に昇進している。彼の官職についての記述はここで終わっているので、これが彼の最終的な官職と思しい。その後、始皇二十八(前二一九)年には「今過安陸」とあり、「今」すなわち始皇帝が安陸を通過したことが記されている。喜はこのときすでに南郡属の職になく、故郷の安陸に戻って始皇帝の巡幸を目撃したのだろうか。その後始皇三十(前二一七)年の紀年を最後に『編年記』は終わっているので、喜もその頃に死亡し、葬られたのだろう。

以上のように、喜は戦国時代末期から統一後にいたるまで、秦の一地方で生活していた下級官吏であることが明らかになった。睡虎地秦簡はそんな彼の所有物ということになる。喜は郷・県・郡の書記官を務め、裁判の処理にも携わっていた。睡虎地秦簡のなかに秦律や法律の適用・行政を進めるうえで参考になる手引書・文例集や官箴書などが含まれていたのは、彼のこうした職歴を如実に反映していると考えられる。

秦の統治と睡虎地秦簡

ところで、秦の統治と聞いたとき、ほとんどの人は「法家思想に基づいて法律を厳格に適用する統治」や「始皇帝による苛政」といったことをイメージするのではないだろうか。たしかに、『史記』をはじめとする伝世文献では、秦は商鞅《しょうおう》の変法以来、厳しい法律を導入し、犯罪には重い刑罰を与える一方、功績を挙げた者には爵位や褒賞を与えるなど信賞必罰を徹底したほか、住民に連帯責任を負わせて相互に監視させるなどの政策をおこなっていたことや、始皇帝が韓非の思想に傾倒するなど法家思想に基づく統治をいっそう推し進めたことなどがたびたび言及される。ただ、このようなイメージで語られることの多い秦の法律が実際にはどのようなものだったのかは、史料がほとんど残っていないために長いあいだベールに包まれていた。それゆえ、睡虎地秦簡中に秦律が含まれていたことが学界に与えた衝撃の大きさは計り知れない。

ここではその秦律について全面的にみていく紙幅の余裕はないが、全体的な傾向のみ簡単に紹介しておこう。睡虎地秦簡中の律文や『法律答問』で述べられる法解釈をみてみると、犯罪発生時には伍人《ごじん》や里典《りてん》、同居人といった人々の連帯責任が問われ、近隣・親族で監視させる体制であったことがうかがえる。官吏においても職務上の規定が事細かく決まっており、これに違反すれば処罰されるのはもちろん、業務においてはノルマが課され、成績が良くないと罰せられたり、上官は部下の過失の連帯責任をも負わなければならなかったりと、官吏の統制も厳しかった。また重大な犯罪には重い刑罰を科す一方、犯罪を告発したり犯罪者を捕らえたりするなどの功があれば賞金や恩恵を得られるようになっていた。このように、秦ではたしかに法家思想に基づく律が実際に定められていたことがわかる。

秦の法に対する姿勢がもっともはっきりと見て取れるのは『語書』の記述である。『語書』は、秦王政二十(前二二七)年に南郡守が治下の各県・道の官吏たちに対して、法律を徹底するように布告した行政文書である。その内容は以下のとおり。

秦王政二十年四月二日、南郡守の騰が県・道の嗇夫《しょくふ》(下級官吏の一種)に通知する。いにしえ、民はそれぞれに郷俗があり、その利とするところや好き嫌いが異なっていたため、民に不便を与え、国に害をもたらしていた。そこで聖王が法をつくり、民の心を矯正してよこしまさを取り去り、悪俗を取り除いた。法律がまだ不足していたので、民はいつわりが多く、それゆえのちに補足の法令が発布された。そもそも法律令というものは、民を教え導き、そのよこしまさを取り去り、悪俗を取り除いて、民に善をおこなうようにしむけるものである。今、法律令がすでに備わっているのに、吏民は用いることがなく、郷俗に従い放逸な民はあとを絶たないが、これは君主の明法を廃するもので、よこしまで放逸な民を助長し、国におおいに害をもたらし、民に不便を与える。それゆえ私は法律令・田令および為間私方を修訂して発布し、吏に明らかに布告させ、吏民に周知させ、罪に抵触しないようにさせたのだ。今、法律令がすでに布告されたにもかかわらず、吏民が法を犯し私的な不正をおこなう者があとを絶たず、私心をもち郷俗を重視する心も変わらず、県令(県の長官)・県丞(副官)以下の官吏は知っていながら検挙して罪に問おうともしない。これは明らかに君主の明法を避ける行為で、よこしまな民をかくまうものである。このような行為は、臣下として不忠である。不正行為がおこなわれていることを知らないのは「不勝任」(任に堪えない)・「不知」(状況の把握不足)である。知っていながらあえて罪に問わないのは「不廉」(廉潔でない)である。これらはみな大罪であり、県令・県丞もこれを把握していないのは大変問題である。そこで今、人を派遣して県・道を視察させ、令に従わない者を弾劾し、律に照らして罪に問い、県令・県丞もその対象とする。また審査して、官吏が令を犯して県令・県丞が摘発していない者がもっとも多い県は、その県令・県丞を報告させる。県・道ごとに順々に伝達せよ。文書を江陵に分けて布告し、郵を用いて送れ。

この布告文では、南郡守が法による支配を絶対視し、それに従わない者を厳しく糾弾する姿勢が浮かび上がる。法を用いた統治を強硬に地域社会に押しつけようとする秦の為政者の姿をそこに読み取ることは難しくないであろう。先にみた秦律の傾向を合わせて考えても、たしかに秦は強制力をもって法律を厳しく施行することで国内支配を貫徹していたように思われる。

秦の法による支配がこのようなものであるならば、末端とはいえ秦の官僚組織に連なる喜が、律文や法律の手引書、法律を徹底させる布告文などを所持し、それを墓の中までもっていっていたことは、秦の法治がかなり厳格に実行されており、官吏は日々の職務を円滑に進め法律を適切に運用するためにそれらをつねに参照していたことをうかがわせる。

「日書」の世界

以上にみてきたように、睡虎地秦簡は秦の地方官吏である喜の職務にふさわしいような内容が中心であった。ところが、一つだけ彼の所持品らしからぬものが含まれている。それが「日書」である。

先述のように、「日書」は日取りの吉凶を中心としたたくさんの占法が雑多に記されている書籍で、日常生活中のさまざまな行為が占いの対象になっている。「日書」を参照する者は、多くの占法のなかから時と場合に応じてふさわしいものを選んで占うことができる。その内容について、以下に少しだけみてみよう。

睡虎地秦簡『日書』の出土以降、これまでに多数の戦国秦漢時代の「日書」が見つかっているが、これらの「日書」のなかで多く冒頭に配されるポピュラーな占法が「建除」である。「建除」は十二直とも呼ばれ、各日の十二支が建・除などの一二種類の日のどれにあたるかをみて、その日の吉凶を判断する占いである。甲種『日書』の「秦除」と小題のついた占法を例にとろう。まず「正月、建寅、除卯、盈辰……」といったふうに、月ごとの一二種類の日の配当が示され、続いて建日・除日……と順に各日の占辞が記されている。正月寅日の吉凶を占うのであれば、寅日に配当されるのは「建」であるので、その日の占辞「建日は、良い日である。嗇夫となり、祭祀するのによい。朝早くはよく、暮れ方はよくない。奴隷を購入し、加冠の儀式をおこない、車に乗るのによい。工事を起こすのは吉」を参照し、吉凶を判断するという次第である。

次に盗人占いについてみてみよう。「日書」にはさまざまな盗人占いが含まれているのだが、ここでは甲種『日書』に含まれる「盗者」と小題のついた占法を紹介したい。この占法では、日の十二支ごとに占辞が記され、その日に発生した盗難事件の犯人の特徴や盗品のありかが述べられる。例えば子日の占辞には次のようにある。「子は、鼠である。盗人は口がとがり、ひげは少なく、よく手を動かし、色黒で、顔にはほくろがあり、耳には疵《きず》がある。盗品を垣根の中の糞土・草の下に隠している。名前は鼠・鼷・孔・午・郢という」。このように、犯人の特徴や盗品の隠し場所は明らかに鼠と関連づけられており、ほかの日についても同様に十二支の動物に関連づけられた説明がなされている。なお、この甲種『日書』「盗者」篇においては、午が「鹿」、未が「馬」、申が「環」、酉が「水」、戌が「老羊」となっており、

図2 「人字」図
出典：睡虎地秦墓竹簡整理小組編『睡虎地秦墓竹簡』文物出版社, 1990年

現在我々の知っている十二支の動物とは大きく異なっているのも興味深い。

「日書」中の占法は日取りの吉凶を占うものが中心だが、それ以外の占法も含まれている。甲種『日書』中の「詰咎」篇は、七一条にわたって悪鬼や神霊により引き起こされる災害や怪異現象を解決するための対処法を述べた「妖怪退治マニュアル」とも呼べるような内容である。いま、一例だけ挙げておこう。「家中の人が理由もなく病にかかったり死んだりするのは、棘鬼が埋められているせいである。その場所は乾燥しているときに湿り、湿っているときに乾いている。そこを掘って鬼を除去すれば、止む」。

そのほか、図をともなう占法もいくつかみられる。例えば甲種『日書』中の「人字」篇は、人の形をした図が描いてあり、その人形の周囲に十二支が配置されていて、子どもの生まれた日の十二支をもとにその未来を判断する占いのようである（図2）。例えば春夏の子日生まれの場合、図で「子」が手の下にあるのを確認して占辞をみると「手にある者は盗みがうまい」と書いてある。縁起でもない占辞である。同じく甲種『日書』に含まれる「置室門」篇では、家屋に設けられた各門の位置が図示されるとともに、各門の占辞が記され、その門のある家の吉凶がわかるという仕組になっている。

以上は睡虎地秦簡『日書』中の占法のごく一部を取り上げたにすぎず、ほかにもじつに多様な占法が雑然と記されている。気がかりなのは、こうした「日書」を所持していた喜が、一方では整然とした秦の律令や行政にかかわる文書を大量に所持していたことである。秦の厳格な法治の末端に位置し、地方社会にもその法治を及ぼす役割を果たしたであろう下級官吏が、「日書」のような書物をもっていたことを我々はどう理解すればよいのだろうか。

じつのところ、こうした問題に正面から取り組んだ研究者は少ない。ほとんどの研究者は、法律は法律、「日書」は「日書」と区別して考え、それぞれの分析・考察を進めるのみで、それらが同時に出土したことの意味についてはほとんど考慮に入れなかったのである。だが、喜がどのような考えのもとに法律と「日書」というまったく性質の異なる書籍を所持していたのかということは、当時の人々が秦の社会をどう見て、その社会のなかでどう生きていたのかということを理解するのにつながるはずであるから、それを解き明かすことは避けて通れないであろう。

「日書」をどう捉えるか

この点に真っ先に注目したのが工藤元男であった。工藤のスタンスは、睡虎地秦簡のすべての内容を統一的に理解しようとするものである。工藤は、法家系の文献『商君書』算地篇に「法を適用するには在地社会の習俗の状況を正確に観察しなければならない」という趣旨が述べられていることを参考に、睡虎地一一号秦墓の墓主喜が南郡治下の諸県で秦法を施行するため「日書」を通じて在地社会の習俗を観ていたと唱えた。これによれば、喜ら地方官吏は「日書」によって在地習俗を観察しつつ、それに合った形で法治を浸透させようと努めていたと理解される。

ところが、睡虎地秦簡『語書』からうかがえる秦の法治はこれとは異なる様相をみせている。『語書』では、南郡守が、治下の民が郷俗を重視し法を遵守しないこと、官吏もこれを見て見ぬふりをしていることを厳しく批判し、法律の適用を徹底することを布告しており、そこに透けてみえるのは法による支配を押しつけようとする秦の為政者の強硬な姿勢である。そこで工藤は次のように考えた。従来、秦の支配は法を在地社会に無理矢理押しつけるものではなく、在地社会の習俗をある程度許容しつつ秦法の浸透を図る柔軟な法治主義であった。だが、こうした秦のゆるやかな法治は、統一を目前にして一元的支配を志向する厳格な法治主義へと転換し、『語書』は転換後の秦の法治の姿を反映している、と。

工藤のこの説は、喜の持ち物である睡虎地秦簡のすべての内容を有機的に結びつけ矛盾なく理解するという点で画期的であった。ただし、この説には異論も少なからずでている。とくに「日書」について、これを官吏が在地習俗を観察するためのツールとしてみることに批判が寄せられたのである。工藤の観点に基づけば、喜のような官吏はあくまで民を統治・管理する側であり、統治者としての官吏対被統治者としての民という構造を描き出せるが、はたしてそれは正しいのであろうか。喜の手元に「日書」があったのは、やはり彼本人も「日書」を参照して日常生活を占っていたからではないのか、というのが、批判説の趣旨である。

たしかに、よく考えてみると、下級官吏が日常生活の場で占いの書籍を所持して参照していたとしても、それは何も不思議なことではないかもしれない。現代の我々だって、日々の仕事では法令を遵守し理知的に行動している(つもりである)が、日常生活ではときに占いをあてにしたりすることもあるのだから。かの悪名高き始皇帝の焚書令にあっても、卜筮《ぼくぜい》の書(すなわち占いの書)は医書・農書とともに禁書にはなっていない。そもそも秦では占いは規制の対象とはなっていないのだ。

だが、喜が占いの書籍をもっていたことを、そのように彼の個人的な嗜好に矮小化させてしまってよいのだろうか。「日書」をも睡虎地秦簡全体の内容と結びつけられるような合理的な解釈はできないものだろうか。

「日書」と官吏の職務の関係

ここで少し視点を変えてみたい。これまで、古代の人々は「日書」を用いて日常生活のなかのさまざまな行為について占っていたと考えてきた。だが、はたして「日書」中で占われている行為は、人々の日常生活に限定されるのだろうか？

二〇〇二年、湖南《こなん》省湘西《しょうせい》土家《トウチャ》族苗《ミャオ》族自治州龍山《りゅうざん》県で進められていた「里耶《りや》古城《こじょう》」と呼ばれる遺跡の発掘の途中、古井戸から三万六〇〇〇枚もの秦代の簡牘が出土した。この簡牘は、その内容から廃棄された行政文書であり、里耶古城が秦の遷陵《せんりょう》県の県城であることも明らかになった。里耶秦簡と呼ばれるこの簡牘群をもとにして、秦の県レベルにおける文書行政のありさまや、県の各部署でおこなわれていた日常的な業務などが次々と解明されてきている。それによれば、遷陵県では祭祀や動物の飼育、伐木、土木工事、衣服の製造、穀物の出入など、さまざまな職務が官吏あるいはその指揮下で人民や刑徒を動員して運営されていた。これらの行為は「日書」中でも頻繁にその吉凶が占われている。もちろんこうした行為は日常生活のなかでも当然おこないうるのではあるが、官吏が職務としておこなうこともまたありえたのである。

睡虎地秦簡『日書』中の語句からも官吏との関係はうかがえる。例えば「入官」や「官府の造営」、「嗇夫になること」といった、直接官吏と関わりのある語が占いの対象となっているほか、「吏」という小題の記された占法では、一日の各時間帯に人と面会するとどのようなことがあるかを記している。一例を挙げると「子の日は、朝に面会して、報告をすると、認可される。晏（午前中のある時間帯）に面会して、報告をすると、認可されない。昼に面会すると、褒められる。日虒（午後のある時間帯）に面会すると、また面会させられる。夕方に面会すると、褒められる」といった次第である。内容と篇名からして、官吏が上司と面会するときのことを想定しているのだろう。先に紹介した「盗人占い」も、官吏が職務で盗人を追捕するときに参照していたと考えるのも不可能ではあるまい。

さらに、「日書」では出行の吉凶を占う内容を多く含むが、「日書」は下級官吏の出張記録である「質日」としばしば同出(同じ墓より出土)することから、「日書」は彼らが出張の際に携帯すべき実用書だったのではないかとも近年指摘されている。

こうしてみてくると、じつは「日書」の内容は何も日常生活に限定されず、官吏が職務を執りおこなう際に参照して利用することも十分可能なように思われる。

『為吏之道』と『語書』と「日書」

喜のような地方官吏が「日書」を職務に役立てていた可能性がゼロではないことをみてきたわけだが、だからといって、厳格な法治をめざした秦の支配の末端に位置し、自らも大量の律文や法律の手引書を所持していた喜が、一方では「日書」で占いながら職務をこなしていたとはにわかには信じられないだろう。睡虎地秦簡のなかに、ほかに手がかりとなるような内容はないものだろうか。

じつは、睡虎地秦簡のなかには「日書」以外にもう一つ、ほかとは若干毛色の異なる史料が含まれている。それは『為吏之道』である。先にみたように、『為吏之道』は官吏たる者の心得を述べた官箴書であるから、下級官吏である喜がこうした書物を所持していたことはいたって自然なように思える。しかし、じつはそこには一つ問題がある。『為吏之道』の内容には、強硬な法治を主張した秦の姿勢とは一致しないような方針が確認できるのだ。

具体的にみてみよう。まず官吏が重視すべきこととして「民の能力をつぶさに知り、民の力量をよくはかる」ことに言及している。先行研究において、このような民への配慮・柔軟な対応を説く部分は『為吏之道』の道家的要素を示すものだといわれている。ほかのところでは「君主は恵、臣下は忠、父は慈、子は孝、これが政治のもとである」と述べており、こちらは儒家的な要素だと指摘されている。もちろん、『為吏之道』には法令の遵守や賞罰の重視などを説く法家的な内容も含まれている。このように、『為吏之道』は単純に法家思想のみが述べられているわけではなく、儒家・道家などさまざまな思想の影響がみられ、諸思想の折衷的性格をおびているとも指摘されている。

さらに注目されるのは、官吏がすべきではないこととして「民の習俗を変える」ことが言及されている点である。先にみたように、『語書』では民の習俗が「悪俗」とされ、法の浸透を阻害するものとしてあしざまに罵られていた。『為吏之道』では、それとは対照的に民の習俗は安易に変えてはならず、民に配慮しながら政治をおこなうことが求められているのである。この明確な姿勢の相違をどう捉えるべきなのだろうか。

湯浅邦弘は、このように民に対して正反対の対応を求める二つの文献が法吏としての喜の手中にあったことに秦の統治の二重構造を見出す。『語書』では地方の習俗を悪俗と決めつけ、法の枠によりそれを改変しようとする秦の強硬な法思想が見て取れる。しかしながら、『語書』で南郡守がいらだつように、現実には民の習俗は容易に変容しなかった。そして、強硬な法思想と根強い民の習俗との摩擦をどう解消するかという課題は、末端統治の現場で民と直接かかわる官吏に丸投げされていたというわけである。

この指摘を踏まえながらもう一度『語書』の内容を読み直してみると、注意すべき二点に気づく。一点目、『語書』が郡守から県道官に発せられた布告である以上、この文書のなかでもっとも重要なのは後半の命令部分であろう。そこではもっぱら官吏の行いに対する非難と弾劾が続き、その取締りを強化することが述べられている。すると、本文の主旨は郷俗に染まりきった民を直接取り締まることではなく、律令をないがしろにして不正を働いている官吏を摘発することにあると理解される。そして二点目は、郷俗を重視し律令を無視する存在として「吏民」が言及されていることである。以上より、こうした行為を働いているのは「民」に限定されるわけではなく、「吏」もまた郷俗にのっとって生きる「民」に迎合して法の施行を怠っていたのであろうと推測される。

この「吏民」という語自体、秦漢期の史料中に多くみられ、吏と民が一体となった人々のことを指している。喜のような地方の下級官吏(属吏という)は基本的に現地採用であり、もともと「民」であったなかから採用されて「吏」になった人々である。そのうえ近年の研究では、小吏のなかには輪番で年数カ月のみ勤務する者も含まれているなど、「官」と「民」のあいだの線引きは非常に曖昧であったことも指摘されている。すると、地方官吏＝支配者、民＝被支配者というように明確に色分けすることはじつは困難であり、地方官吏の側もまた、民の親しんでいる郷俗に染まっていたことは容易に想定されよう。

そもそも、実際の地方統治にあたっては、県のレベルでは在地の習俗や秩序と折合いをつけながら統治を進めるのが現実的であったことは想像に難くない。しかしながら県の上級機関である郡や秦の統治者レベルでは、秦の国家的な法治の方針にのっとり、法律令を徹底させることによる統治を強く指示してくる。すなわち、『為吏之道』にみえるような在地の習俗に配慮しながら統治を進める姿勢は秦の統治の「本音」、『語書』にみえる郡守の指示は秦の統治の「建前」ともいうことができ、両方の書籍をともに所持していた喜のような下級官吏は、まさにこの本音と建前の狭間で揺れていたのであろう。

ここで、「日書」が下級官吏の職務上においても利用できうる内容をもっていたことを思い起こしてほしい。とすれば「日書」を利用した職務も、法を軽んじて郷俗に迎合した統治の一種として実際には横行していたとは考えられないだろうか。例えば、土木工事や穀物の出入などの遂行にあたり、官吏が自ら働くもしくは人民を動員する場合、「日書」に従って吉日を選ぶことは、在地習俗に慣れ親しんだ官吏自身にとっても人民にとっても望ましいことであったに違いない。また、官吏が盗人の追捕をおこなう際、「日書」中の盗人占いも捜査を迅速に進めるために参照されたかもしれない。しかし、盗人占いを利用した犯人の推定は、冤罪《えんざい》が容易に発生したり、検挙をあきらめたりするなどの弊害が発生する可能性がある。このように、『語書』で非難されている官吏の行為のなかには、「日書」に頼って法をおろそかにするような職務の進め方も含まれていると考えられるのではないだろうか。

おわりに

以上、本稿では睡虎地秦簡を題材として、その内容をいかに整合的に捉えることができるかを考えてきた。最後に述べてきたことをまとめておこう。

秦では法家思想に基づいた厳格な法律を支配地域に徹底して施行していこうという強硬な法治主義を国家の基本方針としていた。そうした姿勢のもと、支配の末端にいたるまで律令が周知され、地方官吏たちは律文(『秦律十八種』『秦律雑抄』『效律』)や法解釈の手引書(『法律答問』)、行政文書の文例集(『封診式』)を参照しながら職務にあたり、地域社会に対して秦法を適用して統治を進めていた。しかし実際のところ、地域社会に法律が浸透することはなかなか難しく、人々は在地の習俗や秩序に基づいて生活を送っており、官吏たちの側も、そうした習俗や秩序を勘案した柔軟な統治をおこなうほうが現実的であった。統治にそのような柔軟さを求める内容を含む官箴書(『為吏之道』)が官吏の手元に置かれたり、官吏が日常生活だけでなく職務においても適宜「日書」(『日書』甲・乙種)を参照した統治を進めたりしていたのは、かような現実に対処していたことの現れであろう。このように、治下において人民ばかりでなく官吏も在地の習俗をいまだに重視し、法律を軽視するような事態が続いていることを南郡守は深く憂慮し、官吏を厳しく統制することを布告する必要があったのだろう(『語書』)。

もちろん当時の下級官吏たちがまったく法律を無視した統治を進めていたわけではないだろう。喜の手元に置かれた秦律の数々をみると、むしろ彼らは基本的には法律に基づく統治を熱心におこなっていたと考えられる。ただ、時と場合に応じて「日書」を利用したり、在地の秩序に配慮したりといった現実的な職務の進め方もしていたのではないだろうか。

睡虎地秦簡の出土以降、秦の簡牘史料は格段に増加しており、現在ではそれらの新出史料をもとに秦の地方行政の実態や裁判の進め方、律令の具体的な内容とそこに描かれた社会の仕組などが次々と明らかにされてきている。例えば行政文書からは当時の官府で多くの刑徒が働いていたこと、文書行政がかなり厳格に運用されていたこと、官吏が厳しく統制されて多額の罰金をしばしば負わされていたことなどがわかってきた。また裁判文書には、複雑な律令を駆使し粛々と案件を裁いていく官吏の姿も描写されている。こういったことは秦の法治が相当徹底されていたことを物語るように思える。しかしその一方で、同じ裁判文書からは、そうした法の網からはみ出た存在である群盗などのアウトローが少なからず跋扈《ばっこ》していたこと、民のなかには在地の慣習に従って法的な手続きを怠る者がおり、官吏の側もそれに一定の理解を示していることなどもうかがえる。秦の社会のさまざまな側面の考察は、まだ始まったばかりといえるだろう。

もう一点補足すべきこととして、律令と『為吏之道』のような官箴書、そして「日書」が同じ墓のなかから出土する例も近年いくつか確認されている。こうした書籍を手元に置くのが決して喜の個人的嗜好にすぎないわけではなく、当時の地方官吏にとって必要な書籍の組合せだったことがうかがえるのではないだろうか。

冒頭にも述べたように、『史記』などの伝世文献中では、秦はとかく過酷な法治をおこなって人々を苦しめ、官吏たちは横暴を働いたような描写が中心となっている。しかし簡牘史料を用いて考察を進めることで、そのような秦のイメージからこぼれおちてしまっているような秦の統治や地域社会の一側面をも垣間見ることができるのである。

参考文献

池田雄一「中国古代の律令と習俗」『東方学』一二二輯、二〇一一年、一～二〇頁
海老根量介「秦漢の社会と「日書」をとりまく人々」『東洋史研究』七六巻二号、二〇一七年、一～三五頁
大野裕司「睡虎地秦簡『日書』詰篇にみる神・鬼・人――『日書』の担い手を探る」東アジア恠異学会編『怪異学の地平』臨川書店、二〇一八年、三〇四～三二五頁
工藤元男『睡虎地秦簡よりみた秦代の国家と社会』創文社、一九九八年
工藤元男「郡県少吏と術数――「日書」からみえてきたもの」池田知久・水口拓壽編『中国伝統社会における術数と思想』汲古書院、二〇一六年、八三～一〇四頁
睡虎地秦墓竹簡整理小組編『睡虎地秦墓竹簡』文物出版社、一九九〇年
中国出土資料学会編『地下からの贈り物　新出土資料が語るいにしえの中国』東方書店、二〇一四年
陳偉主編『秦簡牘合集(壹)』武漢大学出版社、二〇一四年
陳侃理「睡虎地秦簡《編年記》中〝喜〟的宦歴」『国学学刊』二〇一五年第四期、四七～五〇頁
宮宅潔「漢代官僚組織の最下層――「官」と「民」のはざま」『東方学報』八七冊、二〇一二年、一～五一頁
湯浅邦弘『中国古代軍事思想史の研究』研文出版、一九九九年

中国古代の姓氏の歴史

鶴間和幸

はじめに

二〇〇八〜〇九年、後漢《ごかん》末の魏《ぎ》王曹操《そうそう》（一五五〜二二〇）の墓である高陵《こうりょう》が河南《かなん》省安陽《あんよう》市で発掘され、話題になった。蜀《しょく》の劉《りゅう》備《び》、呉《ご》の孫権《そんけん》とも並び立つ群雄の一人であり、二〇八年の赤壁《せきへき》の戦いで連合軍に大敗し、天下三分の時代を迎えた張本人である。その曹操の墓室からは、「魏の武王《ぶおう》」の諡号《しごう》（おくりな）を記した石牌《せきはい》（副葬品リストの石の札）が出土し、曹操の墓であることが確実になった。さらに墓室内からは男性一体と女性二体の三体の遺骨が発見された。鑑定では遺骨の年齢は、男性は六十歳前後、女性は五十歳以上と十七、十八歳前後であった。曹操と卞《べん》夫人と、若き劉夫人であると考えられている。

その後、曹操の人骨のＤＮＡ鑑定が復旦《ふくたん》大学の歴史学系と現代人類学教育部重点実験室の共同研究でおこなわれた。その研究手法は興味深い。中国全土二五八組もの曹氏一族の家系図を整理し、古文書や地方志（誌）と照合し、そのなかから曹操の子孫の曹氏を特定するために、八組の曹氏にしぼり、そこから六組の家族のＹ染色体が曹操につながる〇二

－M二六八型であったと結論した。単純に曹氏すべてを曹操と結びつけずに、特定の曹氏が二千年前まで遡った人骨の曹操につながったという。この新しい手法を逆遺伝学と表現している。この研究には中国古代史で著名な韓昇《ハンション》教授もかかわっており、遺伝子学と歴史学が連携した新たな研究として注目される。

現在の一四億を超えた中国の人口のなかで、姓氏がどのように分布しているのかは、膨大なデータをもとに関心が高まっている。中華人民共和国の国家統計局が人口調査を担当し、公安部戸政管理研究中心がそれらの膨大な戸籍と人口のデータ分析から姓氏の種類、人口、地域分布などを発表している。二〇二〇年十一月、中国国家文物局と北京大学は中華文明国家文物遺伝子バンクを立ち上げた。遺伝子学が中国古代史を変えようとしていることは確かである。

私たちも小規模ながら二千年以上前の秦漢《しんかん》時代の姓氏のデータを整理し始めており、現代の姓氏データとの関係も探っている。これまでのような王朝の交替の歴史ではなく、現在にまで連綿とつながる王朝を超えた姓氏という血縁集団の歴史を古代史を中心として概観していけるのではないかと考えている。姓氏にも歴史があり、盛衰があり、そこに秘められた歴史があると思う。国を失ったときに新たな姓氏が生まれ、その姓氏を受け継ぐことで、人々は一族の結束を図っていく。中国古代の歴史を姓氏をとおして振り返ってみよう。

古代帝王の姓の興亡

帝王の年代の長さ

周《しゅう》王朝（前十一世紀～前二五六年）の武王、成王《せいおう》、康王《こうおう》のときに封建された国は数百、そのうち周と同姓の姫姓《きせい》の国は五五もあったという（『史記』巻一七漢興以来諸侯王年表）。夏《か》王朝は禹《う》から桀《けつ》まで一七君、一四世（『史記』巻二夏本紀集解《しっかい》〈南朝宋裴駰《はいいん》の註〉に引く徐広《じょこう》の説）、王朝の年数は四七一年であったという（同集解に引く『汲冢紀年《きゅうちょうきねん》』）。殷《いん》王朝については、譙《しょう》周《しゅう》は、三一世、六百余年といい（『史記』巻三殷本紀集解）、『汲冢紀年』も二九王、四九六年という。『汲冢紀年』とは『竹書紀年《ちくしょきねん》』ともいい、夏殷周から春秋晋《しゅんじゅうしん》、戦国《せんごく》魏にいたる年代記である。西晋武帝《ぶてい》の太康《たいこう》二（二八一）年に汲郡《きゅうぐん》の古墓から出土したと伝えられる。文書はすでに失われて散逸し、現在の『竹書紀年』は後世編纂されたものであり、佚文《いつぶん》を集めたものを『古本竹書紀年』として区別している。周王朝は、三七王八六七年であるという（『史記』巻四周本紀引皇甫《こうほ》謐《ひつ》）。秦王朝については、周にはじめて諸侯として認められた襄公《じょうこう》から最後の二世皇帝までの年数に諸説ある。『史記』秦始皇《しんしこう》本紀に付された『秦記』の書によれば六一〇歳、秦本紀の索隠《さくいん》（唐司馬貞《とうしばてい》の註）では、およそ六一七歳だといい、秦始皇本紀の正義（唐張守節の註）では、秦本紀では五七六年、年表では五六一年だという。仮に概数でいえば、夏は一四世四百年王朝、殷は三〇世六百年王朝、周は二七世八百年王朝、秦は六百年王朝（統一後は一五年）も続いた長期王朝ということになる。司馬遷《しばせん》は『史記』本紀にこれらの歴史をまとめた。

小国の姓

本紀にある夏殷周秦や世家《せいか》にある戦国の六国《りっこく》以外でも、小国の諸侯は最後は大国に滅ぼされながらも何十代も続いている。例えば魯《ろ》国（姫姓）は周公旦《しゅうこうたん》から頃公《けいこう》までおよそ三四世で楚《そ》に滅ぼされたという（魯周公世家、『漢書』地理志）。宋《そう》（子《し》姓《せい》）は微子《びし》から二十余世、景公《けいこう》のときに曹《そう》を滅ぼしたが、五世あとにの宋王偃《えん》のときに斉《せい》、楚、魏に滅ぼされて領地を三分された（『漢書』地理志）。衛《えい》国（姫姓）は楚丘《そきゅう》、帝丘《ていきゅう》（濮陽《ぼくよう》）と都を遷《うつ》しながら、野王に遷された衛君が最後は始皇帝《しこうてい》あるいは二世皇帝の治世にも残ったので、およそ四〇世、九百年も存続した（『漢書』地理志）。そのような宋、衛の小国の歴史も世家に記されている。そのほかの極小国では、許《きょ》国（姜姓《きょうせい》）は二四世で楚に滅ぼされた（『漢書』地理志潁川《えいせん》郡）。滕《とう》国（姫姓）は三一世で斉に滅ぼされた（『漢書』地理志沛《はい》郡）。邾《ちゅ》国（曹姓）は二九世で楚に滅ぼされた（『漢書』地理志魯国）。

こうした『史記』の本紀の帝王を出した王朝も、世家に挙げられた大小の国々も、さらに大国に滅ぼされていった極小国も、みな姓というものをもっていた。しかしそれら帝王家の王朝も、大小国の王朝も、極小国も結局は等しく歴史のなかに消えていった。血の絆をあらわす姓も不変ではなかった。

帝王姓の消滅

漢《かん》代（前二〇二〜後二二〇年）になると姓と、姓から分岐した氏とを混同するようになり、姫姓は姫氏でもあった。漢代の史書には周姓の姫氏を名乗る人物はほとんどいなくなった。前漢《ぜんかん》の武帝《ぶてい》（在位前一四一〜前八七）が周王朝の後裔《こうえい》としてかろうじて探し出した姫嘉《きか》の一族だけである。姫嘉（爵位は周子南君《しゅうしなんくん》）の子の姫買《ばい》（二代）、姫当《とう》（三代）、姫延年《えんねん》（周承休侯《しゅうしょうきゅうこう》）、姫安《あん》（二代）、姫世《せい》（三代）、姫常《じょう》（四代）、姫武《ぶ》（衛公）、姫党《とう》（二代）と続く一族である。周姓として名だたる姫姓も、母体の姫姓より分岐した氏は残しながら、漢代には歴史の役割を終えたかのように、ほぼ歴史から消滅していったといってもよい。夏王朝の姒《じ》姓、殷王朝の子《し》姓、周王朝の姫姓、秦王朝の嬴《えい》姓などの歴代の帝王の姓も同じ衰退の道を歩んでいった。

前漢の武帝が前一一三（元鼎四）年、泰山《たいざん》の封禅《ほうぜん》のための巡行で河南を訪れたときに、周の姫氏の末裔の姫嘉という人物を探し出し、三千戸の人口と方三〇里の面積の土地を与えて周子南君と名づけ、周の祭祀をおこなわせた（『史記』巻四周本紀）。しかし姫嘉は周王朝の直系の子孫ではなく、周と同姓の衛の国の末裔であった。列侯は普通には何々侯と呼ばれたが、姫嘉はとくに君と呼ばれた。子南君《しなんくん》の子南とは、周と同じ姫姓の衛国の将軍名に由来する。衛の国君は姫姓であり、本家の周王をさしおいて王号をとることはせず、最後まで衛君と呼ばれた。周子南君とは、周君や衛君の直系ではなく、衛君一族の将軍の子孫という何かまわりくどい称号である。それほど周王朝の直系を探すことは難しくなったということである。周の直系の姫姓の末裔はほぼ消滅していたようである。

時代を遡って周王朝を最後に滅ぼしたのは戦国の秦であった。前二五六年東周の最後の赧《たん》王が亡くなり、分岐した王族の西周君《せいしゅうくん》は秦の昭王《しょうおう》（在位前三〇七〜前二五一）に降った。翌前二五五年、周は滅んだ。前二四九（荘襄王《そうじょうおう》元）年、分裂した東周君が秦に降ったが、秦は周君に陽人の地（河南郡梁県）を与えて祭祀をおこなわせた。この周君の子孫が漢代まで残っていれば、列侯に封ぜられたが、武帝は見つけることができなかったのである。

漢代の人々にとって周王朝の姫姓は遠い存在になっていった。一例を示すと、高祖劉邦《りゅうほう》に仕えた張良《ちょうりょう》はもともと戦国韓国の公族であった。とすると張良は姫姓韓氏であったはずであり、秦に追われるなかで姓を張氏に改めたのではないかという（『史記』巻五五留侯世家索隠に引く王符、皇甫謐の言）。真偽はともかく、姫氏が漢代では稀姓《きせい》（珍しい姓）になっていたことから出てくる議論であろう。

孔子の時代の姓氏

姓氏と名と字

『論語』を読むと、人物の名前と字《あざな》を混乱してしまうことが多い。「あざな」とは、『礼記《らいき》』によれば、男子は二十歳、女子は十五歳にして名前とは別に字《あざな》をつけ、名前を直接呼ぶよりも、字《あざな》で親しく呼ぶことがおこなわれた。公冶長《こうやちょう》篇に、孔子《こうし》（前五五一頃〜前四七九）が弟子の子貢《しこう》に、顔回《がんかい》とどちらが優れているのかを尋ねる場面がある。子貢とは端沐賜《たんぼくし》の字《あざな》である。孔子は「女《なんじ》と回と孰《いず》れか愈《まさ》れる」と子貢に言った。回は顔回の名であり、孔子は弟子のことを名で呼ぶ。子貢は「賜《し》や何ぞ敢えて回を望まん。回や一を聞きて以て十を知る。賜や一を聞きて二を知る」と答えた。子貢は名の賜で自称した。顔回は同じ弟子であるので、本来は弟子同士は字《あざな》で呼び合うので、子淵《しえん》と呼ぶのだが、『論語』では孔子の最愛の弟子顔回は特別であるので、仲間の弟子たちも名で呼んでいる。雍也《ようや》篇で、魯の哀公《あいこう》が孔子に弟子のなかで、誰が学問好きであるのか尋ねたときに、孔子は「顔回なる者あり、学を好む。怒りを遷さず、過ちを貳《ふた》たびせず。不幸、短命にして死せり」と答えた。若くして亡くなった顔回を姓名で呼んでいる。会話文での姓名、字《あざな》の使い方で、人間の関係性がみえてくる。

春秋時代末期の孔子の言行録を集めた『論語』二〇篇は儒教《じゅきょう》の五経《ごきょう》と並ぶ四書の一つであり、儒教の古典として長らく読まれてきた書物である。孔子亡きあと、門人が集まって議論しながらまとめたので『論語』と名づけられた（『漢《かん》書《じょ》』芸文志《げいもんし》）。漢代には斉の『論語』二二篇と魯の『論語』二〇篇が伝わっていた。そのほかに孔子の邸宅の壁から発見された『論語』の古文二一篇もあったというから、始皇帝の焚書以前に『論語』は成立していた。古いテキストは前漢時代の簡牘《かんとく》の断簡が出土している。

孔子の多くの弟子たちの独特な姓氏の存在が気になってくる。『論語』のなかでは多くは字《あざな》で呼ばれる弟子たちにも、姓氏と名前があることは当然であるが、その姓氏になぜか後世にはあまりみられなくなる珍しい姓氏があることが多い。子禽、子夏、子華、子貢、子賤、子張、子路、子游、彼らを姓名でいうと、陳亢《ちんこう》（子禽）、卜商《ぼくしょう》（子夏）、公西赤《こうせいせき》（子華）、端沐賜（子貢）、宓不斉《ふくふせい》（子賤）、顓孫師《せんそんし》（子張）、仲由《ちゅうゆう》（子路）、言偃《げんえん》（子游）といった類である。なかでも公西氏、端沐氏、顓孫氏などの二字の複姓は珍しい。「七十子の徒」という言葉があり（『史記』貨殖《かしょく》列伝）、『史記』巻六七仲尼弟子《ちゅうじていし》列伝で弟子たちの姓氏を確認できる。

孔子と弟子の出身地

孔子のもとに七〇人も弟子が集まれば、前六～前五世紀の姓氏にどのような種類があり、またどのように地域的に分布していたのかを知る貴重な史料となる。魯の孔子のもとに各地から集まってきた弟子について、駱承烈《らくしょうれつ》によれば、孔子の弟子の出身（本貫）は魯国四五人、斉国五人、衛国九人、陳《ちん》国三人、蔡《さい》国二人、宋国一人、秦国五人、楚国三人、呉国一人、南武城《なんぶじょう》二人、卞《へん》一人となる。端沐賜子貢と卜商子夏が衛の人、顓孫師子張が陳の人であることは魯人が多いなかで、じつは重要な情報をもっている。子貢が七十子の徒のなかでもっとも裕福であったのは、豊かで交通の便のよい衛の国の出身であり、曹と魯のあいだで商売をしていたからであるという（『史記』貨殖列伝）。これらの人物は魯の出身が多く全国の平均的な姓氏とはいえないが、特殊な姓氏の者がとくに孔子のもとに集まっていたことではないだろう。春秋時代末期にはこのような姓氏の者が一般的に存在していたことになる。ほかにも澹臺《せんだい》、公冶《こうや》、南宮《なんきゅう》、公晳《こうせき》、漆《しっ》彫《ちょう》、公伯《こうはく》、巫馬《ふば》、公祖《こうそ》、左人《さじん》、公夏《こうか》、公肩《こうけん》、句井《くせい》、罕父《かんふ》氏などの、二字の複姓の稀姓が多い。時代がくだって『史記』高祖功臣侯者年表には劉邦集団の功臣が一四〇名もみえる。そこにみる複姓は、夏侯《かこう》、公孫《こうそん》、公上《こうじょう》、昭 渉《しょうしょう》氏などわずかである。春秋時代から秦漢時代に複姓は減少していった傾向をみることができる。姓から分岐した氏は多種多彩、変化も激しいのであろう。

孔子（孔丘《こうきゅう》）自身は魯の生まれ、先祖は宋の人間であった。孔氏という姓氏は特殊であるだけに魯の地方にとどまり、全国に拡張するものではなく、地域の拡大は抑えられた。『史記』孔子世家では、孔子の子の孔鯉《こうり》以下孔伋《こうきゅう》（子思）、孔《こう》求《きゅう》、孔箕《こうき》、孔穿《こうせん》、孔子慎《こうししん》（戦国魏の相）、孔鮒《こうふ》（陳王渉の博士）、孔子襄《こうしじょう》（恵帝の博士、長沙太守）、孔忠《こうちゅう》、孔武《こうぶ》、孔延年《こうえんねん》、孔安《こうあん》国《こく》（武帝の博士、臨淮《りんわい》太守）、孔卬《こうぎょう》、孔驩《こうかん》と直系をたどることができる。孔氏が全国的に拡散することは抑えられた。

姓氏の由来への関心

『風俗通義』姓氏篇

後漢応劭《おうしょう》の『風俗通義《ふうぞくつうぎ》』では姓氏の由来を説明しているが、現在のテキストにはなくなり、引用された佚文を集めたものを姓氏篇《せいしへん》と名づけている。佚文は、以下の唐、宋以降の各種姓氏書に引用されたものである。『元和姓纂《げんなせいさん》』（唐・林宝）、『姓解』三巻（北宋・邵思《しょうし》は二五六八氏を三巻一七〇門〈部首〉に分けて解説）、『通志』氏族略（南宋・鄭樵《ていしょう》）、『姓氏書辯證』

(宋・鄧名世《とうめいせい》)、『姓氏急就篇《きゅうしゅうへん》』(南宋・王応麟)、『姓觿《せいけい》』(明・陳士元)など姓氏に関する文献に多く引用された。ほかにも『廣韻《こういん》』(北宋・陳彭年・丘雍)、『容斎随筆《ようさいずいひつ》』(南宋・洪邁《こうまい》)、『路史《ろし》』(南宋・羅泌《らひつ》)などにも引用されている。

姓氏篇では、姓から別れ出た氏の由来について述べられている。姓とは母系集団であり、その姓から分岐したのが氏であった。氏の由来には、号(王朝名)、謚号《しごう》、爵位、国号、官位、字《あざな》(別号)、居住地、事、職の九種類があるという。唐(帝堯《ていぎょう》の国号)、虞《ぐ》(舜《しゅん》の国号)、夏(帝禹の国号)、殷(初封は商、盤庚《ばんこう》のときの都が国号)は国号、載、武、宣、穆は謚号、王、公、侯、伯は爵、曹、魯、宋、衛は国名、司馬、司徒、司寇、司空、司城は官職、伯、仲、叔、季は字、城、郭、園、池は居住地、巫、卜、陶、匠は事(職業)、三烏《さんう》、五鹿《ごろく》、青牛、白馬は職(標識)である。姓氏篇に挙げられた姓の数は五一六にのぼる。

小国の滅亡と姓氏

『風俗通義』姓氏篇が国名に由来する例とした曹、魯、宋、衛は、いずれも大国に滅ぼされた小国であることに注目したい。曹は前四八七年に宋に滅ぼされ、その宋は前二八六年に大国斉に滅ぼされた。魯は前二四九年に大国楚に、衛は前二二一年に大国秦に滅ぼされた。国の社稷《しゃしょく》は失われてもそのあとに曹氏、魯氏、宋氏、衛氏の名は残されたのである。姓氏篇の佚文では魯氏は国名に由来するといい、戦国時代の魯仲連《ちゅうれん》、魯句践《こうせん》、漢代の魯賜《し》、魯翁孺《おうじゅ》、魯恭《きょう》を挙げている。いずれも魯という国が崩壊したあとに生まれた魯氏である。『元和姓纂』は四氏の由来に言及している。周文《ぶん》王《おう》の一三子振鐸《しんたく》が曹に封ぜられ、曹国が宋国に滅ぼされたあとに、子孫が曹氏と称したという。周公旦の子の伯禽《はくきん》が魯に封ぜられ、頃公まで三四代、九百年続いて楚に滅ぼされたが、その子孫が国名を氏として魯氏とした。漢の魯賜(碭《とう》人)と後漢の中牟令魯恭の人物を挙げている。周の武王が殷の帝乙《ていいつ》の長子の微子啓《びしけい》を宋に封じたのち、伝国三六世、君《くん》偃《えん》のときに楚に滅ぼされ、子孫が宋氏と称した。漢代の宋義(楚漢期)、宋昌を挙げている。さらに周の文王の子の康《こう》叔《しゅく》が衛に封ぜられ、伝国四十余代、秦末に衛国が滅ぼされたが、子孫が衛氏と称したという。漢代の丞相《じょうしょう》衛綰《わん》の人物を挙げている。

これらは亡国名の姓氏ともいっていいかもしれない。小国の亡国名の姓氏はほかにも多い。『風俗通義』姓氏篇には、玄氏（玄都国）、甘氏（甘国）、用氏（用国）、牟《ぼう》氏（牟子国）、岑《きん》氏（岑子国）、宓《ふく》氏（宓国）、佶《きつ》氏（殷の侯国）、柏氏（柏国、楚に滅ぼされる）、胤《いん》氏（夏の侯国）、飛廉《ひれん》氏（飛廉国、秦に滅ぼされる）、晋氏（晋国）、宿氏（風姓の国）、梁氏（伯益の封地）、淳于《じゅんう》氏（春秋小国）、根牟《こんぼう》氏（東夷《とうい》根牟小国、魯に滅ぼされる）、婁《ろう》氏（邾婁《ちゅろう》国）、習氏（習国）、須《しゅ》氏（風姓須句国）、焦氏（姫姓国）、楚氏（芈《び》姓）、義渠氏（狄の義渠国、秦に滅ぼされる）、頓氏（頓子国、楚に滅ぼされる）、摯《し》氏（古諸侯国）、魯氏、蕭《しょう》氏（附庸《ふよう》の国）、盧氏（古盧子国）、載氏（姫姓の載国）、灌氏（夏と同姓諸侯斟灌氏）、鋳氏（鋳国）などがみえる。

秦漢帝王の姓氏の興亡

始皇帝の嬴姓一四氏

『史記』巻五秦本紀では太史公司馬遷の言葉として、秦の嬴姓《えいせい》から分岐した国に基づく氏として徐氏、郯《たん》氏、莒《きょ》氏、終黎《しゅうれい》氏（『風俗通義』にあり、『世本《せほん》』では鍾離《しょうり》氏）、運奄《うんえん》氏、菟裘《ときゅう》氏、将梁《しょうりょう》氏、黄氏、江氏、脩魚《しゅうぎょ》氏、白冥《はくめい》氏、蜚廉《ひれん》氏、秦《しん》氏、趙《ちょう》氏（秦の先祖の造父が趙城に封ぜられた）の一四氏を挙げている。のちの『姓解』などでは嬴氏一四姓といっている。司馬遷は『世本』を参照しているので、『世本』が典拠であるかもしれない。秦の東方にあった徐国、莒国、鍾離国、黄国、江国などがみな秦と同姓の国と伝えられていたことになる。

徐国の偃王《えんおう》は楚に滅ぼされ、江国は前六二三年、楚に滅ぼされた。黄国も前六四九年に楚に攻撃された。莒国はくだって前四三一年に楚に滅ぼされた。楚に滅ぼされた小国群が、滅ぼされたのちに国名を氏とし、あえて秦の嬴姓から分かれ出た氏と主張したことにどのような意味があったのだろうか。それらが嬴姓といっても、嬴姓の秦人が徐、黄、江、莒国を建国したわけではない。自国を滅ぼした楚への反発から、楚を滅ぼした秦の姓を受け入れたのであろう。徐氏の事例では、戦国の魏に徐無鬼、秦に徐市《じょふつ》(福)、范陽《はんよう》令徐公(『漢書』巻四五蒯通《かいとう》伝)がいる。漢代には徐氏の例は多い。黄氏の事例では、春秋晋に黄氏、江氏では戦国に江乙《こういつ》、莒氏は、漢に緱氏《こうし》令莒誦《れいきょしょう》がいる。

複姓の終黎氏(鍾離氏、戦国斉に鍾離春、前漢に鍾離味がいる。宋の伯宗の子の州犂の食邑を氏とした。『中国姓氏大全』)、運奄氏、菟裘氏(春秋に魯の地名があり氏とした。『中国姓氏大全』)、将梁氏(将梁は国名で氏とした。『中国姓氏大全』)、脩魚氏(一説に蕭魚、春秋の鄭の地名で氏となった。『中国姓氏大全』)、白冥氏、蜚廉氏(飛廉氏、廉国に封ぜられ、国名を氏とした。『史記』にある。『中国姓氏大全』)は、秦の嬴姓の氏といっても、史書には鍾離氏以外実際の人物は確認できない。

嬴姓趙氏

始皇帝の姓名は嬴政《えいせい》か趙政かといわれている。嬴は舜が大費に与えた姓であり、趙は造父の子孫に与えられた氏である。姓は嬴、氏は趙というのが正しいが、姓と氏を混用する時代になると、嬴氏とも趙氏ともいうようになる。始皇帝は同時代に嬴政といっていたのか、趙政といっていたのか。『史記』をみる限りでは嬴政はなく、趙政だけである。秦始皇本紀では「名は政と為り、姓は趙氏」といい、『史記』楚世家でも「秦王趙政立つ」といい、始皇帝を趙政といっている。嬴政という言い方は『史記』の本文にはみられず、『史記』孝武本紀の唐司馬貞の『史記索隠』に嬴政という言い方があるように、後世の言い方であろう。

北京大学所蔵漢簡に『趙正書』なる書が発見され、漢代に趙政と同時に趙正という言い方があったことがはじめてわかった。秦の時代に嬴政、趙政、趙正と呼んだ証拠はまだない。同時代の王や皇帝を、直接姓名で名指しして呼ぶことはなかったからであろう。

母体の嬴姓のほうは前漢に嬴公(『漢書』巻七五眭弘《すいこう》伝、『漢書』巻八八儒林伝、『後漢書』巻七九下儒林列伝、東平の人、公羊春秋を学んだ学者、昭帝の諫大夫《かんたいふ》)、後漢に嬴咨《えいし》(『後漢書』巻六七党錮列伝)などわずかしかみえない。すでに前漢の高祖劉邦は、秦始皇帝の子孫は絶えてしまったとして、墓守を二〇家だけ設けている。この二〇家は嬴姓の子孫ではないことになる。史上最初の皇帝を生み出した秦帝国の王室姓の嬴姓も、漢代には史書からほぼ消滅したといってよい。

劉氏の神話と拡大

漢王朝を建てた劉邦の劉氏の由来については、『史記』巻八高祖本紀に「沛豊邑中陽里《はいほうゆう》の人、姓は劉氏」とあるだけで、詳しくはわからない。ここの下り、姓も氏も劉としており、姓と氏も区別しないようになった。もともと父も太公というだけで名前も残されていない。母の姓氏もわからない。そのような劉邦が皇帝になってから、劉氏の系図がつくられていく。項羽《こうう》の項氏とは対照的である。『漢書』高帝紀第一下巻一下の班固《はんこ》の論賛《ろんさん》の文章に、劉氏の系図が語られている。劉邦は、帝堯《ぎょう》の陶唐氏の子孫で夏の時代の劉累《りゅうるい》の子孫であるという。また晋の大夫の范宣子《はんせんし》はその子孫であり、その後、秦に入った范氏の一族は劉氏と名乗ったという。劉とは封ぜられた国名に由来する。戦国時代になると劉氏は秦から魏に入り、秦が魏を滅ぼしたときには都の大梁《たいりょう》に移った。大梁から豊に移ったのが劉邦の祖父であったという。後漢の班固に比べて司馬遷は劉氏王朝の官吏でありながら、劉氏の神格化には関心はなかった。

周王朝が姫姓の諸侯を各地に拡大させていったように、劉氏も各地に劉氏の諸侯王国を建てていった。皇帝の子の劉氏は王国の王や列侯となった。景帝《けいてい》の子で武帝の異母兄弟の中山王劉勝《ちゅうざんおうりゅうしょう》には、一二〇人余りの劉氏の子がいた。文化大革命中の一九六八年、河北《かほく》省満城《まんじょう》県で夫妻の墓が発掘され、二四九八枚もの玉片にくるまれた王の金縷玉衣《きんるぎょくい》(金の糸で綴った玉衣)に驚かされた。郡国制によって劉氏は全国化した姓氏になっていったのである。

劉氏が全国化し、一方楚漢を優勢に戦った項羽(前二三二〜前二〇二)の項氏は歴史の表舞台から消えていった。姫姓の項国は漢代の汝南《じょなん》郡項城《こうじょう》にあり、前六四七年に滅亡した。小国が滅亡したのちに、国が氏となった事例の一つである。代々楚の将軍の家の先祖が項の地を封ぜられたので、封地の項子国を姓氏とした。最後に漢王劉邦軍が西楚覇王項羽の首を取っても、項氏の一族を壊滅することはなかった。沛公を鴻門《こうもん》で救った項伯は劉氏に改め劉纏《りゅうてん》といい、項襄《こうじょう》、項佗《こうた》の項氏一族にも劉氏の姓を賜与して劉襄、劉佗と呼び、それぞれ列侯に封じている。劉襄の子の劉舎《りゅうしゃ》は丞相にまでなっている。劉氏と項氏の興亡も劉氏王朝が項氏を取り込むことで勝利したといえる。姓と違って氏には改氏できるほどの自由度があったので、項氏から劉氏へ変えることも抵抗はなかった。劉氏は隆盛を誇り、項氏は衰退していった。『史記』に登場する項氏はわずか一三人にすぎない。

一方の前漢の劉氏諸侯王の末裔は各地に分散し、後世その子孫が再び歴史の表舞台にあらわれることになる。後漢（二五～二二〇年）の劉秀《りゅうしゅう》（光武帝《こうぶてい》、在位二五～五七）は、長沙王劉発の子孫で南陽郡蔡陽《さいよう》県の人、後漢末群雄の一人劉焉《りゅうえん》は前漢魯の恭王の末裔で江夏郡竟陵《きょうりょう》県の人、魏王劉備（一六一～二二三、在位二二一～二二三）は中山王劉勝の末裔で涿《たく》郡涿県の人であった。前漢が郡国制をとらなければ、彼ら傍系の劉氏が地方から歴史の表舞台に登場することはなかったはずである。二千年を超えて現在の中国でも劉姓は王、李、張姓と並んで多いのは、遡れば漢王朝劉氏の拡大によるものといってもよい。

中国系亡命者の姓氏

朝鮮半島への亡命

『後漢書』巻八五東夷列伝と『三国志』巻三〇魏書東夷伝の辰韓《しんかん》条に秦の亡命者が朝鮮半島に入った同様の記事がある。後者がより詳しいので挙げてみよう。

辰韓は馬韓の東に在り。其の耆老《きろう》世に伝えて自ら言うに、古〔『後漢書』は秦〕の亡人《ぼうじん》、秦役《しんえき》〔『後漢書』は苦役〕を避け、来りて韓国に適《ゆ》き、馬韓其の東界の地を割きて之に与《あた》う。城柵《じょうさく》有り。其の言語は馬韓と同じからず。国を名づけて邦《ほう》と為し、弓を弧と為し、賊を寇と為し、行酒《こうしゅ》を行觴《こうしょう》と為す。相呼びて皆徒と為し、秦人《しんじん》〔『後漢書』は秦語〕に似る有り、但だ燕《えん》、斉の名物に非ざるなり。楽浪《らくろう》人を名づけて阿残《あざん》と為し、東方の人、我を名づけて阿と為し、楽浪人は本《もと》其の残餘の人と謂う〔『後漢書』なし〕。今之を名づけて秦韓と為す者有り。始め六国有り、稍《やや》分れて十二国と為る。〔『三国志』巻三〇魏書東夷伝〕

四世紀南朝宋の范曄《はんよう》の編纂した『後漢書』に対して、『三国志』としてのちにまとめられた『魏書』『呉書』『蜀書』は『後漢書』よりも前に編纂されている。三世紀蜀人の陳寿《ちんじゅ》が『蜀書』を編纂、韋昭《いしょう》の『呉書』と王沈《おうしん》の『魏書』、魚豢《かん》の『魏略』を材料にまとめ、北宋になって三書が合体され『三国志』となる。両書の東夷伝を照合して解釈すると、長老の証言として、『後漢書』では秦の亡人が苦役を避けて韓国に来たといい、『三国志』では亡人が秦の苦役を避けて韓国に来たといい、微妙に表現が異なる。秦国が東方六国を征服して統一した秦帝国は、わずか一五年の統一にすぎなかった。亡命者を秦帝国全体の民とするか、秦に征服された旧六国の東方の民とみるかでニュアンスが違う。亡命者の言語が秦の言葉に似ていたといい、その例として国を邦、弓を弧、賊を寇、行酒を行觴〔觴は杯〕といったという。さらにお互いの呼称も徒といったという。この部分、秦では相国《しょうこく》〔丞相〕を相邦《しょうほう》といい、漢代には高祖劉邦の名を避諱《ひき》して相邦を相国と改めていることからも、間違ってはいない。

『三国遺事』は十三世紀の高麗《こうらい》高僧の一然《いちぜん》の私撰の史書であり、『三国史記』は十二世紀金富軾《きんふうしょく》による官撰の史書である。前者に『後漢書』東夷伝を引用した崔致遠《さいちえん》〔九世紀新羅《しんら》の文人、唐に留学〕の言葉があり、朝鮮半島への亡命者は朝鮮半島に近い燕人であったという。一方、朝鮮半島辰韓の秦の役を避けた秦の亡命者はおもに山東半島の斉人であり、彼らは紡績や製鉄の先進生産技術をもっていったという意見もある。

前一九五（高祖十二）年、前漢の燕王盧綰《ろわん》が反乱し、匈奴《きょうど》に入ったときに、燕人の衛満《えいまん》が朝鮮に亡命した。こうして三代八〇年の衛氏朝鮮（前一九〇頃～前一〇八年）の王朝が始まった。その後、前一〇八年、武帝の軍が朝鮮王右渠《ゆうきょ》を倒し、王険城《おうけんじょう》（現在の平壌《ピョンヤン》）に楽浪郡（前一〇八～三一三年）が設置されることになった。

これより先、前二二二（始皇二十五）年秦が燕を、翌年に斉を滅ぼしたときにも朝鮮半島への亡命者はいただろう。王《おう》翦《せん》・李信《りしん》の秦軍が燕王喜《き》と太子丹《たいしたん》を追って遼東《りょうとう》に入ったときにも、燕の精兵部隊が遼東に逃げている。楽浪郡で出土したと伝えられる「廿五年上郡守厝《せき》」と始皇二十五（前二二二）年の銘文のある戈《か》（えだほこ）もこのときの遺産であるかもしれない。秦が統一する前年の年号である。

楽浪の中国系姓氏

北朝鮮平壌市にある楽浪郡遺跡柏洞三六四号墳から前漢元帝の初元四（前四五）年の年号のある木牘《もくとく》（厚い木板）三枚が出土している。『漢書』地理志には楽浪郡は六万三八一二戸、四〇万六七四八口、二五県、『後漢書』郡国志には楽浪郡は一八城、六万一四九二戸、二五万七〇五〇口という統計があり、楽浪郡設置と『漢書』地理志のあいだの時期の情況が具体的にわかったのである。凡戸《はんこ》（郡全体の人口）は四万三八三五戸、二八万〇三六一口、うち其戸《きこ》は二万七□三四戸（家の数、□は数字不鮮明）、二四万二□□□口（人の数）という数値が挙げられている。郡全体の総計として凡戸と其戸に分けて算出されているのが特徴である。

両者の数値の割合をみると戸数では凡戸（全体）の六一%が其戸、差し引き三九%が其戸ではないことになる。人口では八六%が其戸、一四%が非其戸となる。其戸は現地人の在地の朝鮮系と考えられている。とすると中国系住民が三九%となる。そのように区別されていたのかは不明であるが、考えられることは、中国系住民は中国系の姓氏で戸籍に登録され、朝鮮系住民は姓氏のない人々であったことが考えられる。韓国の扶余《プヨ》博物館で複製がつくられ、日本でも国立歴史民俗博物館で展示された。ただし朝鮮系の住民でも中国的姓氏を名乗っている者もいるので、彼らは三九％のなかに含まれていたのではないかと思われる。漢族と原土着住民とは区別されたこと、前者は楽浪郡設置後、後者は設置以前に漢から逃亡してきた流民を含むとしている。遡れば楽浪郡設置以前に衛氏朝鮮、箕子朝鮮の時代にも、中国系住民が朝鮮半島に入っているので、中国的姓氏の住民がいつから朝鮮半島に入っているのかは複雑である。

『後漢書』巻七六に楽浪詽邯《なんかん》県の人王景《おうけい》の伝があり、八世の祖先の王仲《おうちゅう》はもとは琅邪《ろうや》郡不其《ふき》県の人であったという。当時高祖劉邦の死後、呂太后《りょたいこう》の政権と斉王劉氏（高祖の長庶子劉肥《りゅうひ》斉悼恵王《せいとうけいおう》、子の哀王《あいおう》劉襄、その弟東牟侯劉興《とうぼうこうりゅうきょう》）の対立のなかで、劉氏に頼られたが海を渡って楽浪に逃亡して定住した。父の王閎《おうこう》は郡の三老、更始帝《こうしてい》劉玄《りゅうげん》（光武帝劉秀の族兄）が敗れると「土人」の王調《おうちょう》が楽浪守劉憲《りゅうけん》を殺害して大将軍、楽浪太守として自立した。光武帝は楽浪太守王遵《おうじゅん》を派遣し王調を撃ち、王閎も王調を殺害し、列侯に封ぜられたが辞退したという。土人の王調と琅邪郡から移住してきた中国系の王景とがいたことになる。土人の王氏が中国系であるのか、在地の朝鮮系が王氏と称したのかは明らかではない。

平壌の貞柏里一二七号墓からは「楽浪太守掾《えん》王光之印」「臣光」「王光私印」、石巌里二〇五号墳（一世紀後半）からは両面木印の「五官掾王盱《ごかんえんおうく》印」「王盱信印」、石巌里二一九号墳（紀元前後）からは「王根《おうこん》信印」が出土している。楽浪王氏が楽浪郡の下級官吏を務め、楽浪郡に埋葬されていた。

中国本土には王氏は多い。『風俗通義』姓氏篇によれば、王、公、侯、伯は爵に由来する姓氏であるという。王氏は周王の王だけでなく、戦国には諸侯が王となり、王氏の起源も多様である。王氏には周の姫姓、虞舜の嬀《ぎ》姓、殷の子《し》姓などの諸系統があるといわれる（『中国姓氏大全』）。

秦始皇帝と秦氏

古代日本の氏族の系譜書である『新撰姓氏録《しんせんしょうじろく》』三〇巻は八一五年に成立し、もとは七九九年に諸氏族が本系帳を提出して万多親王《まんだしんのう》がまとめたものである。収録された氏族の京畿一一八二氏を皇別三三五氏、神別四〇四氏、諸蕃（渡来系氏族）三二六氏、未定雑姓一一七氏に大別している。そのなかに始皇帝を祖先とする渡来系の秦氏《はたし》が多くみえる。始皇帝の子孫としてもっとも先の時代まで遡れるのは始皇帝の太子胡亥《こがい》であり、その後では秦始皇帝の孫の子孫、秦公《はたのきみ》、始皇帝四世の功満王《こうまんおう》の子孫の秦冠《はたのかむり》、始皇帝五世の法成王《ほうせいおう》の子孫、秦造《はたのみやつこ》、融通王《ゆうづうおう》（弓月王《ゆづきおう》）ののち、秦忌寸《はたのいみき》、弓月王の子孫、秦人《はたひと》、秦忌寸の同祖、弓月王の子孫、始皇帝十三世の竺達王《ちくたつおう》の子孫秦姓《はたうじ》などと続く。実際に始皇帝の子の二世皇帝胡亥は自殺させられたが、妻子は残されたかもしれない。胡亥以外の始皇帝の子は、胡亥によって処刑されている。始皇帝の兄の子の子嬰《しえい》は皇帝とはならず三代目の秦王となり、項羽に秦の諸公子とともに殺された。

融通王は応神《おうじん》天皇十四年に来朝、一二七県の百姓を率いて帰化、金銀玉帛などを献上したという。仁徳《にんとく》天皇のときにも一二七県の秦民は諸郡に分置され、養蚕、機織りを命じられ、姓波多公を賜ったという。この秦氏は朝鮮系の人々が始皇帝の子孫と称したといわれてきたが、秦氏などの渡来系の人々は、近年では朝鮮半島に亡命していた中国系の人々も含まれていたのではないかともいわれている。しかし中国系の秦氏が朝鮮半島に入ったとは考えにくい。そもそも秦王朝の姓は嬴姓《えいせい》であり、秦氏《しんし》ではなかった。秦王朝の滅亡後に秦氏と称する人々は出現しても、先の亡命中国人は秦氏ではありえなかった。吉村武彦は楽浪郡・帯方《たいほう》郡の設置の事実から半島に中国系の住人がいたことは事実であり、秦氏のなかに秦との関係を伝承にもつ人々が含まれていた可能性は皆無ではないという。西本昌弘も、秦氏の祖先については、辰韓地域に広がっていた中国系外来人との関わりを想定してもよいという。

辰韓・弁韓《べんかん》地域には多くの燕人・斉人らが移住して、韓人とも融和しながら高い文化を築いていたらしく、そうした中国系住民のうち、高句麗《こうくり》の南下にともなう戦乱を避けて、文氏や漢氏と同様に倭国へ渡ってきたのが、秦氏の祖弓《ゆ》月君《づきのきみ》であったと考えられる。

漢氏と文氏

高等学校の日本史の教科書では、鉄器・須恵器《すえき》の生産、機織り、金属工芸・土木などの諸技術が、朝鮮半島からの渡来人たちによって伝えられ、ヤマト政権は彼らを技術者集団に組織し、各地に居住させたと記述されている。そして「記紀」には西文氏《かわちのふみうじ》・東漢氏《やまとのあやうじ》・秦氏《はたうじ》らの祖先とされる王仁《わに》・阿知使主《あちのおみ》・弓月君らの渡来の説話が伝えられているという。秦氏についてはすでにみたが、文氏《ふみうじ》、漢氏《あやうじ》とはいったいどのような集団であっただろうか。実態のある中国の姓氏であるのだろうか。

東漢氏の祖先は阿知使主、後漢霊帝《れいてい》の曾孫阿智王《あちのおみ》の子孫とされる。後漢霊帝劉宏《りゅうこう》（在位一六八～一八九）の姓氏は劉氏であり、漢氏《かんし》ではない。劉氏を漢氏といいかえるのは、劉氏後漢王朝が滅んだあとに漢氏王朝と呼ぶのと同じである。『新撰姓氏録』には漢高祖（在位前二〇二～前一九五）五世の孫、七世の孫（桑原村主）と称する渡来人はいるが、彼らは漢氏とはいわない。

西漢氏《かわちのあやうじ》は西文氏とも書き、文氏の祖は王仁であるという。漢氏と文氏と王氏とが錯綜しており、わかりにくい。実態のある姓氏は王氏であり、中国系の楽浪郡の王氏か朝鮮系の王氏かは判別できない。日本列島に渡来したことから先祖を中国系の漢王朝の皇帝の子孫としたので、漢氏といったのであろう。漢氏を「あやし」「あやうじ」と読み、「あや」から派生して文氏（あやうじ・ふみうじ）となった。「あや」は朝鮮の国名の安邪《あや》、安羅《あら》を指し、安羅方面より渡来した集団がアヤという族称をとり、のちに漢の字をあてたという。文氏《ぶんし》も中国の姓氏（周文王諡号、姫姓か姜姓か）にもみられるが、渡来系の文氏《うみうじ》は中国系の姓氏ではない。『漢書』には文子《ぶんし》（老子の弟子）、文忠《ぶんちゅう》（武帝関都尉《とい》）、文翁《ぶんおう》（廬江《ろこう》郡舒《じょ》県の人・蜀郡守・成都《せいと》学官）などの文氏が若干みられる程度で多くない。漢氏、文氏よりも王氏に実態があり、楽浪王氏が日本に渡来してからは、王朝名で漢氏といい、「あや」という読みから文氏がでてきたのだと思われる。

尾形勇によれば、王莽《おうもう》期や漢魏交替期に限って「漢氏《かんし》」の語が出現するという。「漢家《かんか》」が「漢氏」とも称され、それは擬制的な家をあらわすという。前漢を倒して新《しん》という王朝を建てた王莽(前四五〜後二三)の策文(命令書)のなかに、「漢氏」の祖宗として高祖・元帝・成帝・平帝の廟に言及する(『漢書』王莽伝中)。一般の姓氏としての漢氏ではなく、漢氏は漢王朝の意味で特殊に使われる。『史記』『漢書』『後漢書』『三国志』『晋書』『隋書』の人名索引に漢氏の人物はみられない。のちの『通志』氏族略には『姓苑』(南宋何承天)を引用し、「漢氏　『姓苑』に云う、東莞《とうかん》(琅邪郡)に此姓有り、……漢亡く、子孫或いは国を以て氏と為す」という。漢王朝が滅んで王朝名を氏とする例として漢氏を挙げている。ちなみに現在の中国には約数万人の漢氏が存在し、山東《さんとう》・甘粛《かんしゅく》・陝西《せんせい》・遼寧《りょうねい》省に分布しているという。山東省日照《にっしょう》市には漢家皐陸一村《かんかこうりくいちそん》という村があり、漢氏が多いという。

おわりに

唐に留学した日本人の墓誌が中国西安《せいあん》で発見され話題になっている。一つは井真成《せいしんせい》の墓誌、もう一つは中国人の墓誌に記された朝臣備《ちょうそんび》という人物である。

西安東郊外《とうこうがい》で発見された「井真成墓誌」が二〇〇四年に入手した西北大学から公表された。姓は井、字は真成、国号は日本と記された人物、遣唐使《けんとうし》として唐に渡り、七三四年長安《ちょうあん》で三十六歳で死去、玄宗《げんそう》皇帝(在位七一二〜七五六)から名目だけの尚衣奉御《しょういほうぎょ》の官を贈られ、長安東郊外の万年《まんねん》県滻水《さんすい》付近に埋葬された。弔辞の「形は既に異土に埋もれ、魂は故郷に帰らんことを庶《こいねが》う」という言葉は、異国の地で埋葬した唐の恩情と、魂だけでも故郷の日本に帰ってほしいという唐の人々の同情に涙をそそる。

井の姓氏は中国的な姓氏である。日本名は葛井《ふじい》か井上か議論されている。井氏《せいし》は炎帝姜《えんていきょう》姓の子孫とも春秋時代の百里奚《ひゃくりけい》(字井伯《せいはく》)の子孫ともいわれている。百里奚は秦の穆公《ぼくこう》を覇者にした宰相として知られる。くだって後漢の時代には典星待詔の井畢《せいひつ》(『後漢書』律歴志中)、五経に通じた学者の井丹《せいたん》(『後漢書』巻八三逸民列伝)らがいる。留学生の真成は中国姓を強制されたものでもなく、短期間でも唐で外交をおこなう場合、日本の氏に沿った中国的姓氏を使用したのであろう。もっとも親しいのが井氏であったのだろう。

鴻臚寺《こうろじ》丞の李訓（七三四年没）の墓誌は秘書丞の褚思光《ちょしこう》が撰文し、「日本国朝臣備《ちょうそんび》書」とあるので、日本の朝臣備という人物が墓誌の文章を揮毫した。この人物は吉備真備《きびのまきび》（六九三／六九五〜七七五）とされている。彼は七一七年阿倍仲麻呂《あべのなかまろ》とともに第八回遣唐使として唐に留学した。帰国直前に墓誌の文を書したことになる。朝臣は五位以上の者を輩出する有力氏族に与えられる上級の姓《かばね》であり、中国の姓《せい》とは違う。七三四年に帰国し、七四六年に下道《しもつみち》朝臣から吉備朝臣に改氏している。その後また第一〇回遣唐使として七五二年に唐に渡っている。吉備氏ではなく朝臣姓を中国の姓氏に相当するものと考え、名を備とし、朝臣備と称した。これより先、粟田真人がすでに朝臣真人と称しているので、これに倣ったのである。中国には古来、朝という姓氏はあるが、朝臣はない。この墓誌は河南省洛陽《らくよう》で発見され、現在広東省《カントン》深《しん》圳《せん》の望野《ワンイエ》博物館に所蔵されている。

阿倍仲麻呂（六九八頃〜七七〇頃）も吉備真備とともに入唐したが、帰国することなく玄宗皇帝に重用されて安南《アンナン》節度使を務め、李白《りはく》・王維《おうい》とも交友があった。彼は中国名を朝臣仲満や朝衡《ちょうこう》（晁卿《ちょうけい》）と名乗った。朝という氏は春秋宋国の始祖微子啓の子孫か、あるいは春秋時代の蔡国の大夫朝吾《ちょうご》声子《せいし》の子孫といわれている。晁氏のほうは衛国大夫史晁《しちょう》の子孫であり、前漢時代にも鼂《ちょう》（晁）錯《そ》（前一五四年没）という著名な人物がいる。景帝（在位前一五七〜前一四一）のときに劉氏諸侯王の勢力を抑える政策を提言し、呉楚七国の乱（前一五四年）を引き起こすことになった。

二〇一一年西安で一つの墓誌（拓本）が発見された。「大唐故右威衛《だいとうこういえい》将軍《しょうぐん》上柱国《じょうちゅうこく》禰公墓誌《でいこうぼし》幷序《ならびにじょ》」と記され、唐の儀《ぎ》鳳《ほう》三（六七八）年六十六歳で死去、十月埋葬された百済《くだら》人将軍の禰軍《でいぐん》の墓誌である。『三国史記』新羅本紀武王十年条や『日本書紀』天智《てんち》天皇四（六六五）年条にも登場する著名人である。二〇一〇年にも百済出身の禰寔進《でいしょくしん》・禰素士《でいそし》（子）・禰《でい》仁秀《じんしゅう》（孫）墓が発見されているので、禰氏の存在が注目されている。禰氏の祖先は、西晋の永嘉《えいか》の乱（三一一〜三一六年）で五胡十六国《ごこじゅうろっこく》の動乱の時代に入ったときに百済に逃れた。その百済の地で最高官職佐平《さへい》を継承し、六六〇年唐・新羅軍によって百済が滅亡すると唐に降った。六六三年白村江《はくそんこう》の戦いでは唐軍の将として功績があり、六六五年には唐の使節として筑紫《つくし》にも来ている。六七〇年新羅に派遣され、六七二年に新羅は唐と和睦し、禰軍は唐に帰国し、六七八年長安で死去した。このような人物は、中国の姓氏を称した百済人とは区別して、中国系の百済人と呼んでもいいのではないだろうか。

　これまでみてきたように中国の姓氏の興亡の歴史を踏まえておくと、古代東アジアの歴史における国境を越えた人々の動きもよく理解できるし、王朝の興亡を超えた人々の血縁のたくましい絆がみえてくる。

参考文献

人民網日本語版二〇一三年十一月十二日「曹操の家族のDNAが判明、出生の謎を解くカギに」、同二〇一三年十一月十四日「復旦大学、「曹操の遺伝子」に関する疑問に回答」
王万邦『姓氏詞典』河南人民出版社、一九九一年
　収録姓氏は八一五五、単姓四七九七、複姓二八四七。三字姓四〇八、四字姓も七五、五字姓も一九、六字姓六、七字姓三。
応劭撰・王利器校注『風俗通義校注』中華書局、二〇一〇年
陳明遠・汪宗虎主編『中国姓氏辞典』北京出版社、一九九五年
陳明遠・汪宗虎『中国姓氏大全』北京出版社、一九八七年
駱承烈『孔子歴史地図集』中国地図出版社、二〇〇三年
劉鳳鳴「辰韓的主体〝避秦役〟的斉人構成」『斉魯文化研究』第九輯
金秉駿「楽浪郡初期の編戸過程と〝胡漢稍別〟」『古代文化』二〇〇九年九期
井上満郎「漢氏（あやし）」『日本古代史大辞典』大和書房、二〇〇六年
尾形勇『中国古代の「家」と国家——皇帝支配下の秩序構造』岩波書店、一九七九年

加藤謙吉「漢氏（あやし）」『日本歴史大事典』小学館、二〇〇〇年
金子修一「禰氏墓誌と唐朝治下の百済人の動向」『古代東アジア世界史論考』八木書店、二〇一九年
氣賀澤保規「新発見『李訓墓誌』の紹介とその歴史的意味」唐代史研究会報告資料（二〇二〇年一月二十五日法政大学）
国立歴史民俗博物館図録『文字がつなぐ　古代の日本列島と朝鮮半島』二〇一四年
専修大学・西北大学共同プロジェクト編『遣唐使の見た中国と日本　新発見「井真成墓誌」から何がわかるか』朝日新聞社、二〇〇五年
東京国立博物館ほか『特別展「三国志」』美術出版社、二〇一九年
西本昌弘「楽浪・帯方二郡の興亡と漢人遺民の行方」『古代文化』四一巻一〇号、一九八九年
吉村武彦「ヤマト王権と半島・大陸との往来」『渡来系移住民　半島・大陸との往来』（シリーズ古代史をひらく）、岩波書店、二〇二〇年

旅行記に歴史を読む
竹越与三郎の見た「インドシナ」

武内　房司

表玄関と裏玄関

かつて日本には「植民地政策学」と呼ばれる研究ジャンルが存在した。台湾・朝鮮・満洲各地に海外植民地をかかえるにいたった近代日本は、効率的運営を求めてそうした分野の研究を必要としたのである。一九〇九年には早くも東京帝国大学法科大学に「植民政策講座」が開設された。一九二〇年より新渡戸稲造《にとべいなぞう》の後任としてこの講座を担当したのは矢内原忠雄《やないはらただお》であった。矢内原は、今日の言葉でいえば地域研究ということになるのであろうか、植民地を研究するにあたって、「表玄関」からではなく「裏玄関」から入る必要を説いた。矢内原によれば、「表玄関」から入れば、「見せるところも、話してくれることも、会う人も決まって」おり、植民地社会の実態を捉えることは困難である。できるだけ紹介状ももらわず、「自分の会いたい人にだけ会い、見たいところを見、聞きたいことを聞く」ことが何より大切だというのである。

このエピソードを紹介した若林正丈は、「表玄関」から植民地としての台湾を観察した政治家・ジャーナリストとして竹越与三郎《たけこしよさぶろう》(一八六五〜一九五〇)をあげ、「表玄関」から入ったがために、結局、竹越が児玉源太郎《こだまげんたろう》や後藤新平《ごとうしんぺい》らの台湾統治政策を「称揚」するにとどまったのに対し、矢内原の場合、「裏玄関」から入るというアプローチをとることによって日本の台湾統治を批判的に捉え、「文化制度としての「植民政策」講座の内側から、それを食い破るようにして新たな学問ジャンルを生み出」しえたのだ、と論じた。この「表玄関」と「裏玄関」の比喩は、外国研究、そしてまた歴史研究における方法論にも通ずるものがあるように思われる。

たしかに今日に残された歴史記録は、「表玄関」を経由したものか、当局者が自らの支配を正当化するために記述したものが圧倒的に多い。しかし、「表玄関」を経由して残された記録がすべて無価値とはいえない。そうした記録の断片も、ほかの関連史料と付き合わせることによって、参観者や当局者自身が気づくことのなかった歴史を拾い上げることも可能であろう。ここでは、竹越与三郎が一九〇九年六月末から三カ月をかけて東南アジアを視察したあとに著した旅行記『南国記』、とくに「仏領インドシナ」編を繙きながら、観察者の背後でどのような歴史のうねりが展開していたのか、を簡単にたどってみたいと思う。

植民政策への関心

竹越与三郎は、慶應義塾大学に学んだのち、一八八三年、福沢諭吉《ふくざわゆきち》の主宰する時事新報社に入社し、ジャーナリストとしての道を歩んだ。一八九六年には『二千五百年史』を上梓し、歴史家・ジャーナリストとしての名声を確立した。その後、西園寺公望《さいおんじきんもち》の知遇を得て政治家に転進し、一九〇二年には、第七回衆議院議員選挙に新潟県区より出馬し、当選を果たした(西田毅『竹越与三郎』二〇一五年)。政友会所属の代議士となった竹越が精力的に取り組んだ課題の一つが植民地の比較考察であった。

日露《にちろ》戦争の最中の一九〇四年六月と翌〇五年六月、竹越は後藤新平民政長官の招きに応じて台湾を訪問し、その成果を『台湾統治志』（一九〇五年）にまとめた。後藤は台湾での竹越の調査に多くの便宜を提供したといわれる。その翌年、竹越は『台湾統治志』の姉妹編ともいえる『比較殖民制度』（一九〇六年）を上梓した。当時の西欧列強により採用されていた二つの「植民政策」、すなわち間接統治を基調としたイギリス流植民地統治と同化主義をとるフランスの植民地政策とを比較しつつ、前者を日本の植民地統治のモデルとすべきことを繰り返し強調した同書は、今日の日本の植民地政策史研究においてもしばしば取り上げられる。

竹越は統治モデルを考察するにあたってしばしば中国史に由来する概念を用いる。フランスのアルジェリア統治を「郡県植民地」ないし「郡県」などと呼ぶのはその例である。一九〇五年、日本は第二次日韓協約により朝鮮を保護国としたが、『比較殖民制度』のなかで、竹越はありうべき日本と朝鮮との関係を、「妹邦」と「勝国」の比喩を用いて次のように説いている。

妹邦とは一の国家を為して居るが、其主要なる権利に付ては、我邦が之を管轄してやることである。主なることに付ては、我邦之を管轄するけれども、我邦の利害に直接の関係の無いことに付ては、彼自身をして自ら料理せしむるの余地を残して置ので《ママ》、即ち我邦に宗主権を取るに止まって、内治は多く彼等の自由に任すのが妹国である。勝国とは即ち武力若くは其他の手段に依って、其朝廷・政府・国家を滅ぼして、一切之を我邦に取った時を云ふのである。元が宋を滅ぼした時は、宋を勝国と云ひ、明が元を滅ぼしたる時は、元を勝国と云ふが、其の社稷《しゃしょく》・人民・国土を併せて取るのが、即ち勝国である。

我邦の朝鮮に対する関係は、決して勝国ではない。李氏の社稷は儼存して居る。韓国なるものは立派に存在して居るのである。其歴史も存在し、其風俗も容易に変化すべからざるものである。斯の如き国に対して勝国といふ考を有《も》って保護しやうといふとは、極めて誤謬《ごびゅう》の説と謂はなければならぬ。（竹越与三郎『比較殖民制度』一九〇六年、

一八六頁、傍線は筆者、以下同）

「妹邦」とは『尚書《しょうしょ》』「酒誥《しゅこう》」に登場する言葉である。周公旦《しゅうこうたん》が文王《ぶんおう》の命を奉じて厳格な禁酒令を布いたのに対し、殷《いん》の遺民の住む「妹邦」に対しては禁酒を求めなかったという逸話にちなむ。祭祀国家であった殷にとり酒は儀礼に欠かすことのできない飲料であったはずであり、厳格な禁酒令の適用対象から除外したことは、被征服民の文化的価値観を尊重する姿勢を示すものでもある。この故事を引用し、竹越は、朝鮮に対しては外交権を掌握しつつもその内政については自治に委ねるべきだと主張したのである。ある意味で文化多元主義ともいえるこうした視点は、南方からの漂流民など複合かつ異質な要素の相剋・総合として日本国民史を描こうとする竹越の文明史観とも通底しているのかもしれない（武田清子『日本リベラリズムの稜線』一九八七年、八四〜八五頁）。しかし、その後の歴史の展開は竹越の望む方向には進まず、併合、さらには皇民化へと突き進んだことは周知の事実である。

竹越は『比較殖民制度』において、ル・ロア・ボーリュウやラインシュなど、欧米の植民地理論研究を取り上げてはいたが、実際に調査に足を踏み入れた植民地は台湾に限られていた。シャム（タイ）を除いてほとんどが欧米の植民地となっていた東南アジアは、竹越にとって植民地統治の理論と現実を考察するうえで格好の舞台であったのである。竹越は、一九〇九年六月末から約三カ月をかけて、当時のオランダ領東インド、イギリス領海峡植民地、フランス領インドシナを周遊する旅に出た。『比較殖民制度』で取り上げた各国の植民地システムが実際にどのように運用されているかを検証することがその主たる目的であったといえよう。

一九〇九年六月二十七日、備後丸《びんごまる》に乗船した竹越は上海《シャンハイ》を経由して香港《ホンコン》に入り、シンガポールへと南下する。さらにジャワのバタヴィア、スラバヤを経て、再びシンガポールに戻ったのち、仏領インドシナのサイゴン、さらにハノイを経て台湾に向かい、九月二十日、門司《もじ》港に帰った。一三回船を乗り継いでの大旅行であった。『比較殖民制度』のなかでフランスの植民地統治を「同化画一主義」として厳しく批判していた竹越にとって、「仏領インドシナ」を訪問先に加え、その植民地支配に対する見聞を深めようとしたのは自然な成行きでもあった。

インドシナ紀行

サイゴンにて

オランダ領東インドの訪問を終えてシンガポールに戻った竹越は、いよいよ「同化画一主義」をとる仏領インドシナに向かい、一九〇九年八月十一日、ベトナム南部最大の港市サイゴンに到着した。竹越のコーチシナ(今日のベトナム南部)滞在は八月十一日から同月十五日に北部の港湾都市ハイフォンに出立するまでの五日間にすぎないが、その間、サイゴンにあるインドシナ総督府官邸(ノロドム宮殿、現在の統一会堂)を訪問し、総督クロブコウスキーとの面会を果たしている。クロブコウスキーは旅行の便宜を与えるよう各地の理事官に電信を発するほどの歓迎ぶりを示した。実際に、汽車で旅行する際には旅行の希望をうかがうべくフランス人理事官がわざわざ駅に出迎えてくれた、と『南国記』に記している。まさに矢内原のいう「表玄関」からの視察である。総督が面会に応じたのは、留学体験を通じてフランスの政治家や文化人に多くの知人をもち、クロブコウスキーの友人でフランス駐在公使を務めた本野《もとの》一郎《いちろう》の紹介によるところが大きかったようである(竹越与三郎『読画楼随筆』一九四四年、九二〜九五頁)。しかし、こうした厚遇は個人的な人間関係だけで得られたわけではなかったであろう。当時、総督がおかれていた政治的位置、とくに彼の対日政策観も少なからず影響していたとみなければならない。

日露戦争期から竹越がサイゴンを訪れた一九〇九年にかけて、フランスにおいては、日本をフランスによるインドシナ統治に対する脅威とみなすグループと、日本との和解・協調を主張する「アンタント(協商)」論とがせめぎあっていた。日露戦争後、フランスの政界や輿論《よ》において、前者は日本が日露戦争勝利の余勢を駆ってインドシナに軍事進出を

旧インドシナ総督官邸（ノロドム宮殿）　1873年完成。ベトナム国家第２アーカイブズセンター展示資料（2018年筆者撮影）

図るのではないか、といった脅威論を繰り返した。いわゆる黄禍《こうか》論《ろん》である。一九〇〇年に、日本が東亜における欧州勢力を駆逐すべきことを説いた、と称する台湾総督児玉源太郎による桂太郎《かつらたろう》宛の秘密報告なるものが、一九〇五年一月に『エコー・ド・パリ』紙に発表された。在仏日本公使館はただちにその文書が捏造《ねつぞう》であることを主張しなければならなかったが、こうした黄禍論の急先鋒に立ったのがフランス政界に大きな勢力をもっていた植民地派に属する政治家たちであった。一八九七年から一九〇二年にかけてインドシナ総督を務めたポール・ドゥメールはその代表的人物であり、この捏造記事が出された時期には、下院議長の要職にあった（白石昌也『ベトナム民族運動と日本・アジア』一九九三年、五七五～五九八頁）。

では、竹越が面会したクロブコウスキーはどのような立ち位置にいたのか。竹越は残念ながらクロブコウスキー総督と面会した際に交わした内容についてはまったく言及していない。しかし、クロブコウスキーの対日観およびインドシナ治政に関する見解を知る手がかりがないわけではない。一九一〇年五月十一日、クロブコウスキーがフランスに一時帰国していた際に日本公使館付参事官安達峰一郎《あだちみねいちろう》が二人きりの面会に成功し、安達は以下のような総督の発言を我々に残してくれている。

仏領印度支那の住民は天性順良にして単純統治し易き気象を有する者なり。乍去《さりながら》日露大戦争に於て日本国が偉大なる成効を博したるより亜細亜洲に於ける一般の人心は著るしく日本国に傾き、日本人を目するに黄色人種の救済《リベラ》者《トール》を以てするに至り、又自己に対する信念を高めたるは争ふべからざる事実なり。殊《こと》に印度支那に於ては此の傾向顕著にして軍事施政上の困難増加したるは事実なり。右の如く日本崇拝心の発達より施政の困難を感せしむる者は極めて少数の物知連《レットレ》に止まり、其他は混沌たる感念を以て生活する者なれども印度支那従来の弊政は一般の人心を仏国官憲より乖離《かいり》せしむるに至りたり。

其の弊政とは仏国殖民家が此迄印度支那を以て射利的殖民地(Colonie d'exploitation)と心得、住民を聚斂《しゅうれん》虐待して可成《なるべく》之を愚蒙《ぐもう》にし、以て単に自己の口腹を肥さんとしたるに基き、彼《か》の酒精専売の如き、塩専売の如き、又一般徴税法の如き、毫《すこし》も住民の利福を目的とすることなく専ら仏国官憲並に少数殖民家の都合上より打算したるものなり。是迄印度支那撰出の議員たりし「ドロンクル」氏の如きも此等射利的殖民家の手先となり、其の本国に於ける根拠も牢乎《ろうこ》たるものありしが、余は此の如き情況は一日も早く之を杜絶せしむるを要するを信じ、一昨年以来中央政府と協同して改革事業に鋭意従事中なり。(「印度支那総督内話の件」外務省外交史料館 1-6-3_2_13 B03050948400、なおカタカナをひらがなに改め適宜句読点を付した。)

ここでクロブコウスキーは、インドシナ総督を経て当時下院議長を務めていたポール・ドゥメールらの施策を念頭におき、専売制度などの種々の「悪弊」がベトナム民衆のフランス官憲への反感を生んでいること、そしてそうした政策がその「手先」たるインドシナ選出議員のドロンクルら植民地派によるものであると名指しで指弾している。ドロンクルは、前述のいわゆる児玉源太郎「秘密報告」が掲載された際にも日本の脅威を指摘し、インドシナ防衛の強化を主張した人物である。クロブコウスキー自身は、こうしたインドシナ防衛強化論には否定的であり、むしろ日本との「アンタント〔協商〕」を追求することでいわゆる日本の脅威に対処しようとした。そのなかで、日本の拡張主義を牽制するうえでも竹越を有用な政治家の一人とみたのであり、竹越のインドシナ視察に多くの便宜を与えた理由の一つもそこにあったと思われる。

竹越は日仏協約締結前の一九〇六年七月、英・仏・露・伊の欧州四カ国を訪れたが、パリで竹越は記者から日本の領土拡張主義の可能性を問われ、「日本は安南東京《アンナントンキン》に対して何等の野心なきを声言し日本の希望は今後グランジャポン〔大々日本〕にあらずジャポンシュペーリヨウル〔崇高日本〕にある旨を説き此事に就ては日本国民皆同意なれば如何なる保証をも為し得べければ仏国は宜しく日本と和親協約を結び東洋の領土を安全にし日本をして其低利の資本を使用せしむるを可とする旨」を公言していた（『読売新聞』一九〇七年五月八日付「日仏協約由来」）。こうした主張はクロブコウスキーの対日観とも合致していたとみることができる。

さて、竹越の『南国記』は先述のように、東南アジア各国殖民地の比較考察としての性格をおびていたが、いわゆる視察復命書の類とも異なり、一般読者を意識し南洋世界を本格的に紹介しようと試みた旅行記でもあり、多くの読者に好評をもって迎えられた。旅行記を読む楽しみはいろいろあるが、その一つは旅行者が過去に直接目にした風景を追体験できるところにあるといえる。何気ない風景の描写のなかにその時代の状況が刻印されているのに驚かされることがある。例えば、竹越はサイゴンに滞在していたおりに、ゴム園経営者でサイゴン日本領事館の名誉領事を務めていた親日家のフランス人サリエージの所有する自動車に乗り、郊外に遊んだときのことを次のように記している。

余は一日サリエージ氏の自働《ママ》車を動して郊外に到るに、車道縦横、坦々として砥の如く、夕陽西山に落ちんとする頃、仏人が車馬を軀りて四郊に遊ぶもの雲霧の如く、嬉々として、熱帯地にあるを忘れ、老の将に至らんとするを知らざるが如く、此南荒〔南方の野蛮の地〕に来りて猶《な》ほボアド・ブーロンニュ〔ブローニュの森〕に遊ぶが如き心地を有するは流石に仏人の面目と云ふべし。余は行き行きて植物園の西方に行きたる時、土塁の隆起するを見て、同行の日本人に問ふて其砲台なるを知り、併せて其日露戦争に際して急造せられたるものなるを知る。余は安南土人が果して当時、如何に動揺せしかを知らず。然ども土塁が累々として四郊に起つを見ては、此地方に於ける仏国官憲の当時の心理状態を説明するに足るを信ず。（竹越与三郎『南国記』一九一〇年、二一六頁）

二十世紀前半にサイゴンを訪れ記録を残した日本人は多いとはいえないまでもそれなりに存在するが、日露戦争期にサイゴンに土塁が築かれたことに目を向けた旅行者は、竹越以外にみあたらない。何気ない描写だが、日露戦争期、フランス植民地当局がいだいた危機意識のありようをよく伝えている。

日露戦争は植民地官僚や外交官、知識人に東アジアに勃興する日本への警戒心を呼び起こしただけではなかった。クロブコウスキーが安達参事官に語っているように、「亜細亜洲に於ける一般の人心は著るしく日本国に傾き、日本人を目するに黄色人種の救済者《リベラトール》を以てする」情況が生まれていた。実際、竹越がインドシナを訪れる一年前にも、ベトナム南部のメコンデルタ一帯では日本人の到来を期待する噂が確認されていた。例えば、あるフランス人予審判事は、ベトナム人の下層社会に浸透していた秘密結社のメンバーを訊問するなかで次のような証言を引き出している。

一九〇六年二月十六日、郷主《むらやくにん》のチューは我々を彼の家に呼び、秘密結社に入るよう説いた。彼はこう付け加えた。日本人はケオ・サイン（秘密結社）のメンバーだ。彼らは数ヶ月後、コーチシナを占領する。会に入らない者は彼らによって殺される、と。我々は郷主のチューに、フランス政府はとても強力だ、フランス政府は日本に抵抗するだけの力がある、と答え、彼の〔入会要請の〕申し出を断った。その時、彼は、「ロシアもフランスと同じくらい強力だが、日本に勝利できなかった」、と付け加えた。（Henri Dusson, *Les sociétés secrètes en Chine et en Terre d'Annam*, 1911, p.53）

ここでいうケオ・サインとは、もともと移動用のボートの青い帆柱を指すベトナム語であったが、次第に広東《カントン》省東部の潮州《ちょうしゅう》から移住した華人を中心に組織された天地会《てんちかい》系の秘密結社「義興《ぎこう》」を指すようになったものである。米穀の買付や運送などに従事する華人たちのあいだで組織された秘密結社はメコンデルタの大小運河を、ボートを使って縦横に行き来していたことからこうした呼称が誕生したのであろう。一八八〇年代には、黄色の帆柱を意味するケオ・ヴァンという、同じく福建《ふっけん》出身の華人からなる「義和《ぎわ》」と呼ばれる組織も登場し、「義興」と激しい武力抗争を繰り広げた。天地会などの秘密結社はもともと中国華南《かなん》において誕生し、十九世紀中葉以降、東南アジア各地の華人社会に伝播していった組織である。二十世紀に入ると、天地会は相互扶助組織としての性格を強め、華人のみならず南部のベトナム人社会にも受け入れられるようになり、先述のような証言が生まれたのであろう。

さらに竹越のサイゴン紀行を読み進めていこう。竹越はサイゴンに到着後、サイゴンの西五キロほどのところに位置する華人街チョロンを訪れ、次のように記した。

世人、交趾支那《コーチシナ》と云へば直ちに西貢《サイゴン》を数ふるも、西貢よりも人口饒多の都会附近にあり、即ち提《チョ》〔堤〕岸《ロン》是なり。提岸は西貢より西北四マイルの地にありて、人口十六万を数へ、今は西貢と同市を作る。而して此中支那人の数四万二千人を数ふるに至りてはまた盛なりと云はざるべからず。此地方の産物は米を大宗とし、而して提岸は運河によりて土産を集散する中心市場にして、運河の両岸、大小の精米所林立す。其事業の大半が支那人の掌中にあるは言ふまでもなし。……

然るに仏国政府は此勤勉にして善良なる支那人を招徠するを勉めず、圧抑百端試みざるはなし。例へば支那人は老若男女を問はず、毎年毎人十四円五十銭の人頭税を徴せらる。夫れ人頭税を納むることすでに容易にあらず。其金額が毎人十四円五十銭に達するに至りては客旅の支那人としては一大負担と云はざるを得ず。（竹越与三郎『南国記』一九一〇年、二一一〜二一二頁）

チョロンに住む「支那人」すなわち華人の数を四万二〇〇〇人と記しているのはかなり正確な数値である（一九〇九年版の『インドシナ年鑑 *Annuaire général de l'Indochine*』はチョロンの華人の数を四万一八九一人としている）。『南国記』では、インドシナだけではなく、東南アジア各植民地における華人の地位についても言及がみられる。オランダ領東インドの場合、その背景として、「台湾籍民」の問題があった。日本の台湾領有の結果として、同じ華人でも、「台湾籍民」であれば「日本臣民」として扱われ、オランダ本国人並びに欧州人と同等の扱いを受けることが可能となり、「東洋外来人」として諸種の制限の課せられていた華人とのあいだでさまざまな軋轢《あつれき》を生んでいた。華人問題はアジアの植民地統治のあり方を考えるうえで避けることのできないテーマであった。インドシナにおいても、竹越は、チョロンというサイゴンに隣接した華人街を訪問し、ベトナム南部の経済を支える米の精米および輸出が華人によって担われていたこと、かつその華人に対して高額な人頭税《カピタシオン》が課せられていたことに注目している。

インドシナの華人に課せられた人頭税の問題は、もちろん華人の出身地である中国本土を統治していた清朝政府の重要な外交課題でもあった。インドシナの人頭税は植民地となってまもないコーチシナ直轄植民地の財源を補塡するために一八七〇年代に設けられた制度である。一八八五年の天津《てんしん》条約によって清《しん》朝とフランスは外交関係を正常化したが、清朝は同じく国内移動の際の旅行証発給税や各種許可税とあわせて、フランス側にその廃止を求めたのに対し、フランス側は一貫してそれに応じず、交渉は膠着《こうちゃく》状態に陥っていた。

人頭税交渉に新たな動きがみられるようになるのはやはり日露戦争期であった。一九〇二年に出使フランス大臣（駐仏公使）としてフランスに赴任した清朝の外交官孫宝琦《そんほうき》は、一九〇五年六月、清朝中央に以下のような報告を送っている。

> 日本が日露戦争に勝利して以降、フランスは日本が安南《ベトナム》を奪取するのではないか、とくに中国と日本が連合するのを恐れ、ここ数年来、できるだけの兵員・武器を〔インドシナに〕運び込んでいる。最近、政府・議会は仏側の兵力が不足していることを知り、いっそう中日両国に接近して紛争の発生を回避し、並びに安南の土人《げんちじん》を優待しなければならないと考えている。それゆえ我々に近づこうとしているのは偽りではないようだ。安南の開港場の工商業従事者は十万余人いるがなお領事が派遣されず、種々の過酷な税が課せられている。前任者の薛福成《せつふくせい》はフランス外

務省と免税交渉をおこなったが成功を収めなかった。私は着任後、フランス外務省に植民省と協議することを認めるよう申請した。植民省はインドシナに調査を命じたが現在も決着がついていない。私はフランス政府が決してインドシナ総督に反対しようとしないこと、相殺する別の財源がないので免税を決定できないことを知った。フランス側が我々に接近してきたこの機会にできるだけのことをなすべきであると考え、道員の厳璩《げんきょ》と主事の恩慶《おんけい》を安南に派遣しインドシナ総督にこの問題をただし、成功を期すことにした。(『清季外交史料』巻一九〇、光緒三十一年六月二十日)

孫宝琦はフランス側が日本の脅威を意識し、中日両国との友好関係の維持に努め、植民地において現地人(ベトナム人)への優待策を強化することで植民地の危機を回避しようとしていることを冷静に分析している。現地人優待策とは、ポール・ボー総督の就任後、フランスが同化主義を基調とする植民地政策から、現地人の協力を引き出すために伝統的な教育を重視するなどの協同主義へと転換しつつあったことを指しているのであろう。孫宝琦はそうした状況を、人頭税問題を解決する好機とみたのである。孫宝琦は清朝政権内における改革派官僚でもあり、立憲制への移行をいち早く提起していた開明派官僚であった。しかし、孫宝琦の提案に基づき、一九〇五年四月、インドシナに派遣された厳璩たちは総督ポール・ボーとの面会には成功したものの、人頭税の廃止をめぐる交渉は残念ながら不首尾に終わり、解決にはいたらなかった。

ラオカイにて

サイゴンからハイフォンを経由し、ハノイに入った竹越は、ハイフォン・雲南《うんなん》鉄道に乗り、中国西南の雲南省と相接するラオカイを訪れた。同鉄道は、一九〇二年の着工以来八年の歳月をかけて、一九一〇年、すなわち竹越のインドシナ訪問の翌年、貿易港ハイフォンと中国雲南省の省都昆明《こんめい》とを結ぶ全路線が開通した。『南国記』では、一九〇八年四月、孫文《そんぶん》率いる革命派がラオカイを流れる紅河《こうが》の対岸にある河口を占拠し、雲南省の省都昆明をめざした、いわゆる河口蜂起の目撃者の証言を以下のように紹介している。

当時の事を目撃したるもの、余のために当日のことを語りて曰く、仏国政府の警察頗《すこぶ》る周到にして、一人の日本人すら其踪跡《そうせき》は監視せらるゝほどにして、殆ど蟻穴ほどの間隙もあらず。然るに一夜、河口の要塞に於て、卒然として数百の小銃の連発せらるゝあり。次て吶喊《とっかん》の声、山河を動かすあり。余等は唯愕然として山上の火光を望むのみ。已にして黎明に至り、革命軍の旗城上に翻り、税関・橋梁・兵営等悉《ことごと》く革命軍の収領する所となり、到る所の街道、悉く革命軍の宣言を貼付するを見る。

其文意によれば、大清国を起さんが為に革命するものにして外人の生命財産は安然なるべし。雲南に入る物資は凡て無税なりと云ふにあり。其軍容堂々として紀律あり、服装は日本軍隊に類す。且其清国守備長を執て、之を街頭に斬るを見るに、支那流の残酷なる寸断法を用へ〔ひ〕ず、一刀其頭を断ち、直ちに死骸を埋めて、其跡を洗ふなんど、頗る旧風と異なる者あり。土民皆な深く彼等に同情を寄す。已にして此を固守する十数日にして北、雲南城に向はんとするに、兵器金穀なく、躊躇《ちゅうちょ》するもの数日なりしが、雲南総督大兵を発して水陸両道より来り、且つ附近鉱山の人夫に武器を授け、三方より河口に迫らんとすと報せらる。土民皆手に汗して、革命軍が如何にして二十倍の官軍と戦ふへきかを憂ふ。已にして革命軍、一旦結束して雲南の官軍を迎撃すへしと号して啓行《しゅっぱつ》せしが、遂に帰らず。而して戦もまたあるなし。

傍人が最も怪しむ所は、周到苛細なる仏人警察の下に於て、如何にして五百の革命軍が卒然として天より下りしが如く老開《ラオカイ》に現出したるか、如何にして其武器を輸入し得たるか、如何にして何処に去りしかにあり。之を解するもの曰く、彼等は仏国官憲の黙認の下に開戦したるものにして、此開戦の報が仏国に伝はるや、本国政府其政策を中止せんことを命じたるを以て、東京政府は爾来之を助けざるのみならず、河内附近より送るべき金穀の輸送を妨

止したるがため、革命軍は終に草間に没し去りしのみと。（竹越与三郎『南国記』一九一〇年、二四六〜二四八頁）

やはり現地で聞いた蜂起の目撃譚には迫力がある。五〇〇名からなる革命軍が厳格な紀律をもち、中国の旧式軍隊とはおおいに異なっていたこと、現地「土民」の「同情」を得ていたことなどが、流麗な漢文体の文章でまとめられている。注目されるのは傍線の部分である。竹越が聞いた現地人の言によれば、河口蜂起はフランス官憲の黙認のもとに実行されたものだ、という。こうした河口やラオカイでの説明は、孫文とインドシナとの関わりを追跡していくとき、すこぶる説得力をもってくる。

孫文は日本に滞在していた一九〇〇年六月頃、東京のフランス公使館を訪れ、アルマン公使と面会し、自らの「華南連邦共和国」構想を披瀝し、インドシナを経由した武器の輸送などへの協力・支援を求めた。孫文のこの構想に強い関心を示したのが、植民地派と深い関わりのあるポール・ドゥメールであり、一九〇二年末、ハノイで開催された博覧会に孫文を招待した。しかし孫文がハノイを訪れた際には、ドゥメールはすでに総督職を離れフランスに帰国したあとであった。孫文とドゥメールの面会は、一九〇五年春、ちょうど孫宝琦がフランスで人頭税交渉のためにインドシナに使節派遣を検討していた時期にパリで実現した。孫文は、ドゥメールをはじめ植民地党派の政治家たちに、フランスが自分らの革命を援助してこそ日本の脅威を抑えることができ、もし日露戦争に敗北したとしても華南に食指を伸ばすだろう、と日本脅威論を巧みに引合いに出しながら、フランス植民地派から種々の支援を引き出そうとしていた（巴斯蒂「法国的影響及其各国共和主義者団結一致」一九八九年）。有効な支援を得るためならば、インドシナ拡張論者を含むフランス植民地党派と結ぶことさえいとわない現実主義的な革命家孫文の姿が浮かんでくる。少なくとも、一九〇五年から、一九〇七年末の鎮南関《ちんなんかん》蜂起事件により、インドシナから国外退去処分を受け、活動拠点をシンガポールに移さざるをえなくなるまで、革命派とインドシナ当局とのあいだには奇妙な共生関係が生まれていたのである。いずれにせよ上記の竹越の見聞は、孫文の一連の革命活動もインドシナをめぐる複雑な政治状況を踏まえて考察する必要のあることを示しているといえよう。

インドシナ訪問を終えて

竹越は、東南アジア旅行より帰国した当日に『読売新聞』の取材に応じ、以下の視察談を寄せた。

此の旅行に於て余の注意を惹きたるは仏領印度と蘭領爪哇《ジャワ》の治政の相違なり。仏領印度は十年毎に博覧会を開きて本国人に其の富源を知らしめ以て公債を募りたるが、依って得たる金は尽く雲南鉄道に投じ、鉄道以外には何事をもなし居らず。目下駐在の官吏文官のみにて五千人ありて全人口の五分の一に当《あたる》。而して之れ等の官吏二ケ年毎に一ケ年の帰休あるを以て、何れも之を待つに急にして復た他を顧みず。故に商業盛んならず、産業興らず、経済発達の余地充分にあり、只だ施設の之れに伴はざるのみ。独り財政は陸海軍備まで全部本国より独立し居れり。日本との関係は円滑なるが更に通商条約を締結し互ひに輸入課税を軽減せば相互の利益ならん。(『読売新聞』一九〇九年九月二十一日)

鉄道建設以外なんら有効な施策をおこなおうとせず、五〇〇〇名にも及びながら休暇を得て帰国することに汲々とするばかりのフランス人植民地官僚へのいらだちが表明されている。すなわち、短い在任期間内にできるだけ蓄財に励むばかりで現地の民生向上に無関心であった清末期中国の郡県システム下の官僚と変わるところがない、というのが竹越の見た仏領インドシナなのであった。たしかに「表玄関」からの観察ではあったが、仏領インドシナという植民地体制がかかえていた問題点をついている。ただ、竹越の場合、仏領インドシナの体制下にあって政治的権利を抑圧されていたベトナム民衆の姿が意識にのぼることはなかった。結局、竹越のインドシナ論はあくまで植民地経営論の枠内にとどまっていたのであり、日本人による民族運動への共感が登場するまでには、十五歳でインドシナに渡り現地に生きる民衆の言語を身につけた松下光広《まつしたみつひろ》らが登場する一九四〇年代まで待たねばならなかった（武内房司「大南公司と戦時期ベトナムの民族運動」二〇一七年）。

参考文献

白石昌也『ベトナム民族運動と日本・アジア』巌南堂書店、一九九三年

武内房司「大南公司と戦時期ベトナムの民族運動――仏領インドシナに生まれたアジア主義企業」『東洋文化研究』一九号、二〇一七年、三一～七二頁

竹越与三郎『台湾統治志』博文館、一九〇五年

竹越与三郎『比較殖民制度』読売新聞社、一九〇六年

竹越与三郎『南国記』二酉社、一九一〇年

竹越与三郎『読画楼随筆』大日本雄辯會講談社、一九四四年

武田清子『日本リベラリズムの稜線』岩波書店、一九八七年

西田毅『竹越与三郎――世界的見地より経綸を案出す』ミネルヴァ書房、二〇一五年

巴斯蒂「法国的影響及其各国共和主義者団結一致――論孫中山与法国政界的関係」中国孫中山研究学会編『孫中山和他的時代（上）』中華書局、一九八九年

若林正丈編『矢内原忠雄「帝国主義下の台湾」精読』（岩波現代文庫）岩波書店、二〇〇一年

Henri Dusson, *Les sociétés secrètes en Chine et en Terre d'Annam: réquisitoire prononcé à l'audience du tribunal correctionnel de Longxuyên du 19 Novembre 1909*, Saigon: Imprimerie Phat-Toan, 1911.

史料

明治四十三年五月十五日在仏特命全権大使栗野慎一郎より外務大臣小村寿太郎宛の報告「印度支那総督内話の件」（外務省外交史料館 1-6-3_2_13, アジア歴史資料センター B03050948400）

王彦威・王亮編『清季外交史料』（近代中国資料叢刊三編第二輯）台北、文海出版社、一九八五年

『読売新聞』

Annuaire général de l'Indochine (1909)

西洋史

「カピトリウムのコンスル表」
ローマ帝政成立期の歴史観

島田　誠

「カピトリウムのコンスル表」とアウグストゥスの凱旋門

「カピトリウムのコンスル表」(原語ではFasti Capitolini)と呼ばれる古代ローマの史料が存在する。前六世紀末から毎年二名選ばれてきた古代ローマ共和政の最高公職者であるコンスル職に就任した人物の氏名を年代順に列挙し、さらにローマに輝かしい勝利をもたらし、ローマ市内で凱旋式《がいせんしき》を挙行することを許された将軍たちの氏名と功績(勝利した土地や民族の名前)を刻んだ金石文である。帝政成立期のアウグストゥス時代に製作されたものであり、同じくアウグストゥス時代に著された歴史家リウィウスの年代記『ローマ市建設以来』と並んで古代ローマ史、とくに共和政期から帝政が成立した時代までの最重要史料の一つとされるものである。現在は、ローマ市の中心部、カンピドリオの丘(古代にはカピトリウムと呼ばれていた)の上の広場を挟んで建つカピトーリニ博物館に所蔵されていることから、現在の名称で知られるようになっている。

コンスル表の発見

このコンスル表が発見されたのは、十六世紀のことである。このコンスル表は、カンピドリオの丘の東側に広がる古代ローマ市の中心、中央広場であるフォルム・ロマーヌム（現在のフォロ・ロマーノ）の遺跡の東端辺りでばらばらの断片として発見された。ところで十六世紀の初めから、ローマ教皇庁の手でサン・ピエトロ大聖堂の大改築がおこなわれ、現在の形の大聖堂が建築されていたが、一五二七年五月、ハプスブルク家の皇帝カール五世の軍隊によるローマ略奪（サッコ・ディ・ローマ）によって大聖堂も被害を受け、工事は停滞していた。そのなかで教皇パウルス三世が建設を再開し、必要な石材を調達するために古代ローマのフォルムの遺構の石材を再利用することを許可した。その作業のなかの一五四六年に三〇片のコンスル表の断片と二六片の凱旋将軍表の断片が発見され、石材から取り外された。その後、枢機卿アレッサンドロ・ファルネーゼによって、これらの断片はローマ市民たちに寄贈され、カピトリウムの丘のコンセルヴァトリ宮で保存されることになったという。この宮殿が現在はカピトーリニ博物館の一部となり、コンスル表も博物館の所蔵品となっているのである。コンスル表は四枚の長方形の大理石板として復元され、有名なローマ建国者ロムルスと双子の弟レムスが牝狼に授乳されている青銅像が展示されている広間に展示されている。

「コンスル表」の外観とその構成

この「カピトリウムのコンスル表」は、実際にどのような形で五〇〇年以上にわたるコンスルや将軍たちを記載しているのだろうか。

コンスル表は、本来は四枚の大理石板に刻まれていたと考えられている。この四枚はさらに二つのコラムに区分されて、計八つのコラムからなり、各コラムの左側欄外には前八世紀半ばのローマ建国の年から数えた年数が一〇年ごとにローマ数字で記されている。各年二名のコンスルは原則的には一行で記載されており、在職中に死亡したなどの特記事項があれば、簡潔に付言されている。現存のコンスル表では、前四八三年から後一三年までのコンスルたちの氏名が確認できる。また、コンスルが選ばれなかった年や不在となった年にはコンスルに代わって権限を行使した人物の氏名と職名が記されている。また、五年ごとに選ばれてローマ市民の人口・財産調査や元老院議員・ローマ騎士の名簿の見直しなどを職務とするケンソル(監察官)の氏名と彼らが市民団の浄めの儀式(ルストゥルム)を挙行したこと、一世紀に一回おこなわれる世紀競技祭(ルディー・サエクラレス)の開催も記載されている。さらにコンスル表の最後の部分では、アウグストゥスの保持する護民官職権の回数(保持年数)も記載されている。四枚の「コンスル表」の最後に続いて、将来のコンスルたちの名前を刻むべき余白が設けられていたとも考えられている。

一方、このコンスル表に載せられたもう一つの表である凱旋将軍の表は、四枚の大理石板の側の四本の付け柱に刻まれている。この表にはローマ建国の年の初代王ロムルスの勝利から前一九年のルキウス・コルネリウス・バルブスまでの計七三四名のローマの将軍たちの凱旋式を列挙し、勝利を得た戦争の相手や場所も付記しているのである。

「カピトリウムのコンスル表」の展示されていた建造物

さて、古代ローマ市の中央広場であるフォルム・ローマヌムの遺構の東端で十六世紀に断片の形で発見された「カピトリウムのコンスル表」は、本来はどのような建造物上に展示されていたのだろうか。この建造物の候補としては、古くから二つが挙げられてきた。一つは広場の東端に位置していた「レギア(王宮)」と呼ばれる建物である。この建物は王政期には王の住居であり、共和政期にはローマ国家宗教の最高責任者であった大神祇官長(ポンティフェクス・マクシムス)の執務所であった。アウグストゥスは前一二年に大神祇官長に就任したため、それ以後は彼の仕事場の一つとなっていた。そしていま一つが、この広場の東南端にかつて存在した「アウグストゥスの凱旋門《がいせんもん》(アルクス・アウグスティー)」である。この二つの建造物のいずれに「カピトリウムのコンスル表」が展示されていたかの問題は、二十世紀の半ばにこの「コンスル表」のテキストを校訂したイタリアの研究者A・デグラッシーおよびG・ガッティーとアメリカ合衆国の研究者L・R・テイラーおよびL・A・ホランドがそれぞれ独自の研究に基づいて、「レギア」ではなく「アウグストゥスの凱旋門」説を主張して以後、それが定説となっていた。ところが、一九九〇年代以来、再び「レギア」説を唱える研究者もでてきている。正直なところ、両説とも決定的な証拠に欠けるため判断が難しいが、私としては後者の「アウグストゥスの凱旋門」説に与したいと思う。以下、この文章では、「カピトリウムのコンスル表」はフォルム・ローマヌムの東南端、カストル神殿と神格化されたカエサル、神ユリウスの神殿のあいだに位置していた「アウグストゥスの凱旋門」上に展示されていたものとして話を進めたい。

現在、フォルムの東南端にはこの凱旋門の礎石しか残っていない。そして、その凱旋門の建設された時期をめぐって、アクティウム海戦とエジプトの女王クレオパトラへの勝利のゆえにおこなわれた前三〇年の凱旋式にともなうものなのか、前二〇年にアウグストゥスが東方の大国パルティアからローマ軍の軍徽章《きしょう》と捕虜の返還を勝ち取った際のものなのか意見対立がある。テイラーらは後者のパルティアの凱旋門を支持している。私もおそらくはパルティアからの凱旋門であろうと考えている。

では、この凱旋門と「コンスル表」はどのようなものであったのだろうか。前一九~前一六年頃に打刻されたローマの硬貨の凱旋門の図案がパルティアとの戦争の凱旋門をあらわしているとすれば、この凱旋門は三重のアーチをもつ特異な形状のものであった。何枚かの硬貨に描かれた凱旋門は、中央の大門の上に四頭立て戦車に乗ったアウグストゥスの像が描かれ、両側の小門の上に中央のアウグストゥスにローマの軍徽章などを捧げている人物の図像が描かれている。

なお、「ローマ軍の軍徽章」という耳慣れない訳語を用いたが、原語はシグナ・ミリタリア(signa militaria)である。ローマの各軍団には、軍団の兵士たちの勇気と団結の象徴として支柱の上に鷲の像を載せた徽章が一つ与えられていた。また、軍団に属する部隊や分遣隊には長い棒に数枚の金属製の円盤を装着した徽章や槍の上部に小さな四角の幟をぶら下げた徽章が与えられていた。英語の論文などでは、大抵standard（軍旗）が訳語として用いられているが、必ずしも旗ではないので、あえて軍徽章という訳語を用いた。これらの軍徽章を失うことはその軍団や部隊のみならずローマという国家にとって恥辱であると認識されていた。そしてローマ軍は、前一世紀に三回この軍徽章をパルティア軍に奪われていた。一回目は前五三年に第一回三頭政治の一員であったクラッススがメソポタミアに侵入してカッラエの戦いに敗れて戦死した際、二回目は前四〇年に第二回三頭政治のマルクス・アントニウスの部下が、前三六年にはアントニウス本人がパルティア軍に敗れて軍徽章を奪われていた。前二〇年にアウグストゥスが、これらのローマ軍の軍徽章と生き残っていたローマ軍兵士の捕虜を外交交渉で取り戻した。その功績からローマ元老院が凱旋式を認め、凱旋門の建設を許可したのである。

さて、この凱旋門の三つの門の内側（通路側）の壁面に「カピトリウムのコンスル表」が展示されていたと考えられている。東南側から広場に入る人々は、この凱旋門を通り、この長大な「コンスル表」を目の当たりにすることになったのである。

現代のローマ史研究者にとっての「カピトリウムのコンスル表」

「カピトリウムのコンスル表」は、古代ローマの歴史、とくに共和政期から帝政成立期を専攻する研究者にとって、まさしく自分たちの研究のための材料（史料）として製作されたもののように思える。古代ローマの歴史を研究していると、ある年のコンスルなどの公職者の氏名を確認したくなることがしばしば起こり、デグラッシーの編纂した「コンスル表」の刊本を手にとることはよくある。また残念なことに数多くある欠落部分をどのように補うかで、その年のローマの政治状況の解釈が大きく異なることもあり、研究者のあいだで激論が交わされることもある。そのような議論の一例を紹介したい。

前二三年のコンスル

前二三年は、アクティウムの海戦・アレクサンドリアの陥落など内乱での軍事的勝利によって成立したアウグストゥス政権にとっては、前二七年に続く二回目の制度改革のおこなわれた重要な年であった。アウグストゥスは、この年の途中に熱病に罹り危篤状態となり、内乱時代から毎年連続して就任してきたコンスル職を辞した。その後、奇跡的に回復したアウグストゥスは、辞職したコンスル職の代わりに護民官職権を与えられ、さらに彼の属州総督としての権限がほかの属州総督の権限に優越するもの（上級プロコンスル命令権）とされた。以後、この二つの権限はローマ皇帝の基本的な権限として三世紀半ばまで代々の皇帝に継承されうることになったのである。前二三年は、帝政前期（元首政期）の支配体制の制度的枠組みが確定した年であった。そして、この重要な改革のおこなわれた前二三年政治状況の理解が、「カピトリウムのコンスル表」の記述の解釈と欠落部の復元によって大きく変わる。

以下、まず「カピトリウムのコンスル表」での前二三年のコンスルについての記述を引用したい。

前二三年

七三〇年　神の息子、ガイウスの孫、インペラトル・カエサル・アウグストゥス一一回目が辞職した。彼の地位にプブリウスの息子、ルキウスの孫、ルキウス・セスティウス・クィリナリウス〔・アルビニアヌス〕が任命された。

アウルス・〔アウルスの息子、……の孫、〕テ〔レンティウス・ウァッ〕ロー・ムレナが〔……〕した。彼の地位にグナエウスの息子、グナエウスの孫、〔グナエウス・カルプルニ〕ウス・ピ〔ソー〕が任命された。

〔神の息子、ガイウスの孫インペラトル・カエサル・アウグストゥスは、自らがコンスル職から辞職したのちに、護民官職権を受けた。〕

ここで問題となるのは、アウグストゥスとともに前二三年一月一日に正規コンスルとして就任したアウルス・テレンティウス・ウァッロー・ムレナという人物の存在と傍点を付けた欠落部に記されていた辞職の理由である。

消えた前二三年のコンスルとアウグストゥス暗殺未遂事件

さて、じつはこのアウルス・テレンティウス・ウァッロー・ムレナという人物が前二三年の正規コンスルであることは、この「カピトリウムのコンスル表」からのみ知られる事実である。彼は、前二五年にその年のコンスルであったアウグストゥスの命令でローマ軍の往来を妨害していたアルプス山中の住民であるサラッシー族を征服したことが知られており、この功績からアウグストゥスの同僚として正規コンスル職を得たと推測できる。ところが、ほかの史料では前二三年の正規コンスルはアウグストゥスとグナエウス・カルプルニウス・ピソーであるとされているのである。そして、前二三年の年初に就任したアウグストゥスの同僚コンスルとしてのムレナという名前は、この時代の政治史を研究する者たちに古代ローマの著作家たちが伝えるある事件を思い起こさせるのである。

ちょうどこの頃、元老院管轄属州であったマケドニアの前総督のマルクス・プリムスを被告とする裁判が起こされた。訴因は在任中にローマの同盟部族に許可なく戦争を仕掛けたとの嫌疑であった。プリムスはアウグストゥスの了解があったと主張したが、法廷に召喚されたアウグストゥスは否定した。このアウグストゥスの証言に憤慨したプリムスの弁護人ムレナが「貴方はここで何をしているのか。そして、誰が貴方を召喚したのか」と問い、アウグストゥスは「国家のために〔私は来た〕」と答えたとされる。その後、ムレナは、ファンニウス・カエピオという悪名高い反アウグストゥス派の不満分子と共謀してアウグストゥスの暗殺を企てて処刑されたと伝えられている。なお、このムレナはアウグストゥスの信頼する腹心の部下マエケナスの妻の兄弟であったとも伝えられており、この事件以前にはアウグストゥス支持派とみなされていたと考えられる。

この陰謀を企てたムレナの姓名は、著作家によってさまざまに伝えられている。三世紀の歴史家ディオ・カッシウスでは「リキニウス・ムレナ」と、二世紀の伝記作家スエトニウスでは「ウァッロー・ムレナ」と、一世紀の歴史家ウェッレイウス・パテルクルスでは「ルキウス・ムレナ」とされている。そして、唯一、細かな年代を伝えているディオ・カッシウスは、この事件を前二三年ではなく前二二年の出来事であったと述べている。

二十世紀後半のローマ政治史を席巻した名著『ローマ革命』を著したR・サイムをはじめとした多くの研究者たちは、ディオ・カッシウスの年代を誤りであると断定した。そして、この裁判とアウグストゥスの暗殺未遂事件を前二四年から前二三年に起こったと考え、陰謀を企てたムレナこそ前二三年の正規コンスルであり、暗殺未遂事件のために断罪されてコンスル職から退けられたと推測した。この立場に立つと、前二三年のアウグストゥスのコンスル職辞任は、たんなる健康上の問題によるものではなく、アウグストゥス支持派の分裂をともなう政治危機のなかでおこなわれたと考えられるのである。アウグストゥスのコンスル職辞任は政治的譲歩・後退であり、少なくともアウグストゥスの権力が一時的に弱体化したとも捉えられるのである。この考えは、前二二年から前一九年までアウグストゥスが東方属州で過ごしていた事実と彼の留守中のローマ市の政治的混乱と整合的と考えられる。彼の留守のローマ市では政治・社会の混乱が表面化していた。前一九年のコンスル選挙では、市民たちの人気を集めていた有力候補者が、選挙を主催する現職コンスルに逮捕・処刑されるという事態にいたっていた。アウグストゥスは、混乱の極みに達していたローマ市に元老院と市民たちの歓呼のなかで帰還し、たちまち平和と秩序を回復して彼の政治的地位と権力は安定したとされるのである。

ところが、一九六〇年代にK・M・T・アトキンソンやM・スワンなどの研究者たちが、ディオ・カッシウスの記す年代を支持する論考を発表し、次第にその意見に多くの者たちが賛同するようになってきている。その場合、暗殺未遂事件を起こしたムレナは、前二三年のコンスルとは別人の「ルキウス・リキニウス・ウァッロー・ムレナ」という人物であるとされる。

「コンスル表」の欠落箇所の復元も、この前二三年の政治状況の理解に応じて異なってくる。十九世紀に編纂された『ラテン金石文大全 *Corpus Inscriptionum Latinarum*』では、「在職中に死亡した」(“〔in magistratu mortuus〕est”)との中立的な復元がなされている。しかしながら、サイムらの見解が支配的であった時期のデグラッシーの刊本では「在職中に有罪判決を受けた」(“〔in magistratu damnatus〕est”)と踏み込んだ復元がなされているのである。現在では、再び『ラテン金石文大全』の復元が多く採用されていると思われる。

筆者としては、卒業論文を執筆していた四〇年余り昔に、この事件をはじめて知ったとき以来、サイムらの政治史描写に魅力を感じている。プリムス裁判において、自派の前属州総督を見捨てて、冷徹に「蜥蜴《とかげ》の尻尾切り」をおこなうアウグストゥスの姿、そのアウグストゥスの言動に反発するアウグストゥスの同僚正規コンスルであるアウルス・テレンティウス・ウァッロー・ムレナの怒りはそれぞれに印象的である。さらに、アウグストゥス支持派が分裂し、その結果、アウグストゥスの暗殺未遂事件が起こり、それらにアウグストゥス自身の重病が重なり、権力の要であったコンスル職からの辞任を余儀なくされ、東方属州へ逃避することになるという政治的危機の筋書きは筋道がとおり、信頼するに足るように思える。最後に不在中のローマ市の政治的混乱を経て、歓呼のなかでの帰国と権力の確立という激動の展開は大変に魅力的である。

しかしながら、「カピトリウムのコンスル表」に記された前二三年の正規コンスルのムレナとアウグストゥス暗殺未遂事件の共謀者のムレナが別人であるとの議論には説得力があり、受け入れざるをえないと思われる。とすれば、前二三年のアウグストゥスのコンスル辞職は、重病という純粋に健康上の問題であったのか、共和政以来、元老院議員の政治的目標であった二つのコンスル職の一つをアウグストゥスが独占しつづけることへの反発を和らげるためという大局的な政治的判断によるものであったことになるのであろう。いささか面白味に欠けるのであるが、史実とはそのようなものであるのかもしれない。

「カピトリウムのコンスル表」の示す歴史観

前二〇年に元老院によって建設を許可された「アウグストゥスの凱旋門」は前一八年ないし前一七年頃には完成したと考えられる。完成した凱旋門は、付属する「コンスル表」をともなってローマ市の多くの人々の目の前に姿をあらわすことになった。「コンスル表」をはじめて見た同時代のローマの人々は、そこからどのような印象を受けたのだろうか。

「コンスル表」の印象

まず、複数のコラム、数多くの行数、膨大な字数からなる「コンスル表」自体が、非常に印象的なものであったに違いない。しかし、それはあくまで「コンスル表」を全体として眺めた印象であろう。細かな字で刻まれた個別の年々の記載に関心をもつのは、なんらかの特別な理由がある者たちに限定されていたと考えられる。具体的には、かつてコンスル職に就任した者、あるいは凱旋式を挙行した者を出した家系に属する者は、自分たちの先祖の名前を見出して、家の過去の栄光に思いを馳せたかもしれない。

一方、毎年の二名のコンスルの氏名の記述が示す基本的なリズム、五年ごとにローマ市民の人口・財産調査をおこなうケンソルたちの浄めの儀式の記述、左側の欄外にローマ数字で記された建国以来の年数を示す一〇年単位のリズム、一世紀に一回の世紀競技祭という四種類の時間のパターンは、共和政ローマの安定した歴史のリズムを表現していた。そして最後のコラムでは、毎年繰り返してアウグストゥスの護民官職権の回数(保持年数)がコンスルの氏名に先立って冒頭に記されるようになったことが帝政成立という大きな歴史の転換をあらわしていると考えることができる。

イギリスの研究者A・ラッセルは、最近の論文のなかで、「コンスル表」の記載事項が織り成している構造自体は新奇なものであったが、その伝える歴史像は安定的であって理解可能かつ固定的なものであるとする。そして「コンスル表」を見た者たちは、共和政の過去と伝承を回顧し、それらとアウグストゥス時代の現在と将来の関係を変革ではなく継続性の観点から認識しただろうとラッセルは述べる。

誰が「コンスル表」をつくったのか

さて、この「コンスル表」の製作を主導したのは誰であろうか。まず考えられるのは、皇帝アウグストゥス本人であろう。この「コンスル表」が刻まれたのが「アウグストゥスの凱旋門」であるとの想定が正しいとすれば、アウグストゥスの功績を称えるための建造物上に展示されていた「コンスル表」もアウグストゥスの意向を反映していると考えられるのである。「アウグストゥスの凱旋門」が完成したと考えられる前一八年ないし前一七年頃は、アウグストゥス政権がようやく安定して、ローマの政治と社会の安定のためのさまざまな政策を実施し始めた時期である。前一九年に東方の属州からローマ市に帰還したアウグストゥスは、留守中のローマ市の政治的混乱を収拾するとともに、社会(倫理)立法と呼ばれるローマ市民や元老院議員のモラルの向上や結婚と出産を奨励する一連の法律を制定し始めた。また、前一七年には一世紀に一回開催される「世紀競技祭」をその開催周期のいささか強引な再解釈に基づいて開催した。「アウグストゥス凱旋門」と「カピトリウムのコンスル表」も、時期的には、これらのアウグストゥスの政策のなかに位置づけることが可能と考えられる。前二三年に獲得した護民官職権に代表されるアウグストゥスの権力を前六世紀初頭に遡るコンスルたちに結びつけ、共和政との継続性を強調することによって正当化していると考えることができよう。このようなアウグストゥス政権の歴史観は、のちに中央広場の北側に建設されたアウグストゥス広場に共和政から王政期にまで遡るローマの過去の偉人たちの彫像と顕彰文を展示したことにもつながるといえるだろう。

ところが、先述のラッセルは、この「アウグストゥスの凱旋門」と「コンスル表」の作成を決断したのは、アウグストゥスではなく元老院であり、元老院が彼ら自身の歴史観とその歴史のなかでの自分たちの世代の位置を提示したと主張している。彼女は、アウグストゥス時代は一枚岩ではなく、その文化的産物のすべてが皇帝の権威主義的イデオロギーの表明から発しているのではないとし、元老院の役割を考慮することによってこの「コンスル表」からもう一つの歴史の枠組みをたどることができるとも述べる。また同時に、ラッセルは帝政成立期にコンスル職の性格と地位が大きく変容したため、コンスル職に対する懸念が深まっており、まさしく共和政的な組織である元老院とその構成員たちがもっとも痛切にその懸念を感じており、元老院議員たちがコンスル職と凱旋式の伝統の継続を賛美し、大胆に再強調することでその懸念に応えようと決意したとも主張する。アウグストゥスの勝利を祝う凱旋門に元老院の歴史観をあらわす「コンスル表」を付け加えたと考えるのである。さらに、彼女はこの「アウグストゥスの凱旋門」に刻まれた没個性的な「コンスル表」は帝政期における元老院の集団的アイデンティティの形成の現れであるとして、元老院はもはや互いに競い合う個々人が集まっただけの存在ではなくなったとも述べる。

「コンスル表」の歴史的位置

さて、この「カピトリウムのコンスル表」の製作を主導したのが、皇帝アウグストゥスであるか、独自の歴史観をもつ元老院であるかの問題にはっきりと答えるのは難しい。あえていえば、元老院の独自の歴史観や新たな集団的アイデンティティの形成もまたアウグストゥス時代の大きな変革の一部をなしていると考えることができる。前一九年に東方属州から帰還して以来、アウグストゥスは、自らを共和政、さらには王政期やローマの建国以来の伝統を受け継ぐ者として、その支配の正統性を主張していた。この点で元老院の歴史観とは必ずしも矛盾していない。

また、個々の元老院議員に関していえば、前一九年頃からアウグストゥスは共和政時代にローマの政治を主導してきた元老院議員家系の出身者を積極的に登用する姿勢を示していた。妻リウィアと前夫とのあいだの息子であるティベリウス・クラウディウス・ネロと弟のデキムス・クラウディウス・ドゥルススの兄弟、さらにルキウス・ドミティウス・アヘノバルブスなどの共和政時代の名門元老院家系出身の若者たちが、アウグストゥスの命令で辺境において軍を率いて功績を挙げ、さらにコンスル職へと昇進していったのである。ティベリウス・クラウディウス・ネロは、いうまでもなくのちの第二代皇帝ティベリウスであり、ルキウス・ドミティウス・アヘノバルブスは、アウグストゥスの姪である小アントニアと結婚するが、彼は第五代皇帝ネロの直系の祖父にあたる人物である。

さらに、アウグストゥス時代後期の前二年からは、毎年二人の正規コンスルに加えて補充コンスルが必ず選ばれるようになったことが知られている。当初、その補充コンスルの数は一定ではなかったが、やがて例年のように四から六名が選ばれるようになる。この慣習は、皇帝が帝国を統治するに必須な職務、皇帝管轄属州に派遣される代理総督(レガトゥス・アウグスティ)やローマ市の水道管理長官などにあてる人材に必要な資格としてコンスル職の経験を求めたからであると考えられている。帝政期の元老院は集団としても、個々の元老院議員としても、皇帝のもとに再編成され始めていたといえる。

この「カピトリウムのコンスル表」は、ある意味、過渡期であるアウグストゥス時代中期の歴史的状況を反映した史料であるといえよう。詳しい政治経過は別にして前二三年から前一九年の一連の出来事の結果、アウグストゥスの政治的地位は安定を獲得していた。いまだアウグストゥス体制の未来、アウグストゥスが亡くなったのちの体制継承の問題は不明瞭であったが、少なくともアウグストゥスの生存中は彼の支配体制が続くことは確実視されるようになっていたと思われる。そのような状況のなか、有力家門出身の若手の元老院議員たちはアウグストゥス体制のなかで優位を得るべく競争し始めていた。元老院も個々の元老院議員もアウグストゥス体制のなかでの生残りの途を真剣に模索していた時期であったのである。

参考文献

Kathleen M. T. Atkinson, "Constitutional and Legal Aspects of the Trials of Marcus Primus and Varro Murena", *Historia: Zeitschrift für alte Geschichte*, Bd. 9, 1960, pp. 440–473.

Attilio Degrassi (ed.), *Fasti Capitolini*, Torino, Libreria Paravia, 1954.

Michael Swan, "The Consular Fasti of 23 B. C. and the Conspiracy of Varro Murena", *Harvard Studies in Classical Philology*, vol. 71, 1967, pp. 235–247.

Ronald Syme, *The Roman Revolution*, Oxford, University Press, 1939.

Lily Ross Taylor and Louise Adams Holland, "Janus and the Fasti", *Classical Philology*, 1952, vol. 47, pp. 137–142.

Amy Russell, "The Augustan Senate and the Reconfiguration of Time on the Fasti Capitolini", in Ingo Gildenhard, Ulrich Gotter, Wolfgang Havener and Louise Hodgson (eds.), *Augustus and the Destruction of History the Politics of the Past in Early Imperial Rome* (Cambridge Classical Journal Supplementary Volume 41), Cambridge, Cambridge Philological Society, 2019, pp. 157–186.

中世イタリアの書簡史料との日々
史料との出会いと格闘

亀長　洋子

以前、『〔増補〕歴史遊学』に寄稿する機会があった際、自分が長年にわたり格闘してきた公証人文書についての文章を書かせていただいた。公証人文書は、自分の研究生活の中核となった史料であるが、研究対象として、はじめて真剣に取り組んだ史料は、公証人文書ではなく、書簡史料だった。若き日の書簡史料への挑戦は、私にとっては苦悩ときらめきに満ちた思い出である。そしてまた縁あって、近年私は新たに書簡史料に取り組んでいる。

書簡史料については、中世イギリス史の研究者たちが「書簡」を広義に捉えて、文書史料研究とコミュニケーション研究との橋渡しを考える科学研究費でのプロジェクトを企画するなど、中世の史料としてその性格や歴史史料としての価値を再考する動きがみられる。中世イタリア史においても、縁故による頼み事を綴った市民の書簡や、商業書簡・商業通信と呼ばれる史料を分析しての論考も複数の研究者によってなされている。書簡と呼ばれうるものが属する類型は幅広い。商業書簡や家族・友人とのやりとりといった私文書の色合いの濃いものなどは、イギリスの有名なパストン家の書簡集やイタリアのダティーニ家の商業史料に含まれる書簡、知識人の書簡などを除けば、一系統の書簡が大量に残存しているものは少ないだろう。組織が発する書簡になると、命令・通達文書との差異も含めて、定義自体も曖昧になるだろう。書簡というカテゴリーを広義に捉える、という視点にもうなずける。

本稿では、読者としての学生を意識し、私自身の書簡史料への取り組みの経験から、初学者と史料との関わり、研究を進めていくうえでの諸条件、書簡史料のおもしろさなどを綴りつつ、歴史分析の過程の一端を示したい。

中世後期フィレンツェの女性が書いた書簡との格闘

私が大学の専門課程に進学した一九八〇年代は、社会史の隆盛の時代であった。歴史書のコーナーには社会的結合、魔女、歴史人類学など華やかなテーマの書籍があふれていた。そのなかで、家族史や女性史に関する研究は、身近で肌身に染みるようなテーマとして当時の私の心を捉えた。もともと地域として関心のあった中世のイタリア史は、西欧中世史全体のなかでも世帯構造などが膨大なデータをもって判明する一四二七年のカタストと呼ばれる徴税台帳や、家の覚書と称される家族に関する記録類といった豊富な史料などを有するフィレンツェ史において、家族史研究の名著がいくつか生まれていた。

刊行された覚書史料については当時日本でも入手でき、日本語の論文でもいくつか詳細に分析されたものがあったので、それ以外の史料を用いて、何か卒業論文が書けないかと模索していたとき、私は一つの書簡史料集に出会った。出会いのきっかけは、口コミである。中世イタリア史研究の大家であるS先生が主催された小さな読書会の末席に連ならせていただいており、そのとき、「家族史や女性史に関心が芽生え始めた」とお話ししたところ、フィレンツェの女性が書いた書簡集の刊本をもっていると教えてくださった。女性が書いたものがある、というのを聞き、是非とも読んでみたいと思い、お貸しくださるようお願いした。緊張した面持ちでご自宅まで本を借りに行ったことを今でも覚えている。

お借りしたのは、著者は寡婦であるアレッサンドラ・マチンギ・デッリ・ストロッツィ、編者チェーザレ・グアスティによる『十五世紀フィレンツェのある貴婦人が追放された息子たちに宛てた手紙』という書簡集である。これはフィレンツェの国立古文書館所蔵のストロッツィ家史料群所収の史料であり、一八七七年に七二通分、九〇年には、ストロッツィ家とコルシーニ家の結婚を祝して未編纂だった一通が刊行され、一〇〇年近く経った一九七二年に合わせて再版された。ストロッツィ家は中世以来のフィレンツェの有力家系であり、十九世紀になって結婚式の記念に史料の追加出版ということにも当時ロマンティックなものを感じたものだった。扉には編者が「イタリアの女性たちへ。あなたたちがこの本を心を込めて読むことを願う」と書いており、序文には編者が愛情をもって自身の手でこの手紙を転写した話、いかにもフィレンツェ史らしい人文主義者のダンテ、マキァヴェッリ、画家ジオットやフラ・アンジェリコへの言及、そして女性や家族の生活への編者の関心などが書かれていた。

続く本文の書簡には、さまざまな説明註がついており、書簡の背景がある程度理解できた。S先生が私にこの本を貸してくださった際、この本を先生ご自身はお読みになっておられなかったようで、パラパラと眺めてひとこと、「索引がないですね」とおっしゃった。そのことの重大さが、正直当時の私にはよくわかっていなかった。索引の活用は、功罪あるものだが、ないものは活用の仕様がない。この書簡集を集中的に扱った先行研究もないなか、何はともあれ、最初から一通ずつ読んでいくことにした。

この史料の読解にはとにかく苦労したという思い出がある。いくつかの理由がある。第一に、当時の自分自身の語学力のなさである。手紙というのは、口語的な雰囲気をともなう文体であるが、必ずしもかっちりとした文章構造にはなっていない。そうした文体のイタリア語を読むのははじめてで、挿入されるような口調など、自分の感覚で読んでいるのが正しいかどうか、不安がつきなかった。

そして、あとになって気づくのだが、この書簡は、読みづらいものだったのである。それがわかったきっかけはいくつかある。のちにこのとき書いた卒業論文を学術雑誌に掲載してもらったのだが、それを読んだ中世イタリア社会史研究の大家で、留学経験も長く、フィレンツェのさまざまな俗語史料を読みこなしておられたT先生が、この書簡集について、「あれは読みづらいでしょう」とおっしゃったのである。尊敬するT先生のこの言葉で、自分自身の語学力のなさだけが自分が苦闘した原因ではなかったことがわかり、私は肩の力が抜けたが、同時に、史料選択の重要性をあらためて考えるようになった。

執筆者が女性であったのも、この書簡史料が読みづらかった一因と思われる。フィレンツェでは、格調高い文体の人文主義者たちに限らず文を書く文化が存在しており、商業帳簿や覚書などを多くの商人が書き残したが、女性の場合、そうした能力を身につけている人の比率は低かったと思われる。この書簡集では、反メディチ派とみなされ政治的に追放されてナポリにいる息子の花嫁探しにフィレンツェに残っている母アレッサンドラが邁進《まいしん》し、息子に候補者情報をいろいろ伝えているのだが、その際、女性の長所として、識字能力の高さを述べている。この記述部分は、中・上層の家庭でも、それが褒め言葉になるほど、女性は読み書き能力は低かったと解釈されたりもする。

書簡史料は、当事者以外に前後関係がわかりにくい性格の史料だということも、当時実感していた。史料集所収の書簡はほとんどアレッサンドラが息子に宛てたものであった。やりとりがなされているようではあるのだが、息子からの返信に関する情報は、註記部分で説明がある場合はあれど、ほとんど含まれていない。何の話題なのか今一つわからず、お手上げの部分もでてこざるをえなかった。相互コミュニケーションの存在を半端な形で知らされて解釈することの辛さを体感することになった。

読みこなせたかどうかはさておき、何とか目をとおしたあと、私は指導教員のK先生に卒業論文の進展具合を伝えた。先生と相談した際、ただの女性史だとありきたりのものになりやすいということで、当時研究も少なかった寡婦《かふ》という地位の女性に注目する方向で卒業論文をまとめることにしていた。そうした視点で寡婦であるアレッサンドラの書簡から寡婦ならではの有意義な情報が得られるかと期待していたのだが、おもしろいエピソードになるような話は当時の私にはあまり拾えず、先生も、「あまりおもしろい話はでなかったんだなあ」とおっしゃった。暗い顔をして言葉少なに目の前にいる私を見て、先生は明るく、史料のなかにとどまるだけでなく、いろいろな事象を関連させて論文を仕上げることを勧めてくださった。社会史と法制史の連関の必要性も卒業論文作成の際に先生から賜ったご指導の一つであり、その後の私の研究スタンスとして重要な意味をもつことになる。

公証人文書との時間

この書簡史料の検討を学部時代に終えて、私は大学院に進学した。進学してからは、新たな方向性を模索していた。その理由については、自著を刊行した際にあとがきで書いたことがあるのでここでは多くを省略するが、史料については、書簡史料を扱うことについて、前述のような経過のなか、やや疲れた感があったのは事実である。また、フィレンツェ史でおもしろいと思った研究が、公証人文書を用いてのものだったので、公証人文書を読みたいと思っていたからでもある。その後私は、公証人文書が数多く刊行されていて日本の大学図書館にも所蔵されていたジェノヴァ人公証人登記簿を主要史料として用い始めた。博士課程に進学し、留学してからも、古文書館での調査は公証人登記簿を中心におこなった。『〔増補〕歴史遊学』に書いたように、公証人文書の残存状況の種類、含んでいる多様な内容のおもしろさに惹かれ、次々と分析視角のイメージが湧いてくるといった幸福な時間を過ごした。帰国し、博士論文を完成したあとも、公証人登記簿の検討からなる論文執筆は続いた。ジェノヴァの場合、ジェノヴァ本国で作成された公証人登記簿のみならず、地中海・黒海沿岸部の各地・そして大西洋岸のカナリア諸島においてまで、ジェノヴァ人が作成した公証人の文書が刊行されている。そうした史料を、それぞれの地域事情を意識しつつどう扱うかを考えるのはとても楽しい。

再び書簡史料へ——居留地の世界

月日は流れ、私は三〇年ぶりに書簡史料に取り組む機会を得た。研究テーマについては、自分でまったく自由に設定する場合もあれば、共通テーマを立てて、自分の専門分野のなかから共通テーマに関連する論考を提示して共同論文集をつくり、そのテーマの発展に貢献するという場合もある。とあるテーマの研究企画に誘われた際、自由な発想でそのテーマに挑みたいと思い、何か史料集を決めてその全体を通じての分析結果からテーマに対してなんらかの貢献ができるようなものをと考えた。写真を撮影したまま手つかずの古文書群の検討も考えたが、共同論文集の場合、締切りを厳守しないと多くの方々に迷惑をかけるというプレッシャーがある。期限厳守を優先して、読解に時間がかかる可能性がある古文書の利用は諦めた。手元にはジェノヴァ史にかかわる刊行史料は山ほどある。多くは自分で購入したりコピーをとったりしたものだが、ごくたまに、人様から頂くことがある。史料選別の際、直感的に私はある頂きものの史料を選んだ。

この史料集は、ラウラ・バレット編『ロマニア監督局の書、ジェノヴァ、一四二四〜一四二八年』(ジェノヴァ、二〇〇〇年刊)である。この本の編者のバレット氏は、私の留学時代にはジェノヴァ大学の准教授であられた。ご著書や論文を拝読していたことはあったが、留学中、ご本人とは交流がまったくなかった。留学中、私は毎日おもに国立ジェノヴァ古文書館に通っていたが、地元にいる大家は連日一般閲覧室に通ってくるというわけでもなく、また史料の閲覧請求・貸出・返却時に名前が呼ばれるわけでもないので、顔と名前を一致させる機会が通常はない。そうしたなか、名前と顔を一致させる機会で重要なのは、静かな閲覧室で人々が時折交わす会話である。

留学を終えて数年後、私は国立ジェノヴァ古文書館を訪れていた。デジタルカメラが普及する時代に入り、文書館で大量の古文書を撮影することも可能になった。あるとき、一つの公証人文書の束を借り出して一枚一枚ひたすら撮影していると、ある女性が私に声をかけてきた。私が撮影している史料を自分も見たいらしく、いつまで利用するつもりかを聞かれた。私は短期滞在で今日中にすべてを撮影するつもりであると返答した。そのやりとりのなかで、相手は自分がラウラ・バレットであると名乗った。私ははじめてバレット氏を認識してうれしく、自分も名乗り、関心領域を話したのを覚えている。そのとき、名刺を渡したのか、後日自分の英語論文を大学宛にお送りして連絡先を知らせたのかよく覚えていないが、あるとき、この史料集がバレット氏から自宅に送られてきたのである。

私は狂喜乱舞した。さしたるコミュニケーションをとったこともなかった方から分厚い史料集を送って頂いたのは望外の喜びであった。また、貴重な本でもあった。この本も含め、中世ジェノヴァ史の史料の多くはジェノヴァ大学など大学やローカルな研究機関から刊行されているが、発刊部数も少なく、市販の流通ルートに乗らないことが多く、新刊刊行情報も得づらく、入手は容易ではない。今はネット上での書店や古書店が存在し、海外の図書館の蔵書検索も容易になり、少しは入手ルートの幅が広がったが、この史料も含め、発行部数の少ないものは古書ルートにも乗りづらい。頻繁にジェノヴァに赴き、地元の書店(ここにも流通するとは限らない)を訪れるのも多忙な研究教育生活のなか容易ではない。

しかし入手を喜びつつも、贈られた史料集のタイトルに含まれる「ロマニア監督局」という言葉を見て、ロマニアという地域に関心はあったものの、ロマニア監督局に関心があったわけでもなく、公証人文書のほうに心が傾いていたこともあり、中身をきちんと見ないまま時が流れた。そうしたなか、前述のように共同論文集への寄稿依頼があり、突然思い立って、私はこの史料全体を検討しようと考え始めた。この本の表題に含まれる「ロマニア」というのは、「ローマ」に由来する史料用語の地名であり、「ローマ帝国」を自称しつづけるビザンツ帝国にとって理念的支配領域を指すとされ、実態としては、黒海・エーゲ海の沿岸部辺りを指す。現在私の関心を惹いているのは、中世ジェノヴァ人の商業や居留地上重要であるこのロマニア地域である。その名を冠した史料であり、かつ慣れ親しんだ公証人文書ではないということで、私はこの史料を思い出し開いたのである。

この史料集は「ロマニア監督局」というジェノヴァ政府内の部局名を冠しており、おそらく監督局関係の議事録や監督記録であろうと想像してこの史料集冒頭の解説を読み始めたところ、書簡集であることがわかった。ああまた、前後関係がわからなくて苦悩する時間が始まるのか、と若い日の苦労が一瞬頭をよぎる。しかしページをめくると、私が気にしているジェノヴァ人居留地の地名が次々と目に飛び込んでくる。数多く存在するロマニア関係の刊行史料のなかでも、この史料集はあまり脚光をあびておらず、先行研究も少ないため、開拓の余地がありそうな気もして、よし、この史料にしよう、と私は覚悟を決めた。

この刊行史料集は、中世ジェノヴァ政府内のロマニア監督局に保存された書簡の転写集である。対外進出史は中世ジェノヴァ人史の王道ともいえる分野であり、この分野の大家ジェオ・ピスタリーノの指揮下、彼と彼のもとに集った研究者が同分野に関する史料集を数多く編纂してシリーズ化してジェノヴァ大学から刊行した。本史料集もその一つである。

史料集の書簡の期間は一四二四年から二八年にわたり、二九七の書簡と補遺が含まれている。現物は国立ジェノヴァ古文書館に保管されている。この部局関連の同類型の書簡転写集は、この二九七文書以外には、一四五〇年十一月からコンスタンティノープル陥落当日にあたる五三年五月二十九日までの三七文書が残存しているだけである。この史料が刊行されたのははじめてではない。ジェノヴァ人の歴史において、ロマニアへの対外進出については、イタリア、フランス、ドイツ、ルーマニアの研究者などにより、古くから研究のある分野であり、史料もしばしば刊行されてきた。しかし、古い時期には史料刊行の方針に一貫性がなく、企画者の好みにより史料を抜粋して刊行しているものも少なくない。そうしたなか、重要な史料については、再編纂して一つの史料群をもらさず刊行するという動きもみられる。バレット編の史料も、そうした形で企画されたものであろう。中世ジェノヴァ史関連の文書史料の刊行においては、ラテン語の文書の一つ一つに現代語(イタリア語、フランス語など)による数行の内容要約をつける慣行があり本書もそれを踏襲している。充実した索引もついていて、利用者にはありがたい。

史料集のなかを見始めると、今回は公的な色合いの濃い書簡なので、趣が以前とは異なることに気づく。書簡史料の個性としておもしろいのは、差出人と宛先である。この書簡転写集では、宛先としては、多くの書簡において、ジェノヴァ統治官、ジェノヴァの最高議会である長老会、そしてロマニア監督局が連名であらわれる。刊行史料の期間はジェノヴァがミラノに軍事占領されていた時期であった。ミラノ公の指名した人物がジェノヴァ統治官として都市政治における最上位の地位に就任していたが、ジェノヴァの統治自体はジェノヴァ人によって構成される議会や官僚組織によってなされていたと評価されている。長老会や担当部局であるロマニア監督局も連名で名を連ねているところをみると、実権を握っているのはジェノヴァ人なのだろうなとあらためて感じさせられる。

宛先は、私の関心をもっとも惹いた記載部分である。カッファ(クリミア半島沿岸部の港町。現フェオドシア)、ペラ(コンスタンティノープルの郊外。現在イスタンブルのガラタ地区)、キオス(エーゲ海の島)といったロマニア世界における代表的なジェノヴァ人拠点に加え、キプロス島のジェノヴァ人支配地であるファマゴスタも頻繁にあらわれ、ビザンツ皇帝、トルコのスルタン、エジプト、エーゲ海のレスボス島など地中海世界の諸勢力宛の書簡もこの史料集には含まれている。宛先を見ているだけで、地中海・黒海世界のあちこちに出向いていたジェノヴァ人の足跡が浮かび上がるようで、好奇心が高まる。

宛先をさらに細かく見ていくと、カッファ、ペラ、キオス、ファマゴスタなど、ジェノヴァ政府が居留地行政を施行していた地域では、居留地にいて行政を担当する代官、会計官、監査官、居留地の議会、居留地の諸団体など、現地で暮らして居留地行政にかかわる人々が登場する。これも見ていて心湧き立つものがあった。これまで、居留地の公証人登記簿を検討したなかでは、取引や財産移動などに関しての居留地の住民個々人の活動が見えた。そのなかで司法を担当する存在として代官があらわれることもある。また居留地統治に関する都市条例などもわずかながら残っており、そのなかには居留地行政の役職についての規定も含まれる。しかしながら、居留地行政の役人たちが実際にどういう具体的な任務をおこなうと想定されていたかはいま一つはっきりしない。また、個々人ではなく集団としての居留民の様相を考える手がかりもこれまで見た史料のなかに発見するのは難しかった。少なくとも、この書簡史料からは、議会が統治においてなんらかの役割を果たしていた可能性がみえ、諸団体という表現には、居留民がなんらかの集団を形成していたことがわかるのである。捉えにくい居留地の人々のイメージが私のなかで具体化する契機をこの書簡集は与えてくれたのである。

とはいえ、思いどおりの情報が入っている薔薇色の史料など、それほどあるものではない。古い時代であれば尚更である。いくつか書簡を読み進めると、かつてフィレンツェ女性の書簡史料を分析したときと同じ苦悩が、私のなかに蘇ってきた。どんな研究文献にもでてこない組織名もでてくるし、また前後関係がわからないのである。特定の案件に対して、つながりがあるとみられる複数の書簡が存在することはあるが、書簡だけみていては、書簡内の案件の顚末《てんまつ》がわからないことがほとんどである。それでもこれは行政関係の書簡ゆえ、案件自体が定番の内容であり、定式化された文書史料の雰囲気をもつ書簡もある。一方で外交書簡としての内容をもつものなどは、叙述史料としての色合いが濃くなる。送り先の君主の反応もとても気になるが、史料からはわからない。史料の語る世界に限界があるなか、それが提示する内容から何を語りうるのかが歴史家の腕の見せどころである。そのために、書簡史料分析に限ったことではないが、ほかの史料や研究文献を参照して検討するのは必須であり、関連するかもしれない情報に幅広くアンテナを張っておくことは重要である。

限界はあるものの、この史料は、書簡ならではは、のおもしろみを私に味わわせてくれるものでもあった。公的機関が発する書簡であり、書簡のなかには、居留地行政の役人の任命、期間、俸給など、定型表現に近いものもないではない。しかし時折、事実関係を伝えるだけでなく、そのなかにさりげなく感情や意志をあらわす表現が混入しているのである。

例えば、驚きを示す表現がある。一四二五年二月一日付の書簡で、ジェノヴァ本国側はキプロスのファマゴスタの居留地最高指揮官などに宛てて、居留地統治の役職の一つであるカポラーリ(伍長)八名を選出し順次任命するよう命じた。しかし、ファマゴスタの居留地政府側が八名のうちの一人であるフランチェスコ・ブルガーロという人物をカポラーリとして遇していなかったらしい。一四二六年一月十四日付の書簡では、ジェノヴァ本国政府側は、短い文面のなかで、本国政府側の指示を無視した居留地行政府による任命不履行について「驚きを隠せない」(ラテン語でNon possumus non mirari)とあえて表現し怒りを示し、罰則まで指示している。こうした驚きや怒りの表明は、ジェノヴァ政府の統治観や外国人支配における摩擦を考える一つの指標になるように思われる。

また、賞賛の言葉を付していることもある。一四二八年一月二日にカッファの領事などに送られた書簡では、ジェノヴァ市民ランフランコ・テュルテュリーノをカッファの門や材木などの管理を扱う役職に任命するに際して、「過去の勲功と称賛すべき活力ゆえに」(ラテン語でQuoniam, suis precedentibus meritis et virilitate laudabili)と任命理由に彼への賞賛の言葉をさりげなく付している。任命の書簡は数多いなか、あえてこの書簡にはこの語句が挿入されている。彼はなぜ称賛されているのだろうか。恩賞として得たこの職は、どういうものなのだろうか。ジェノヴァ政府のさりげない感謝の言葉からさまざまな興味関心がふくらむ。

ときには、ジェノヴァ政府側のみならず、居留民の感情を手繰り寄せることができる書簡も存在する。一四二七年五月五日に、ジェノヴァ政府側がファマゴスタの最高指導者であるカピタネウスに宛てた書簡がある。ミケーレ・デ・ガルヴァーノという人物の請願、そしてミケーレの妻の涙に同情して彼に与えた権限の通達である。ミケーレがファマゴスタに赴くことと、それにともなう女奴隷や庶出の娘の移動が話題になっている。ミケーレがファマゴスタに赴くにあたり、二名の女奴隷を同伴するなら、ミケーレはファマゴスタでもうけた庶出の娘四名のうち二名と女奴隷一名をジェノヴァに送ることができ、そしてもしミケーレがファマゴスタに連れて行く女奴隷が一名だけなら、その場合、ファマゴスタにいる庶出の娘一名と女奴隷一名をジェノヴァに送ることができるという内容である。書簡の末尾には、この命令が誰によっても妨害されずに遵守されるよう念を押した表現も付されている。

不可思議な内容だらけの書簡である。内容を読むとまったく私的なことのようにも思える。この案件がなぜあえて請願を経てジェノヴァ政府から通達されるのだろうか。居留地でもうけた庶子を本国に連れてくること、もしくは奴隷を本国に持ち込むことになんらかの規制があるのだろうか。そして、妻の涙に共感して(ラテン語で misericorditer inclinati et precipue lacrimis eius uxoris compatientes)とあえて書いているのはなぜだろうか。泣くほど辛かった妻のこだわりは何なのだろうか。内容をみると、ジェノヴァには、女奴隷と庶出の娘のうち、二名ジェノヴァから出て行くと三名が送り込まれ、また一名が出て行くと二名が送り込まれることで合意が得られているようである。数の合計のみをみると、庶子も女奴隷も扱いに差がないようにすら思える。庶子の扱いについては、イタリアの場合必ずしも低いとも限らない事例もあるが、居留地でもうけた庶子の扱いとはどのようなものなのであろうか。本国の本宅で生まれたような庶子と育ちが異なるゆえ扱いも異なるのだろうか。また、異例なことをおこなう理由として「妻の涙」があえて記載されるのも興味深い。こうした女性の訴えが受け入れられるような背景にある女性観・家族観は何なのだろうか。疑問と興味が際限なく湧き上がる。

中世ジェノヴァ人の対外進出については古くから重厚な蓄積がある研究分野だと述べたが、前提となる居留地世界の行政・商業・生活慣行の解明はまだまだ未開拓である。ここで取り上げた書簡からは、公と私の関係、居留地での私生活、女性史、近年流行しつつある感情史など、この一つの書簡をとおして検討すべき話題が次々と浮かんでくる。解明するには多くの時間を要しそうだが、史料が背景に有している世界の広がりの豊かさを知る貴重な経験をこの書簡史料から私は得ることができた。

書簡史料との日々を振り返り、明日に向かう

本稿の執筆を通じて、書簡史料とは何かを再び自分に問いかけた。あらためて、歴史学とは蓄積の学問であると実感する。かつて苦しんだアレッサンドラの書簡集をあらためて本稿のために開いたとき、私のなかにはかつてとは異なる感情が湧き起こった。当時より、イタリア語力が少しは高まった結果、穏やかな気持ちで彼女のイタリア語の文章を眺めることができる。そして、卒業論文の主題には盛り込めなかったけれど当時からおもしろいと思っていた事象や、かつての関心とは異なる興味深い点が次々と目にとまる。政治情勢について付されている丁寧な註を見つつ、アレッサンドラの息子たちや娘婿がその後獲得するフィレンツェ政治史での位置づけは気になるところであるし、女性のネットワークの問題に絡めた家族史をもっと展開したい気にもなる。自分自身が再びフィレンツェ史を手がける予定はなく、この史料に再び本格的に向き合うことがないのは残念だが、この書簡も歳月のなかで脚光をあびる機会を得てきている。一九八七年には彼女の史料のイタリア語版らしきものも刊行されていたことが判明したし(当時私は気づいていなかった)、九七年には英訳つきの抜粋史料集も刊行された。またこの史料に注目する研究者も増え、二〇〇〇年、二〇年には、それぞれこの史料集を軸にした研究書が英語、ドイツ語で刊行されている。

ジェノヴァの居留地宛の書簡については、この書簡集から何を語りうるかはまだまだ模索中である。書簡という形式の史料を通じてのロマニア研究の可能性との格闘でもあり、また、政治・商業・社会など、個別内容に踏み込んだ分析も試みうるだろう。書簡の伝える情報の限界打破のためには、同時代のほかの刊行史料や研究文献との可能な限りの照合や検討も必要になるだろう。卒業論文のために史料に取り組んだ日からも、また教壇に立ち史学科の学生を指導する

ようになってからもそれなりの歳月が流れた。それでも何かの史料を徹底的に取り組もうと心に決めたときに今も私のなかにこだまするのは、「自分で方法論を考えろ」と学部生の私に語った恩師K先生の言葉である。学生であっても研究職であっても、研究に対する姿勢に差はない。自分の奥底から醸し出される深い問題意識。さまざまな方々との研究交流。背景となる世界の情報収集。方法論を考えながら孤独に史料と向き合う時間。そのあとに見出せる新たな発見。一つ一つが生かされて学術的な研究成果に結実するそのときを待ちつつ、今後も史料に向き合う日々を充実させていきたい。

参考文献

Alessandra Macinghi negli Strozzi, *Lettere di una gentildonna fiorenthina del secolo XV ai figliuoli esuli*, pubblicate da Cesare Guasti, Firenze, Sansoni, 1877, ristampa, Firenze, Ricosa, 1972.

Laura Balletto (ed.), *Liber Officii Provisionis Romanie (Genova, 1424–1428)*, Genova, 2000.

「中・近世西欧における書簡とコミュニケーション――行政・法・宗教そして社会」科学研究費補助金基盤研究（B）（一般）、研究代表者　新井由紀夫、二〇一五年〜二〇一八年度

新井由紀夫『ジェントリから見た中世後期イギリス社会』刀水書房、二〇〇五年

亀長洋子「中世後期フィレンツェの寡婦像――Alessandra Macinghi degli Strozzi の事例を中心に」『イタリア學會誌』第四二号、一九九二年

亀長洋子『中世ジェノヴァ商人の「家」――アルベルゴ・都市・商業活動』刀水書房、二〇〇一年

齊藤寛海『中世後期イタリアの商業と都市』知泉書館、二〇〇二年

徳橋曜「中世フィレンツェの人間関係」二宮宏之編『結びあうかたち――ソシアビリテ論の射程』山川出版社、一九九五年

閲覧室の経験、文書の手触り

エクス、アルジェ、パリ

工藤 晶人

最初の史料館

フランスで大学院に入学して最初の年、エクス＝アン＝プロヴァンスで文書館に通い始めた。冬でも刺すような日差しのなか、旧市街を出て南斜面の坂道を下っていく。外環道路の手前で小道にそれてすぐのところに、フランス国立公文書館の海外部門分館がある。[1] 一九六〇年代に、植民地から引き揚げられてきた公文書の仮保管所として始まった文書館は、九〇年代に改築されて小綺麗な建物になっていた。屋外はいつも目を細めたくなるほどに眩しい。エントランスホールの薄暗さが心地よく感じられた。

十九世紀アルジェリアの入植史を研究するという計画をもって留学した。指導教官として受け入れてくれた一人目の先生は、サハラ以南アフリカのイスラーム史を専門とするジャン・ルイ・トリオ教授である。物静かで、ときおり眼鏡の奥から射るような視線を感じさせる小柄な人だった。控えめな態度のなかに、学界と社会の状況に対する義憤が隠されていることを知ったのはすこしあとになってからのことである。

留学して意外だったのは、史料についての具体的な指導がなかったことである。植民地期アルジェリアについてどういった史料があるのか、どういった点に注意すべきなのか。私が留学前に読んでいたのは一〇年以上前に公刊された史料目録であったから、研究計画に書かれた知識はとても初歩的なものだった。トリオ先生は、博士論文のなかでアルジェリア関連史料を広範に渉猟していた。史料についての知識は広く深い。だが先生は、ときおり思い出したように自分の知っている史料群に言及することはあっても、どういった文書系列から作業を始めるように、といった指示をすることはなかった。

留学の二年目には、近代エジプト史家ロベール・イルベール先生のゼミに参加することになった。さまざまな研究プロジェクトにかかわり八面六臂に活躍する先生のもとに、多くの学生が集っていた。理論的な示唆が多く、先生がときおり開陳する歴史学界の裏話もおもしろかった。なかでもよく覚えているのが、高名なとある学者の著作は、註で参照された文献をたどろうとしても、しばしば空振りに終わるという話である。泰斗の作品に対しては、平凡な研究者の論文とは違う尺度で接しなければならないことを教えられた。

だが、史料についての教示がないことに変化はなかった。文書館では、ほとんど偶然に任せるようにして手探りでいろいろな史料を読んでいく日々が続いた。アーキビストに説明を求めたり、居合わせた研究者の話を聞いたりして、学ぶことも多かった。だが質問をするにもそれなりの知識が必要である。あれこれの史料の脇道に迷い込むことになった。のちに提出した論文には結びつかないものも多い。だがあとから振り返れば、無駄ともみえるその時間は、フランスに来てはじめて手稿史料にふれた私にとって必要なものだった。

何事も手探りというのは、どの時代の研究についてもいえることだろう。しかし例えば西洋古代史やヨーロッパ中世史では、碑文学、文書形式学、書体学といった補助科学が古くから発達している。一般の歴史家はなかなかそれらに精通することは難しいが、少なくともそれらの成果に学ぶことはできる。過去の記録を正確に理解するために、最善と考えられる道を知ることができる。それに対して近代史では、そもそもフランス語の手稿の読み取りからして簡便な手引きがない。現代とそれほどかけ離れているわけではないから、読み手が慣れればよいというわけである。

さらに、植民地史に特有な事情もあった。史料に書かれた事実に立脚して論理的に整合した解釈を提示せよ、という歴史学の大原則は、植民地史料についてはほとんど無力なように当時は感じられた。史料と史料をつきあわせて事実を見つけていこうにも、植民地という独特な状況のなかでは、ほとんどすべてが支配者からの目線から書かれている。それをどうして信頼できるというのか。たとえそれが目前の出来事について書かれたことであっても、書き手は対象について驚くほど無知であったはずだ。

無知だけでなく、認知の歪みについても考えねばならない。近代のヨーロッパと中東・北アフリカとの関係についていえば、オリエンタリズムと呼ばれる思考様式が知られる。ヨーロッパ人はほとんどあらゆる場面において、他者(この場合には、イスラーム教徒)との違いを強調し、自らの優位を示そうとする。そうした思考様式は、文化と政治を横断して近代の社会を覆いつくしていたと、私たちは教えられてきた。現代人の考える異文化理解とは、程遠い態度である。だとすれば、史料の言葉から事実と論理を読み取ることなど、はじめからできないのではないか。そのような疑いをいだきながらの模索が続いた。

マクロからミクロへ

しかし留学して数カ月もすると、一年目の課題論文のために事例研究の題材を決めなければならない。そこで私は、系統的なデータを集められる素材を探した。その頃には、文書館に備えつけられた書棚三つ分の史料目録にも慣れて、それぞれの史料系列についてイメージをもつことができていた。選んだのは選挙人名簿である。十九世紀の後半以降の時代について、保存状態のよい簿冊が残されていた。

フランス人の行政官によって、おもにヨーロッパ系の人々(アルジェリアには、フランスだけでなくスペインやイタリアからの移住者も多かった)を対象として作成された文書である。史料としての信頼性はある程度まで期待できる。デュパキエの歴史人口学を手本として、社会統計学の基礎を泥縄で学びながら、情報の入力を進めた。近代史には補助科学が少ないと書いたことは、訂正したほうがよいだろう。選挙人名簿に記載された名前を分類するために、固有名詞学の一冊の本が大きな助けとなった。[2] 十九世紀には街路の名が記載された観光地図が出版されていたことも役立った。

結果として、入植者の世代交代の速さ、ユダヤ人の集住形態、彼らの職業名から読み取れる社会進出など、作業を始める前には予想しなかった情報を集めることができた。書き上げた論文は一定の評価を受けることができたが、成果が一面的であることも明らかだった。同じ史料を使ってほかの場所のデータを総ざらいに集めていくこともできただろうが、そこから私はまた回り道を始めた。マクロな視点だけでなく(といっても、その頃に集めたデータは数千件にすぎなかったが)、ミクロな視点から読解することも必要だと考えたのである。

ずっと心に引っかかっていたのは、留学してすぐに読んだ史料に記録された一つの事件である。一八四三年、アルジェリア中部の小都市でフランス軍が作成した報告書によれば、町外れにあるフランス人入植者が所有する土地に「原住民」(アルジェリア人ムスリム)の一団が集まり、騒擾《そうじょう》状態となった。これを脅迫と感じた入植者は軍駐屯地に連絡した。占領軍の兵士はムスリムを追い散らしただけでなく、農牧生活をするムスリムの幕屋を襲って抵抗する人々を殺害した。この地域がフランス軍に占領されて数年と経っていない時期の出来事である。ここで紹介したのは、歴史上に事件として名が残るような出来事ではない。同様な小さな衝突は数多くあったと考えられるが、欠落の多い史料群からすべてを数え上げることは難しい。

ひとまずいえるのは、占領軍による暴力、略奪、権力の濫用が頻発していたということである。[3] そのなかには記録に残されなかったものも多かったはずである。この例についていえば、現地の担当者が、事件は日常的な治安維持の一つにすぎないと考えて報告を残したのだろう。この一件に関する書類を読んで私が考えたのは、ムスリムたちが集まって起こした「騒擾」とは何かということだった。彼らは、入植者と占領軍に対して抗議するために集まり、弾圧を受けたのだろうか。もちろんそういった説明は可能だが、別様の見方もありうる。

手がかりとなるのは、ムスリムたちが歌うような声を出して大騒ぎをしていたという記述である。仮に彼らが集まっていたのが何かの祈りや儀式のためであったとしよう。だとすれば、彼らは別段フランス軍や入植者と対峙しようとしていたわけではない。軍の抑圧を受けるとまでは想定していなかったかもしれない。だからこそ現地の人々はフランス兵に反発し、衝突がエスカレートしたと考えられはしないだろうか。

史料によれば、事件が起きた場所は入植者の所有地とされる。だが、所有権の設定というのはあくまでも入植者の側の論理である。先住者の側からすれば、それは異教徒が勝手に地図のうえで引いた線にすぎない。当時のアルジェリアでは、現地の人々が参詣の場としてきた聖者廟がフランス軍によって接収されたり、入植用地に組み込まれた例は多かった。占領行政のもとで土地は寸断されているが、境界線が隔離壁によって可視化されているわけではない。アルジェリア人たちがかつてのようにある土地から別の場所に移動しただけで、入植者はそれを一方的に脅威と捉えたのかもしれない。

もちろん右の解釈はひとつの仮説にすぎず、根拠は強くない。同じ事件について複数の証言はなく、唯一の手がかりは抑圧者による記録である。そこから確固とした結論を導くことは難しい。それにしてもこの名もなき事件の記録を読んだときの違和感は、政治史に偏重しがちな植民地史のなかで、抵抗と抑圧という大文字の政治史以外の見方を探るという関心となって残りつづけることになった。

地図との出会い

右に紹介した事件の背景にはもちろん、植民地社会に内蔵された暴力性がある。そうした暴力性が発動した要件は何だろうか。さまざまな要因があることはもちろんだが、一つの要因は、連続した空間を恣意的に切り分けて、入植者と先住者を棲み分けさせようとしたことにあるのではないか。このように考えたことが、空間の構造から植民地社会を読み解くという主題につながった。研究を始めたときからそのような意図があったわけではないが、ともあれ空間を考えるための材料として、文書館ではできるだけ多くの地図を閲覧するようにしてきた。

文書館では、地図を閲覧しようとする人は多い。アーキビストの対応が慎重になるのも無理はない。あるとき私は、とある入植村の建設にかかわる文書箱のなかから、八つ折りに綺麗に折りたたまれた地図を見つけた。のちのち検討するために、この地図を写真撮影してもよいだろうかと閲覧室の主任アーキビストに尋ねてみた。すると彼女は、これは綺麗な地図ですね、それではこのようにして撮影してくださいといって、折りたたまれたままの地図を卓上に直立させてみせた。同じ時代の地図と比べてとくに劣化しているわけではなく、一度開いたら壊れてしまうようなものには見えなかった。だが主任の表情は冗談とも思われない。ひょっとして意地悪をされているのかという思いもよぎったが、撮影は諦めざるをえなかった。

以上はエクス＝アン＝プロヴァンスの文書館での極端な経験だが、アルジェでの体験はそれと逆の意味で思い出に残っている。二〇〇〇年代初め、アルジェリア国立公文書館をはじめて訪れた。最初に訪れたのは夏。首都の郊外に建てられた文書館は、五〜六階建ての両翼と豪壮なファサードをもつ建物で、周囲はバリケードに囲まれ、内外には自動小銃を持った歩哨《ほしょう》が立っていた。同じフランスの学生身分をもつ三人での訪問である。私たちにとってはじめての訪問というだけではない。文書館の人たちにとっても、ヨーロッパからの訪問者は非常に珍しかった。アーキビストたちも私たちも、一種の興奮状態にあったように思う。一階にある閲覧室に案内され、司書たちからできたての史料目録をいくつも渡され、次々に文書箱が運ばれてきた。独立後の数十年、歴史的な文書を懸命に保存してきたアーキビストたちがまだ現場に残っていた。若い世代のスタッフも育ちつつあった。内戦の混乱がようやく収束しつつあった時期に特有の雰囲気といえるかもしれない。[4]

デジタルカメラはまだそれほど普及していなかった時代である。大判の地図を広げ、三脚を立てて、ほとんど制限なく撮影することができた。余談だが、四〇〇万画素のカメラで撮影した部分部分をつなぎあわせるといった作業はまだ自動化されていなかった。合成がうまくいくことをその場で確かめることもできず、とりあえず露出や画角を変えて撮影してみるしかなかった。

アルジェとオランではそのほかいくつかの史料館を訪ねたり、問い合わせてみたりした。国立図書館、県文書館、市文書館など。とくに県文書館は、二十世紀半ばの歴史研究のなかでしか参照されていない公文書が実在することを確認でき、眼を開かれた。ただし、施設ごとの対応はばらばらだった。あるときには閲覧が許され、あるときには許されないということもあった。実際に出かけてみないとわからないことが多い。「運次第、偶然」といった意味をもつアレアトワールというフランス語を使いこなせるようになったのはこの頃のことである。

史料としての自伝

フランスとアルジェリアで渉猟した史料をもとに書いた学位論文を日本で出版し、この一〇年ほどは、フランス国立図書館アルスナル分館に行くことが多い。図書館は、パリ東部のセーヌ河岸、フランソワ一世時代の武器庫《アルスナル》を起源とする一角にある。十七世紀から十九世紀にかけて建てられた建物の重厚な木製扉を開けて、石階段を上がり、折り返したところに閲覧室がある。わずか数十席の小さな部屋で、いつ訪ねても静かな空気が流れている。一面の書棚も、閲覧机も書見台も厚みのある木製で、現代建築にはない独特の空気のなかで作業に没頭することができる。

この図書館はいくつもの特殊なコレクションを受け入れてきたことで知られるが、私がここを訪れる理由は、サン＝シモン主義者たちの私文書が集められているためである。サン＝シモン主義というのは十九世紀前半のフランスで一部の人々の支持を集めた社会改革思想で、七月王政から第二帝政の時代にかけて思想、政治、経済のさまざまな方面で人材を輩出した。アルスナル分館には、サン＝シモン主義者の指導者だったアンファンタンをはじめとして、思想運動にかかわった人々から寄託された手稿、書簡などが整理され、公開されている。

この図書館で最初に強い印象を受けたのは、史料の保管状態の良さである。それまでエクス＝アン＝プロヴァンス、アルジェ、オランなどの土地で私がみてきた史料は、ぼろぼろの厚紙にくるまれて粗っぽく紐で縛られているような書類束がほとんどであった。覆いをとってみると個々の書類の時系列がめちゃくちゃになっていることも少なくない。一つ一つの史料も読み取りにくいものが多い。書簡を例に挙げると、保管されているもののほとんどは送付された正本ではなく、担当者の備忘のために作成された複写である。紙の質も悪く、筆跡も乱れている。その後の史料保存の歴史も複雑である。アルジェリアの公文書は、独立戦争をめぐる混乱で相当量が破壊され、フランスとアルジェリアのあいだでばらばらに所蔵されている。だから、書簡の受け手と送り手の側のやりとりを付き合わせるという作業が極めて難しい。

ところがアルスナルのサン＝シモン主義者関連文書は、書簡の一枚一枚にいたるまでもが革表紙の大判の冊子に貼りつけられ、丁寧に整理されていた。書類のほとんどは、一枚一枚、通し番号が付されている。もちろんすべてが完璧にそろっているわけではないが、書簡をやりとりした双方の私文書が所蔵されていることも少なくない。送り手と受け手の対話を再現することすら可能である。細かな断片のなかから考えることを習慣としてきた身からすると、信じられないほど充実した史料である。しかし、読解を進めるうちに疑問も生じた。書簡や手記を読むとは、そもそもどういう行為なのだろうか。

アルスナルの図書館では、イスマイル・ユルバン（一八一二〜八四）という人物についての手稿類をおもに閲覧した。イスマイル・ユルバンは、大西洋の西岸に生まれ、地中海の南岸で没した人である。生地は南米の仏領植民地ギアナ。出生届に記された名はトマ＝ユルバン・アポリーヌといい、アフリカ系奴隷の血を引く母と、フランスから来た商人の父のあいだに生まれた。八歳のときフランスに渡って教育を受け、サン＝シモン主義という思想運動に傾倒し、二十二歳のときエジプトでイスラームに入信した。その後は終生イスマイル・ユルバンと名乗り、仏領アルジェリアで植民地行政の吏員となって、地中海の両岸を往復しながら生涯の大半を過ごした。一時は高級官吏として皇帝ナポレオン三世に進言するまでになったが失脚し、没後はアルジェのキリスト教徒墓地に葬られた。

このように紹介しただけで、一人の人物のうえに近代史上の大問題がいくつも重なり合っていることがわかるだろう。すなわち、ヨーロッパの植民地支配、キリスト教世界とイスラーム世界の対立、そして奴隷制と人種主義である。人の移動が活発になった十九世紀においても、これほど複雑な横顔をもつ人は珍しい。白人と黒人奴隷を先祖にもち、フランス語で多くの言葉を書き残し、イスラームに改宗したと自称し、ムスリムとしての通名を名乗って植民地官僚となり、キリスト教徒墓地に葬られたユルバンを、何人と呼ぶべきか、何教徒と呼べばよいのか。仮に混血の改宗者と呼ぶとしても、それだけで明確な像を描くことは難しい。

イスマイル・ユルバンを手がかりとして十九世紀の地中海世界を書くことを試みているのだが、そのための手がかりとなる文書として、ユルバン自身が記した二つの自伝がある。一つは、彼が五十八歳のときに書かれた「自叙」と題された文章。これは前年に生まれた息子に宛てられたもので、自らの生誕から書き起こされ、執筆直前までの出来事を綴る。二つ目は、七十二歳頃に書かれた「年譜」という文章で、こちらは生涯の友人ギュスターヴ・デシュタルに依頼された回顧録である。やはり生誕から執筆時までの体験を編年体で記している。そのどちらもが、推敲を経た手稿として残され、アルスナル分館におさめられている。

二つの文書は、著者の体験を本人が回想した文書である。こうした自伝は、近年の歴史学の新潮流として注目されるエゴ・ドキュメントという史料形態の一つである。エゴ・ドキュメントという言葉は、回想録、手紙、日記、さらには裁判記録なども含む広範な文書の総称として用いられるが、それらが史料作者の自我《エゴ》をそのまま映し出すとは限らない。回顧録の書き手と、書かれる内容とは、長い時間によって隔てられている。日記のように時間差が小さい文書においても、書き手のなかに複数の声が共存することは珍しくない。自伝は、事実の記録という形式のもとで、作者が自己を再構成しようとする作業の記録である。書き手は、想定される読者にあわせて、それが家族、友人などの親密な相手であればなおのこと、さまざまな配慮をする。特定の事実の強調、沈黙、ときには虚偽も含まれる。歴史家P・バークが指摘するように、自伝的な文書は「信頼できない語り手」の作品として考えねばならない。[5]

右に記した、手篤く保存された史料群に対する疑問は、この点にかかわるものであった。史料の作者たちが、後世に残そうとした文書だけで満足することはできない。まして、歴史研究者として人物の背後にある時代と社会を考えるためには、史料が語らないものについて考え、作者の沈黙を補いながら読み解いていかねばならない。

手立ての一つは、比較である。ユルバンと比較できる人物として、レオン・ロシュ（一八〇九〜一九〇〇）がいる。幕末の日本に滞在したフランスの外国使節として、その名を記憶している読者も少なくないだろう。ユルバンとロシュの生涯にはいくつかの共通点があった。ロシュは、日本に来るまでの職歴の大半を地中海で過ごした。アルジェリアに進駐したフランス軍の通訳となり、外交官としてモロッコ、リビア、チュニジアなどに駐在した経験をもっていた。ユルバンと共通するのは、アラビア語通訳であったこと、イスラームに改宗したと自称したこと、職歴の大半を北アフリカで過ごしたこと、ほぼ同じ時期に引退したこと、晩年に自伝を残したことなどである。ロシュもユルバンと同じく、二つ以上の文化圏を旅した。

だが、二人の旅路の内実は大きく異なっている。二人は互いを見知ってはいたが、友人として交際することはなかった。冒険と名声を求めつづけたロシュと、舞台裏の人であったユルバンとは、多くの点で対極に位置していた。二人を並べて論じる意味は、そうした対照の鮮やかさにある。比較によって、二人がそれぞれどのような意味で時代に条件づけられ、また時代の枠組みの外へと踏み出していたかを考えることができる。考察の成果については、一冊の本として発表する予定である。

デジタル化と予測

さまざまな史料と出会いながら、微細な分析と巨視的な研究を橋渡ししようとしてきた。最後に、余談を二つ記したい。

第一に、史料のデジタル化について。デジタル・ヒストリーという言葉が聞かれるようになってしばらくが経つ。研究のための情報の入手、データの分析、結果の可視化、公開などのそれぞれのプロセスにおいて、新しい情報技術を積極的に利用しようとする研究のことであり、また、そうした研究を推進しようとする運動として捉えられている。

そうした技術は、これからの歴史研究の基礎教養として大きな意味をもつだろう。二十世紀後半にコンピュータがはじめて歴史研究に用いられたときには、そのこと自体がフロンティアの開拓として受け止められた。当時おこなわれていた研究は、しかし、今日からみれば素朴にみえるものも少なくない。今日の新しい技術もやがては一般化し、次第に日常的なものになっていく。

一方で、すべてがデジタル・ヒストリーに包摂されていくということもないのだろう。テキストマイニングが発達しても、文章を一文一文、線的に読んでいくという行為が置き換えられることはない。これからは、デジタルかそうでないかという境界自体が薄れていく。初歩的な体験を一つ挙げよう。先に記したアルスナル分館では史料の一部がすでにデジタル化されて公開されている。一方で、現地で手稿をみれば、さまざまな光の条件のなかで、筆跡の重みを読み取ることができる。デジタル画像の加工だけではわからない手がかりが、現地での確認から得られる。その両方がなければ、ユルバンの手稿にあらわれる人名の綴りについて、疑問を解消することはできなかった。

第二の余談は、未来についての予測である。人口学の研究によれば、地球の人口についての常識が揺らぎつつあるらしい。二十世紀以来私たちは、地球の人口は増加しつづけるという説明を当然のように受け入れてきた。ところが最新の研究によると、地球人口は二十一世紀の半ばにピークを迎え、今世紀末にかけて減少していく可能性が高いという。[6]もちろん、標準シナリオの数値通りの未来が訪れるとは限らない。人口予想は振れ幅が大きい。同じ研究には、人口が一貫して増加を続けるという可能性も、さらに早いペースで人口が減少する可能性もあわせて示されている。

ともあれ、膨大なデータを分析した中位推計として、地球規模の人口減少という未来が示されたことは無視できない。近代の歴史学は、経済発展と人口増加が続く十九世紀ヨーロッパで生まれた。進歩史観と発展段階論がひととおり批判されたといっても、進歩と拡大というプロットは研究者のなかに根づいている。長い時間を遡って過去の「危機」が論じられるとき、実際に考察されているのは一地域、一時代に限られた停滞であって、前後の時代あるいはほかの地域との比較が前提となってきた。つまり、「外部」の存在が前提とされてきた。地球規模でみた人口減少という将来像は、とうとう外部の消滅を意味するのだろうか。未来の予測は、歴史学の領域ではない。それにしても、仮に人類の社会がすでに「高原《プラトー》」に達しており、[7]眼前の下り斜面に向かって見晴らしを切り開かねばならないのだとすれば、歴史学は何を論じるべきなのか。考えるべき課題は山積みである。

註

1 フランス国立公文書館海外部門は、アルジェリア独立から四年後の一九六六年に開設され、一九八六年、九六年に増改築されて今日にいたる。所蔵されているのは、植民地にかかわる近世の王国行政と近代の中央省庁の公文書と、二十世紀半ばにインドシナ、インド、マダガスカル、中央アフリカ、アルジェリアなどから引き揚げられた公文書である。図書も貴重であり、パリに設置されていた植民地官僚養成学校やアルジェリア総督府などの図書室のコレクションを受け継いでいる。http://www.archivesnationales.culture.gouv.fr/anom/fr/（最終閲覧日：2021年9月10日）

2 Maurice Eisenbeth, *Les Juifs de l'Afrique du Nord, démographie et onomastique*, Alger, Imprimerie du Lycée, 1936.

3 Sylvie Thénault, *Violence ordinaire dans l'Algérie coloniale: Camps, internements, assignations à résidence*, Paris, Odile Jacob, 2012.

4 このときの経験は以下の小文に書かれている。KUDO, Akihito, Raëd BADER, Didier GUIGNARD, «Des lieux pour la recherche en Algérie», *Bulletin de l'Institut d'histoire du temps présent*, (83) 2004, pp. 158–168.

5 Peter Burke, "The rhetoric of autobiography in the seventeenth century", in Marijke J. van der Wal and Gijsbert Rutten (eds.), *Touching the past, studies in the historical sociolinguistics of ego-documents*, Amsterdam, John Benjamins, 2013, pp. 149–150.

6 Stein Emil Vollset et al., "Fertility, mortality, migration, and population scenarios for 195 countries and territories from 2017 to 2100: a forecasting analysis for the Global Burden of Disease Study", *The Lancet*, 396 (10258), 2020, pp. 1285–1306, https://doi.org/10.1016/S0140-6736(20)30677-2 (accessed 30 November 2020).

7 見田宗介『現代社会はどこに向かうか――高原の見晴らしを切り開くこと』（岩波新書）岩波書店、二〇一八年。

パリを変えた男の回想録

福井憲彦

「まぼろし」だった回想録

私の手元に、背表紙が濃紺の皮革で見事に装丁された、部厚い三冊の書物がある。一冊の分量はだいたい五六〇から五八〇頁ほど。いかにも几帳面なフランス語で、やや淡々とした調子で綴られた文章が並んでいる。十九世紀の末に、一人の行政官僚が残した回想録である。三冊目を校正中に亡くなったので、一八九三年、死後出版となったこの第三巻には、かつての直属の部下によって、追悼の文章が添えられるところとなった。

この回想録は当事者の証言として、誰もがその重要性を知りながら、一部の図書館を除くと、なかなか現物を手にすることが難しかった。彼の事績は毀誉褒貶《きよほうへん》が激しいのだが、歴史的な評価が与えられる場合にしても、いったいこの回想録を読んだうえでの評価なのだろうか、と思わせるようなものもあった。

フランスにいれば、図書館に行けばよい。しかし日本にいたのでは、そうはいかない。外国史研究を専攻している者の悲しいハンディキャップ。図書館蔵書のデジタル化による公開が進んだ現在では、状況は変化したが、しかしデジタル版の画面は、時に判読が苦しかったりもする。歴史好きで本好きな我々は、できれば現物を手元にそろえたい。パリの古書店でも、この回想録はほとんど「まぼろし」であった。何回聞いても、どこでも、「見ないねえ、あればかなり高価な値がつくだろうけれど、なにせ近頃は現物をまず見ない」という返事にでくわした。

歴史研究者として習い性になっているというか、どこへ行っても本屋さんを覗きたくなる。買えば日本に持ち帰るのが大変だとわかっていても、現物を手元におきたいからつい買ってしまう。そんな経験を繰り返していた一九九〇年代初めのことだった。パリ市内の南で環状大通りの一部をなしているオーギュスト・ブランキ大通り、そこでたまたま開かれていた古本市で、見事な装丁の三冊本をそれほど高くない値で見つけたのは。

そこに出店していた古書店のおかみは、最近の古書の値上りは投機的でおかしい、本当に必要としている人のためになっていない、という。いまどき珍しいタイプの人であった。私に、お前は日本の古本屋か、と聞く。いや、歴史研究者としてこの本が必要なのだ、じっくり読みたいのだ、というと、いかにもうれしそうな顔をしてくれた。歴史研究のための史料探しには、いろいろな経験がつきまとうものである。ただ図書館や文書館だけが経験の場なのではない。

いささか前置きが長すぎるだろうか。

フランスに限らずヨーロッパでは、文人だけでなく政治家や行政官もまた、少なからぬ人たちが引退後、回想録を残したものであった。それらは、後代に歴史を研究する者にとっては、大変貴重なデータの源となる。

もちろん、そこに書かれていることを、当事者だからといってそのまま鵜呑みにするわけにはいかない。ときには記録やメモを頼りに、またときには記憶を頼りに、ペンを走らせたであろう。何が書かれ、何が書かれなかったのか、脚色がどの程度加えられているのか、いないのか。さまざまな場合が想定される。どういう歴史的な脈絡で、どのような手順で書かれたものなのか。どのようにして刊行されたのか。いずれも、慎重に見極められなければならない。

この「まぼろし」の回想録は、二〇〇〇年になってやっと校訂新版が一冊本で出されたので、その後は幻のヴェールを脱ぐことになる。刊行後、一世紀以上を経ての復活。よかった。だがそれにしても、かつて探し回った私の苦労は無駄だったのか。いや、私はそうは思っていない。悔しいからいうのではない。それにともなう経験は、じつに個人的な一回だけの貴重なものに変りはないからである。

パリ大改造

私にとって思い出の深いオーギュスト・ブランキ大通りから、イタリー広場を挟んで反対側をセーヌに向かって東進すると、新しい現代建築の国立フランス図書館に行き当たる。別名を、ミッテラン図書館という。

二十世紀最後の二〇年ほどのあいだに、大統領ミッテランの強い意向を受けて、フランスの首都パリは、その市内のあちこちで改造の手が加えられた。グラン・プロジェ、大プロジェクトと呼ばれた。有名なルーヴル美術館の中庭にガラスのピラミッドが登場して、世界中の人たちを驚かせたのも、その一環であった。この改造は、たしかに市内随所に新たな景観を与えることになったが、しかしその基本的な性格は、首都パリのモニュメンタルな特徴にさらに磨きをかけようというものである。パリの都市空間そのものに、根本的な手を加えようというものではなかった。

この二十世紀末の改造に対して、一世紀半ほど前に着手された大改造は、まことに大改造という名にふさわしいほど、パリの顔つきをそれまでとは一変させるほどの性格をもったものであった。その頃フランスは第二帝政という政治体制のもとにあったが、帝都パリ改造の陣頭指揮にあたった当時のセーヌ県知事オスマンの名前から、この大改造はオスマン化(フランス語でオスマニザシオン)といわれる。

長いこと我々には「まぼろし」だった回想録の書き手こそ、このパリを変えた男、辣腕《らつわん》の行政官ジョルジュ・ウジエーヌ・オスマンである。

都市計画を意味する「アーバニズム」という用語は、当時まだ誕生してはいなかった。回想録の校訂新版に序文を寄せた都市学者のフランソワーズ・ショエによると、この用語は、パリ大改造のしばらくのち、スペインはバルセローナの改造に携わったイルデフォンソ・セルダによって生み出されたもので、したがって「ウルバニスモ」というスペイン語がおおもとになって、そのあとに各国語に取り入れられていく。そのセルダは、オスマン化を近代都市計画の一つのモデルとして評価して学んでいる。いうなればオスマン化が、近代都市計画の一つのモデルを生み出して事例を促し、アーバニズムという用語を誕生させるきっかけをつくったともいえる。明治日本における都市近代化の政策にも、このオスマン化は影響を与えていたのであった。

パリの西の端に近いところ、シャンゼリゼの大通りのゆっくりした傾斜を登りきったところに、凱旋門《がいせんもん》がある。もしパリに行く機会があれば、その上に登ってみるとよい。おのぼりさんみたいで格好悪い、なんていっていないで登ってみよう。そうすると、この凱旋門を中心にして大通りが見事に放射状に延び、その大通りの両側を、高さも様式もそろった石造りの建築が縁取り、それに沿って街路樹が鮮やかに緑のラインを描いている様子が、くっきりと眼に焼きつく

図１　壮年期のオスマン
出典：Jean des Cars et Pierre Pinon, *Paris- Haussmann: Le Pari d'Haussmann*, Paris, 1991.

図２　パリ市内に立つオスマン像
出典：筆者（福井）撮影

はずである。これこそは、オスマン化によって実現されたパリの基本構造を象徴する景観なのである。かのオーギュスト・ブランキ大通りも、このオスマン化の置土産である。

明治五年、改暦の直前、西暦でいうと一八七二年の終わる頃、日の落ちたこのパリの町に到着して、その偉容と輝く姿に驚嘆した日本人の一行がいた。アメリカ合衆国から始まってヨーロッパ各地を歴訪した岩倉《いわくら》使節団《しせつだん》の一行である。久米邦武《くめくにたけ》が著した報告書『米欧回覧実記《べいおうかいらんじっき》』の一節を現代風に訳せば、こんな調子になるだろう。

夕刻六時、首都パリの東駅に到着し、馬車にて市街を走る。見事な建築が街路の両側にそびえ、石で舗装された街路には木々が植えられ、ガス灯がともっている。ちょうど月が昇ってきた。この名都の風景の素晴らしさは、目を奪うほどだ。居並ぶ店には見事な品があふれ、カフェには人々が群がっている。この町の人たちの気風は、ロンドンとは趣を異にしている。そうこうするあいだにも馬車はシャンゼリゼの大通りを走り、凱旋門近くのホテルに到着した。

一八七一年に起こったパリ・コミューンにともなう市街戦で、市内のあちこちには破壊が生じた。ルーヴルの先に続いていたチュイルリー宮は焼け落ち、市庁舎も炎上した。オスマン化にかかわる一次史料も、その多くが焼失してしまった。しかし、それからまだ年月がそれほど経ってもいないパリを訪れた使節団には、オスマン化によって基本構造が与えられたこの町は、「文明都雅」の先端と映っていたようである。

大改造への批判

セーヌ県知事という役職は、今はない。制度が変わり、セーヌ県という行政区分がもはやないからで、かつてのセーヌ県知事は現在のパリ市長にあたると思えばよい。オスマンは、皇帝を名乗ったばかりのナポレオン三世によって一八五三年に任命され、職を辞したのが七〇年。辞職の半年後に、ナポレオン三世はプロイセンに戦争を仕掛け、敗れて第二帝政そのものが崩壊する。したがってオスマンは、ほぼ第二帝政の全期間をとおしてセーヌ県知事として、パリ大改造に尽力したのであった。

現在のパリ市長にあたる、といったが、やや語弊があるかもしれない。先代のナポレオンと違って、かなりいいかげんなところもあったナポレオン三世ではあるが、強力な行政権力を発揮したことは間違いない。その後ろ楯をもっていたわけだから、オスマンの行政権力もまた強力であった。大改造の事業は、そのスケールが大きかっただけに、第二帝政下には完結せず、それに続いた第三共和政へと引き継がれていくが、第二帝政の二〇年足らずのあいだに集中的に、強力に推進されたことは確かであった。二十一世紀にまでいたる、都市空間の基本線が描かれたのである。

それだけに大改造の事業は、帝政そのものを批判する左派からはもちろん、また右派からも批判にさらされた。同時代にそうであったし、最近になって再評価されるまで、歴史的評価も必ずしもよくはなかった。典型的な批判は、次のようなものだ。

その一。オスマンは、強力な行政権力を発揮して、既存の人口密集街区を壊し、広い通りを通して集合住宅を建設させた。これは、スクラップ・アンド・ビルドといわれる方式だが、その結果、家賃の上昇によって民衆階層は中心地区から追い出され、周辺の条件の悪い地区に住まざるをえなくなった。差別的な政策だ、というのである。

その二。オスマン化で果たされた直線的な、見通しのよい大通りを、随所の広場を中心に放射状に通し、それと環状大通りとを結びつける市内交通の仕組は、民衆蜂起を迅速に軍事制圧するためのものだ。フランス革命以降、七月革命や二月革命で顕著であった民衆によるゲリラ的な市街戦を困難にするための、治安上の目的であった。曲がりくねった狭い街路は、バリケードを築かれてしまうと、正規軍には極めて扱いにくい状況となるが、大通りには大砲を引き込むことも、大量の兵員を導入することも簡単だ。それは、一八七一年のパリ・コミューンのバリケード戦が、武装した民衆側に決定的に不利に展開したことによって、確認されたのである、という非難。

これら一と二とは、いずれも左側からの非難であるが、その批判はさらに、こうしたオスマン化は、パリが歴史的に培ってきた民衆街区の、独特なソシアビリテをもった共同的な生活を、決定的に破壊したという。ソシアビリテというのは、人と人とが日常的な生活を送るうえで取り結んでいた、さまざまな社会的な関係性のことである。

これは、その三ともかかわってくる。オスマン化は、パリの歴史的な性格を無視して、もっぱら産業時代を迎えた機能的な合理性のみを優先的に突出させた。歴史の圧殺がおこなわれ、しかも新たな建物は画一的で美的な評価に値しない、オスマン化は美的センスに欠けている、という。以上の観点は、立場を逆転させて産業時代の秩序優先の側からすると、いずれもオスマンの功績ということにされる。

次いでその四。この大事業を遂行するための資金政策について。その基本には国家からの支出と、セーヌ県としての、あるいはパリ市としての支出との両面があったが、当時批判派が「絵空事の計算」として非難していたことは、事業展開による新たな収入で事業資金が賄えるどころか、赤字は間違いないうえに、裏金が動いている。これは一種の投機活動を公共機関がおこなっているに等しい、というものであった。現代風にいえば、当局がバブルをあおって資金を回し、それで帳尻を合わそうとしている、という非難である。

反論の書としての回想録

以上のような批判、ないし非難は、ほとんどが在職中からオスマンに向けられていたものでもあった。もちろんコミューンの鎮圧、というのはのちに起こった出来事だが。

晩年を迎えたオスマンが、回想録を出そうと決意した経緯については、正確なところはわからない。冒頭に書いたように、フランスでは、ある地位にいた人物が回想録を残すことは、珍しいことではなかったから、彼もまたそれに倣っただけなのかもしれない。実際のところその第一巻は自伝的な内容で、生立ちから、地方の行政官をしていた頃の経験までを振り返ったものである。

しかし何といっても中心は、あとの二巻で扱われているパリでの県知事としての経験、とくにその大改造についての内容である。ところが、その内容がまた、いわば事業報告書のまとめのような性格が強く、およそ回想録につきものの何か感情的な機微が含まれている、という面が弱い。意識的に、計算したうえでのことだったのだろうか。それとも、この人には、最後まで有能な行政官としてのスタイルが染みついていたのであろうか。

回想録刊行を知った当時の人々の期待にも、セーヌ県知事時代のナポレオン三世との関係や、市議会などをめぐる裏話に関するものが強かったようである。ところが、現実に刊行された回想録の内容は、まことに生真面目、現役時代のオスマンの職務態度をそのまま反映したようなものである。しかも第三共和政が確立した時代状況のなかで、自分がナポレオン支持派であった過去を、決して取り繕ったりもしていない。

この点は、第二帝政下から第三共和政初期まで、パリの治安警察部長の要職にあったアントワーヌ・クロードの回想録とは、正反対の性格である。クロードの警察官としての裏話は、ほとんどスパイ小説かハードボイルドを読むような、そういった話のスリルで人を惹きつける。しかもクロードは、したたかに冷めた目で、成上りの冒険者ナポレオン三世をこきおろすことを忘れていなかった。オスマンが、彼自身の回想録の一〇年ほど前に刊行されて話題になったこのクロードの回想録を、まったく知らなかったとも思えない。しかし知っていたとしても、彼は彼なりの書き方をした。裏話にあたるようなものはほとんどない。

もっともオスマンの場合には、政治思想的に帝政派であったというわけではない、とみられる。セーヌ県知事としてオスマンを推挙したのは、第二帝政初期の内務大臣ペルシニ公であったが、その理由は、オスマンが熱心なナポレオン支持者だったからというのではなく、何より有能な行政手腕を示していたからであった。ペルシニ公はその回想録で、オスマンについて興味深い人物評をしている。抜け目のない、繊細なところをもっていると同時に、巨大な体軀をもった強力で、強靱な性格の、エネルギッシュな人物だ。彼ならば、ナポレオン三世が望んでいるパリ改造を、反対派を押しきって強力に推進できるだろう、と。

ルイ・ナポレオンは、まだクーデタによって帝政を開始する前、すでに名ばかりの共和国といわれた第二共和政下に大統領であった頃から、首都パリの整備になみなみならぬ関心を寄せていた。大ナポレオンのひそみに倣って、帝政の復活を狙っていたルイ・ナポレオンは、一八四八年二月革命で成立した共和政を骨抜きにした張本人の一人であるが、しかし単純な反動だったわけではなかった。むしろあえていえば、「開発独裁」に近いことをイメージしていたのである。つまり、上からの富国強兵《ふこくきょうへい》・殖産興業《しょくさんこうぎょう》の強力な追求と、その産業化による経済の変化に対応した社会機能を整えること、同時に民衆階層の境遇の改善をも実現すること、こういった認識をかなり真面目にもっていた人でもあった。

オスマンはその意向を受けて、帝都パリの改造を、体系的に真面目に遂行していったのである。彼の回想録は、パリ改造を推進した真意を、社会に向けていま一度訴えておきたい、という姿勢をあらわしているように思われる。それは、在職時代から彼に向けられていた批判に、あらためて答えておこうとするものでもあった。

現場感覚と全体を捉える目

オスマンの回想録が与えてくれる素材は、パリ改造に関する、また近代都市計画の誕生に関する、さまざまな歴史的考察の糧《かて》となる内容をもっている。ここでは、同時代から彼に向けられていた批判との関係を念頭において、改造事業の内容で注目される点を回想録から捉えてみよう。

回想録の第二巻でオスマンは、セーヌ県知事に任命されたあと、はじめてナポレオン三世に謁見したときの様子を、こんなふうに描いている。「皇帝陛下は急いで私に、一枚のパリの地図をお見せになったが、その地図の上には陛下自身が設置させようとお考えの道路が、その緊急度に従って青、赤、黄、そして緑に、陛下自身によって塗り分けられているのが見えた」と。ナポレオン三世は、鉄道の時代が始まっているなかで、ターミナル駅と市内要所との関係を円滑にできる道路の配置に、とくに熱心であった。

それは、オスマン自身の共有していた考えでもあった。では、オスマンは、皇帝の意向を忠実に実行しただけの官僚だったのであろうか。それは、まったくそうではなかった。何よりオスマンにおいて注目されることの第一は、彼が市内全域を差別なく整備対象と考えていた点である。そして道路整備だけでなく、すでに有名でもあるが、上下水道の確保を技術的に可能にする作業を、とりわけ重視して進めさせたのである。

街路樹を備えた大通りを整備すること、上下水道を確保すること、これらは、たしかにオスマンの創意ではない。すでに十八世紀の「啓蒙のアーバニズム」と私が呼んでいる都市美化政策の時代から、重要なテーマとして浮上していた。上下水道は、都市で人が生きていくための基本的な条件であるから、都市に人口が増え、経済活動も活発化すれば、焦眉の問題となってくるのは当然である。ほぼ七月王政を通じてセーヌ県知事であったランビュトー伯爵も、この点ではほぼ同様の考え方を、その回想録に記している。そして実際に街路樹を増やし、セーヌ右岸の人口密集地区の一つに、やがてランビュトー通りと名づけられる直線道路を通して、一種のスラムクリアランスを実現したのであった。

オスマンは、そのような展開をもっと徹底して市内全域に用意し、「交通と空気と光と水の流れ・循環」すなわち「サーキュレイション（フランス語でシルキュラシオン）」という「啓蒙のアーバニズム」以来の課題を実現していくのである。その際に、たしかに強力な権限を行使したから、強権発動だと非難される余地はあったかもしれない。しかしそのような行動も、それを可能にする公共性優先の土地収用法が、オスマンの県知事着任以前に決定されていたからこそ、できたものであった。

しかもそれ以前と決定的に違っていたのは、正確な土地測量に基づいた市内全域の詳細な地図の作成に示されるような、情報データの学問的な正確さを基盤にして、それぞれの課題を全体として連関させる脈絡をつけよう、とする態度である。地図の作成責任者には、美術学校卒業の建築家ウジェーヌ・デシャンが抜擢された。

この地図には各地の標高も書き込まれ、水の流れをつけるための基礎データとされた。セーヌ川の水を飲み水として利用すればよいとする、保守的な考え方を退け、オスマンは遠く離れた源泉からの上水の導入を、徹底して学問的に追究させている。しかも、産業が興り人口がますます増加することを見越して、飲料用の水と、水道ではあるが飲料には適さない純度の低い水の供給という、複線式の仕組をつくった。現代にいたるまで、例えば道路清掃用に市内随所にある蛇口の水は、水道水だが飲料水とは違うのである。

上下水道の研究と現実化の責任を担当したのは、腹心の部下ウジェーヌ・ベルグランである。オスマンは、才能豊かな技術者を適切に配置する点で優れた組織者だったが、彼自身も現場感覚に忠実な人であった。何より自分の足で担当する各地を歩き、問題をじかに感じ取るという姿勢をもっていた。これはセーヌ県知事になる以前、ボルドーはじめ地方の行政官を務めていた頃から、何か当然のようにおこなっていたことが、回想録第一巻にも読める。こうした現場感覚と、問題の相互連関や全体の脈絡を捉える眼が、計画遂行や資金繰りなどをめぐって議会を説得したり、批判派に対抗するための、彼の一番大きな武器であったといってよい。多様な課題を全体的に組み立てる力を、彼に与えていたのである。

都市の秩序とヒューマンスケール

現代の多くの都市では、自動車交通の整理、ありていにいえば車の氾濫が大問題である。そのなかで、ヨーロッパの多くの都市では歩行者と車の分離、そして歩行者空間の確保ということが、後戻りしない方向性としてでてきている。町は、人間が歩いて行動して互いにやりとりし、日々活動するのにふさわしい空間であればあるほど、生き生きしてくる。一方で高層の巨大建築が建てられるにしても、ヒューマンスケールの空間があらためて評価されているのが現代である。

そうした動きのなかでは、オスマン化による幅の広い大通りは分が悪い。自動車優先ではないか、と。しかしここでも、時代錯誤に陥ってはならないだろう。たしかにナポレオン三世の意向もオスマンのそれも、産業時代にふさわしい交通の流れを確保する、という課題を踏まえていた。だが、この時代の市内交通機関は馬車であり、馬である。自動車は、オスマンが他界したすぐあとから、十九世紀末に実用化に入ったものである。したがってオスマン化によってつくられた道路に、自動車は射程に入ってはいない。自動車優先の町にしてしまったといってオスマンを責めるのは、お門違いである。

むしろ、空間を大きく開いて空気を流し、光を取り込む、という衛生論の観点がそこには明確にみられる。先にもふれた「啓蒙のアーバニズム」以来の観点である。したがって、大通りには街路樹が不可欠とみなされ、遊歩道が幅広く両側に設置されている場合が少なくない。そして現代では「ストリート・ファニチュア」と呼ばれているベンチであるとか、街灯であるとか、噴水、ちょっとした仕切りの柵、あるいは植込みや花壇などが、じつに注意深く設計されて配置されていった。

その担当を任されたのは、もう一人の腹心の部下、アドルフ・アルファンである。全体に歩道の高さや石の張り方まで、美的感覚に堪えるような配慮がなされている。アルファンはオスマン退任後、第三共和政下においてもパリ都市計画局の重鎮として活躍していった技術者で、回想録第三巻に、オスマン追悼の一文を寄せたのは彼であった。

まだガス灯だったから、街灯のためにガスを引く。噴水のために水を引く。すべて街路の地下に、上下水道とあわせて共同溝として埋設されていった。いずれ電気の送電線もまた、そこに敷かれる。こうした街路のインフラ構造は、現在まで通用している。見事だ。

オスマン化によって切り開かれた直線の通りの両側に建設された、高さのそろった新古典様式の建物は、今日では歴史的建造物として保存の対象になっている。この建築線のまっすぐ通った景観を、素晴らしい秩序の美しさとみるか、あまりに画一的な強権的な姿とみるかは、ある意味で人の好みによるであろう。パリの場合には、私自身は嫌いではない。一五〇年の歳月は、それらの石の建築に、十分に歴史を刻み込んで存在感にあふれる。

ナポレオン三世がとくに固執し、オスマンが推進した、ガラスと鉄骨で構築された市場の建物も、現代の工業製品のガラス建築と違って、じつははるかに人間くさい美しさをもっていた。というのも、鉄は鋼以前で微妙な歪みをもっているし、ガラスもまた機械化されたピタッとした表面ではなくて、小さなでこぼこが一杯あるだけに、光は乱反射してやわらかい内部空間をつくるのである。

人の好みはともかくとして、オスマン化に美的側面が欠落していたというのは、やはり誤認というべきであろう。アルファンが主導した各種の「ストリート・ファニチュア」の設計図などは、見事な美術作品といってよい質を示している。回想録によれば、オスマンは若い頃には音楽学校に通ってピアノをよくし、のちに社交界での芸術談義にも困ることはなかったようである。都市の歴史や建築に関する勉強も、相当にしっかりしていて、好んでもいた。そしてパリ改造によって、美術アカデミーの会員にも選出されたのであった。

たしかに、オスマン化には治安対策的な意味もあった。首都の秩序を預かる知事としては、当然であろう。しかし、治安対策が第一目的だったのではない。それは回想録を全体として読み、大改造の展開を全体的に把握すれば、おのずと明らかになってくる。

現在では、基本的な生活上のインフラ構造が確保され、日常的な社会秩序についても大きな不安がない条件のもとで、パリに限らずヨーロッパ都市では、歴史的な建造物はもちろん、歴史的な街区そのものを全体として保存して使っていこう、という動きが確立している。しかしこの発想をオスマンの時代に求めるのは、これまた時代錯誤というべきである。

先に挙げたクロードの回想にも明らかだし、オスマン化以前の各種の回想や小説を読めばいずれも明確なのだが、人口が流入して過剰状態になっていたパリ中心部の基本条件の劣悪さは、およそ郷愁を感じるどころの話ではなかった。現在からは信じられないような話であるが、パリの真ん中のシテ島では、オスマン化によってノートルダム大聖堂前に広場が開かれ、あたりの区画整理がなされるまで、すぐ隣に裁判所や警視庁がある脇が、夜になると警察も近寄るのが危険な「貧民窟」だったのである。過剰な集住や上下水道の不備は、十九世紀前半のコレラ流行の一因でもあった。

たしかにオスマンは、市内各所で密集街区を取り壊して直線道路をぶち抜き、歴史的な都市の姿を強引に変えていった。ときには、密集していた建物を壊したばかりでなく、やや高くなっていた傾斜地を崩して平らにしている。そうして造られたのが、現在のオペラ座大通りである。スラムクリアランスといわれる事業展開も、少なからず存在した。では、おもな居住者だった民衆階層の人たちを外に追い出してよし、と考えていたのであろうか。それほど安易であったとは思えない。実際彼は、そのための郊外集合住宅を構想していたことが知られている。それは、世紀末になるまで緒にはつかなかったので、オスマンの時代には絵に描いた餅に終わったが。

彼の資金政策についてなど、まだ検討すべきテーマはさまざま残っている。しかし、彼の回想録をじっくり読み、彼の別の報告書であるとか作成させた地図であるとか、部下が残した計画書であるとか、あるいは同時代のその他の回想録などをつき合わせてみると、オスマン化というパリ大改造がもっていたスケールのとてつもなく大きかったことに、あらためて驚かざるをえない。その全体を見事にコーディネイトした、オスマンという人物のスケールの大きさにも、またあらためて驚嘆するのである。

言及した史料リスト（登場順。残念ながらフランス語文献の日本語訳はない。出版地はいずれもパリである。）

Georges-Eugène Haussmann, *Mémoires du Baron Haussmann*, 3 tomes, éd. Victor- Havard, 1890–93.

Baron Haussmann, *Mémoires*, édition établie par F. Choay, Seuil, 2000.

Antoine Claude, *Mémoires de Monsieur Claude, Chef de la police de sûreté sous le second Empire* (1881), présentés par S. Goudemare, Arléa, 1999.

Duc de Persigny, *Mémoires du Duc de Persigny*, publiés par M. H. de Laire, Comte d'Espagny, ancien secrétaire du Duc, Plon, 1896.

Comte de Rambuteau, *Mémoires du Comte de Rambuteau*, publiés par son petit-fils, Calmann- Lévy, 1905.

久米邦武『米欧回覧実記』（岩波文庫版全五冊）岩波書店、一九七七〜八二年（原著一八七八〈明治十一〉年）

結核と居住環境
二十世紀前半のパリ

中野 隆生

問題の所在

結核という病は古くから人々を苦しめ、フランスではフティジ phthisie（労咳《ろうがい》）と呼ばれていた。医学界で病原菌説が台頭するなか、一八八二年にドイツのロベルト・コッホ（Robert Koch）によって結核菌が発見され、これ以降、テュベルキュローズ tuberculose（結核）との呼び名が定着していく。身体のあちこちで病変を起こす結核菌であるが、コッホの発見以前には、肺結核と、結核菌によって肺以外で引き起こされる症状は別のものと考えられていた。また、肺の炎症は結核菌にだけ起因するわけではないが、そうした原因の違いもしっかりとは認識されていなかった。結核であるとの認識に立つ疾病《しっぺい》情報はコッホの発見のあとになって確立してくるのである。

二十世紀に入っても結核は人々を悩ましつづけた。一九〇六年のパリ全市域における死亡者四万七〇〇〇人のうち、肺結核によるものは一万二〇〇〇人を占め、肺結核を除く呼吸器疾患、心臓疾患、癌の死亡者数（それぞれ七〇〇〇人、三五〇〇人、三〇〇〇人）を上回っていた。また、一八九四〜一九〇八年のパリの人口一〇万人当りの肺結核による死亡

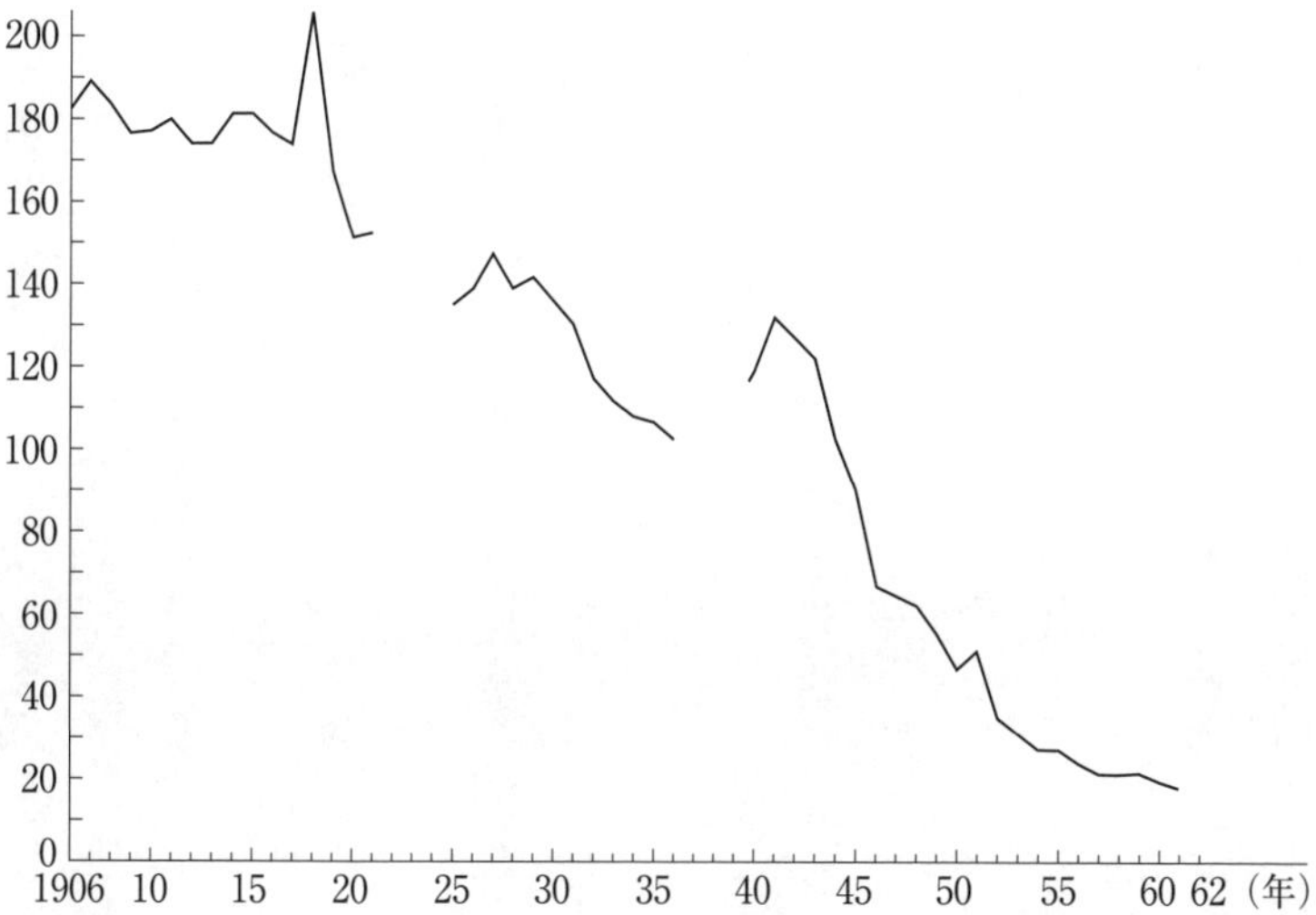

図1　フランスにおける人口10万人当りの肺結核による死亡者数

出典：Pierre Guillaume, *Du désespoir au salut: les tuberculeux aux 19e et 20e siècles*, Paris, Aubier, 1986, p. 153.

者は年平均で四二八人を数え、ロンドンの一六一人、ベルリンの二一一人、ウィーンの三一九人よりはるかに多かった。西欧のなかでパリは抜きん出て結核の蔓延《まんえん》する首都であった。その後の動向を、肺結核による死亡者に即して示せば、一九〇一年の一万六八五人、二一年の七〇七八人、三六年の四一一〇人と減少していく。二十世紀フランスにおける人口一〇万人当りの肺結核による死亡者数を図1で確認してほしい。肺結核がもっとも高い死亡率を示すのは一九一八年であるが、第一次世界大戦直後いったん急落し、やや戻したのち、緩やかな下降線を描くようになる。第二次世界大戦（一九三九～四五年）で死亡率は再び上昇するものの、すぐに明確な低下傾向を示すにいたる。なお、一九六二年からのちも二十世紀末へ向かって死亡率は一貫して低下しつづけていく。

　ところで、一九二五～七八年の呼吸器系結核による死亡率について、『一九二五～一九七八年のフランスにおける死亡の要因』という人口統計学的研究のなかで、ジャック・ヴァラン（Jacques Vallin）とフランス・メレ（France Meslé）は、一九四五年まで緩慢に下がっていた肺結核の死亡率が第二次世界大戦後には急下降するとして、それを抗生物質が登場したからだと記している。はたしてそうなのであろうか。また、以上のような肺結核の死亡率の推移(ことにその低下)は、なぜ生じたのであろうか。そこに都市や住宅のあり方は、どうかかわっていたのであろうか。これらの点について、二十世紀前半のパリを対象としつつ考察を加えていこう。

結核という病

冒頭で示唆したように、結核は多くの病者、死者を出した古くからの病である。ことに肺結核は罹患率も死亡率も高く、文字通り恐怖の病であった。二十世紀前半のパリについて、結核の予防、治療、療養が、どのような状態にあり、どう変化したのかを検討しよう。

結核菌が発見され、伝染することが証明されても、すぐさま結核への対策が整ったわけではもちろんない。結核が遺伝するとの見方は根強く、感染の病という認識は徐々にしか定着しなかった。よくわからない病だったのである。その結核が感染するとなれば、患者は、自宅などでの隔離を強いられ、社会的・経済的に悲惨な影響をこうむる。しばしば文学に描かれて結核には悲劇的でロマンティックなイメージがつきまとうが、じつは、人から顔をそむけられる、できれば隠したい病であった。現在の医学によれば、結核とは結核菌が引き起こす伝染病であり、飛沫や痰などを介して人から人へ感染する。感染したからといって必ずしも発症しないが、多くの結核菌を体内に取り込み、例えば肺が侵されると、咳、発熱、だるさ、痰といった症状があらわれ、やがて痰に血が混じって、ついには喀血《かっけつ》(肺や気管支からの出血)する。胸の痛みも起こる。必ずしも病状の進行は速くないが、喀血にいたると快復は難しい。

十九世紀以来の伝統を引き継ぐ医者たちが結核患者に勧めたのは、綺麗な空気(風通し、大気)、太陽の光(陽当たり、採光)、清潔な水など、衛生的な環境のなかに身をおきつつ、身体の防御力を高めるために、肺などの諸器官そして身体を休ませ、よい食事で栄養をとることであった。こうした点で、空気と太陽と水が保証され、また十分な休息や栄養をとれるサナトリウム(療養所)には好条件が備わっていた。

各種の結核の治療を目的とするサナトリウムは、十九世紀半ば、イギリスやドイツで先駆的に登場した医療施設である。十九世紀末には、イギリス・ドイツ以外の西欧諸国、アメリカ合衆国、日本などでもサナトリウムが開設された。フランスでは一八八〇年代に初の肺結核患者向けサナトリウムがパリ郊外に誕生し、二十世紀に入るや次々と新施設が建設された。一九一九年には各県一カ所のサナトリウム設置が法的に義務づけられた。

サナトリウムで患者たちは、良好な環境のなかで、都市や工業による汚染やストレスに満ちた社会から隔離され、また、澄んだ空気を吸って陽光を浴び、安静を保って休養し、栄養ある食事をとって、病状の改善に努めた。彼らは施設の課すスケジュールに沿って、治療のための毎日を送らなければならなかった。もっとも、完全な安静を求めるか若干の運動を認めるか、食事の内容をどうするかといった点には、医療関係者間に意見対立があり、試行錯誤は続いた。他方、感染を防ぐために結核患者を隔離することはサナトリウムの果たすべき必須の役割であったが、そのために患者は家族からも社会からも離れて孤独な生活を余儀なくされた。サナトリウムにいるからといって、必ずしもスムーズに快復するわけではなく、患者たちはさほどの希望もないままに隔離生活を続けるしかなかった。療養生活が長くなるほどに、職や収入や社会的立場、また人間関係は損なわれ、患者の孤立は深まった。しかも、たとえ治癒が告げられても再発の心配がつきまとっていた。もちろん、このような隔離に感染抑制の効果がなかったわけではない。

サナトリウムはまた外科的な治療がおこなわれる場でもあった。代表的な外科的治療は肺結核に施された虚脱療法であり、人工気胸術がよく知られている。合併症として肺結核患者に自然気胸が生じると、病巣からの排菌が減って好影響がでるところから、十九世紀末に試みられ始めた療法である。すなわち、肺を取り囲む膜(胸膜)は、肺の表面を包む臓側胸膜と胸の壁の内側を覆う壁側胸膜からなるが、臓側胸膜が破れて肺の空気が壁側胸膜とのあいだに流入し、これによって肺が圧迫され萎んだ状態(虚脱状態)になることがあり、この病気は気胸と呼ばれている。人工気胸術では、この気胸を、臓側と壁側の胸膜のあいだに空気を入れて人工的につくり出し、結核に侵された肺を虚脱させて、結核菌の広がりを抑えるのである。通例、週に一回は空気を補給しながら、少なくとも三年間は人工気胸を保ちつづける必要があった。一定の治療効果はあったとされるが、肺機能の損失は快復されないままであり、重篤《じゅうとく》な合併症をともなうこともありえた。また、二つの胸膜がなんらかの理由で癒着し、両者のあいだに空気を注入できない場合、何とか肺の虚脱を実現しようと、胸部成形術や骨膜外気胸術といった方法がとられた。肋骨切除をともなう胸部成形術では胸や脊椎が変形するため、切除のあとに合成樹脂球などが挿入された。骨膜外気胸術の場合、骨を包む骨膜を骨から剥離《はくり》させ、骨と骨膜のあいだにやはり合成樹脂球などを挿入した。ほかにも、結核ゆえに生じた肺のなかの空洞をカテーテルで吸引するなど、より直接的に病巣に迫る治療方法(直達《ちょくたつ》療法という)が一九三〇年代に提案され、やがて結核に起因する空洞の切開や肺の病巣の切除が実施されるにいたった。胸の痛みや息苦しさ、喀血といった症状を何とか和らげてもらおうと、肺結核の患者たちは外科的療法に救いを求めたが、ときに無視しがたい犠牲を強いられ、肉体的・精神的な苦痛を甘受しなければならなかった。しかも、全身麻酔技術の確立以前のことでもあり、これらの手術には危険がともなっていた。抗生物質の普及で安全の確保が容易になって以降、直達療法の外科的手術は一時的に増加したが、まもなく抗生物質の効用が知れわたると重篤な場合の例外的な治療方法となった。

　このような長期的な隔離による孤独や外科的療法にともなう苦痛は、患者やその家族、知合いに、結核への抜きがたい恐怖を植えつけた。結核への恐怖がいかに広く分かちもたれ、いかに手の打ちようのない病であったかは、生肉、狐の肺、生のカタツムリなどの摂取を勧める民間療法が流布した事実からもうかがうことができるであろう。

　結核予防のワクチンはどうなっていたのだろうか。十八世紀末にエドワード・ジェンナー(Edward Jenner)が種痘《しゅとう》を成功させ、結核菌発見直前の一八八一年にはルイ・パストゥール(Louis Pasteur)が炭疽菌《たんそきん》ワクチンを開発していたからには、結核予防に有効なワクチンが構想されなかったわけはない。コッホ自身、結核菌の培養液からツベルクリンを分離し、特効薬やワクチンとして有効である可能性を表明して社会的反響を呼んだ。しかし、ツベルクリン接種を受けた患者に重症化の事例が発生し、なかに死にいたる者まででて、期待を裏切ることになった。それでもワクチン開発が途絶することはなく多様な試みが展開され、そのなかから一九二〇年代には成果が生まれた。フランスのアルベール・カルメット(Albert Calmette)とカミーユ・ゲラン(Camille Guérin)が、人体にほぼ無害のワクチン、すなわちＢＣＧ(カルメット＝ゲラン桿菌《かんきん》)ワクチンを創製して、一九二一年のパリではじめて人に接種し予防効果を確認したのである。ＢＣＧの普及が図られて一九三〇年代ともなると、その有効性・安全性は国際的に承認された。ただ、本格的な普及と定着は第二次世界大戦後にずれ込み、フランスでもＢＣＧ接種が義務化されたのは一九五〇年のことである。

　結核の治療薬の開発ははるかに困難であった。一九二八年、イギリスのアレクサンダー・フレミング(Alexander Fleming)が抗生物質を発見してペニシリンと名づけたが、純粋なものの取出しに手間取り、第二次世界大戦中にようやく実用可能な段階に達した。ただ、ペニシリンは結核に有効ではない。はじめての抗結核効果をもつ抗生物質は、アメリカのセルマン・ワクスマン(Selman Waksman)の研究室で、一九四三年にアルバート・シャッツ(Albert Schatz)が抽出に成功したストレプトマイシンである。この抗生物質は一九四七〜四八年以降フランスでも用いられたが、だからといって、一般に広く普及して早々に結核が治せるようになったわけではない。ストレプトマイシンには、投与の仕方によってアレルギー反応などの悪影響があらわれ、時間の経過とともに効果が薄れるといった弱点も明らかになった。ストレプトマイシンの効かない耐性結核菌も早々に出現した。別の抗生物質との組合せで安定した効果を長続きさせることに成功したのは一九五〇年代半ばになってからのことである。しばらくは抗生物質よりも外科的治療を重んじる医療関係者が少なくなかったが、一九六〇年代ともなると、さすがに抗生物質の有効性を誰もが認めるようになった。

　結核がどのような病気なのか、また二十世紀前半に医療世界が結核にどう立ち向かったのかをみてきた。ここまでの知見を踏まえれば、第二次世界大戦の頃まで外科的療法も薬品も結核の予防や治療にめざましく役立っていたわけではない。にもかかわらず、第一次世界大戦中まで高い水準にあった結核死亡率が両大戦間期には低下していったのである。第二次世界大戦の初期にいったん死亡率が上昇したものの戦中には下降し始め、以後、その傾向は変わらなかった(図1)。ストレプトマイシンが一九四七~四八年にフランスで使われ始めたとすれば、一九二〇~四〇年代の結核死亡率の低下を抗生物質に帰着させることはできない。第二次世界大戦期以降の肺結核死亡率の低下を抗生物質のおかげとするヴァランやメレの指摘には一定の留保が必要なのである。抗生物質の登場より前からの療法、すなわち隔離、「大気、安静、栄養」の確保、サナトリウム、外科的療法といった医療行為の貢献の可能性を完全に退けることはできない。また、都市や住宅などにおける居住環境のあり方が結核死亡率の低下に寄与した可能性も忘れるべきではないであろう。ちなみに、全社会的な栄養状態は結核のあり方と無縁ではないが、ここで言及する余裕はない。他方、結核死亡率やワクチン普及率からして、集団免疫による死亡率低下を想定することは不可能である。

不衛生区画をめぐって

十九世紀末には民衆住宅の問題への社会的関心が高まり、これと併行するように結核に注目するデータの蓄積も進んだ。そして、首都パリにおける結核の広がりは居住環境と密接不可分な関係にあるとみなされ、結核死亡者の多さを、住民の年齢、性別、職業、出生地、あるいは居住の密度(一室当りの居住者数)、日照、通気などと関連づけて捉える試みが繰り広げられた。なかでも、ある種の建物に結核による死亡者が集中しているという指摘は注目を集めた。すなわち、パリ市域の建物三万九〇〇〇棟余りを死亡者(結核に限らないすべての死亡者)数を基準に分類すると、(1)四名以下が三万四〇〇〇棟、(2)五~九名が四五〇〇棟、(3)一〇名以上が八二〇棟となるが、このうち(1)の建物での結核死亡率が全市域のそれと同水準であるのに対し、(2)と(3)では二倍を超えるというのである。そこで、(2)や(3)の建物における結核死亡者の多さをめぐって、居住環境の劣悪さが問題視された。日当りや風通しが悪く、かつ狭い住戸や部屋からなる建物、高い建物なのに中庭がなく、接道も狭くて、陽光はささず通気もよくない街区、そうした居住環境が結核蔓延を招いているというのである。ここでは、個々の建物のみならず街区へも視線が向かっていることに注意したい。加えて、貧困、飲酒、流動人口(不衛生だとされていた)、住民の不道徳などが結核の広がる副次的な要因とみなされた。少なからず偏見のはらまれた見方であったが、これらの情報を踏まえつつ、一九〇六年、パリ市議会は市域内六カ所(家屋一五八四棟、住民五万九〇〇〇人余り)を結核死亡率の高い区域に指定した。これが不衛生区画(îlots insalubres)である。なお、不衛生区画の指定はフランス特有の政治状況のなかで実現した施策であるが、本稿では立ち入らないことにする。

不衛生区画と指定された区域を解消するには、土地の収用、家屋の取壊し、住民の住替え、家屋の再建といった事業が不可欠であり、地主、建設業者、住民、公権力など、利害関係者間の調整が不可欠であった。例えば、個々の家屋ごとに土地を収用し解体を進めるのか、不衛生区画全体を収用して一挙に取り壊すのか。後者なら、取壊しで住まいを失う人々の転居先をどうするかという課題が一気に浮上する。家屋を個別に収用して更地にし、建設業者に売却するという手もあるが、解体、整地、住替えなどの経費は誰が負担するのか、この点についてセーヌ県やパリ市、地主や建設業者などのあいだでルールを定めるのは容易ではない。困難な課題が山積して不衛生区画の解消はなかなか進まなかった。

こうしたなかで、公益(utilité publique)という概念が重みを増した。一九一五年、公益の考え方を踏まえつつ、環境浄化や予算軽減などの事項を盛り込んだ収用法が成立し、これを受けて、不衛生区画を定める際にパリ市議会は、セーヌ県知事の任命する衛生審議会(医師、獣医師、建築家、エンジニアで構成)の意見を尊重することとなった。他方、土地・家屋の収用補償は、不動産としての価値から衛生化にかかる費用を差し引いた金額とされたが、衛生審議会による不衛生の判定が区域の全体を対象としたのに対し、収用をめぐる評価は個別の土地・家屋ごとにおこなわれたから、両者間に

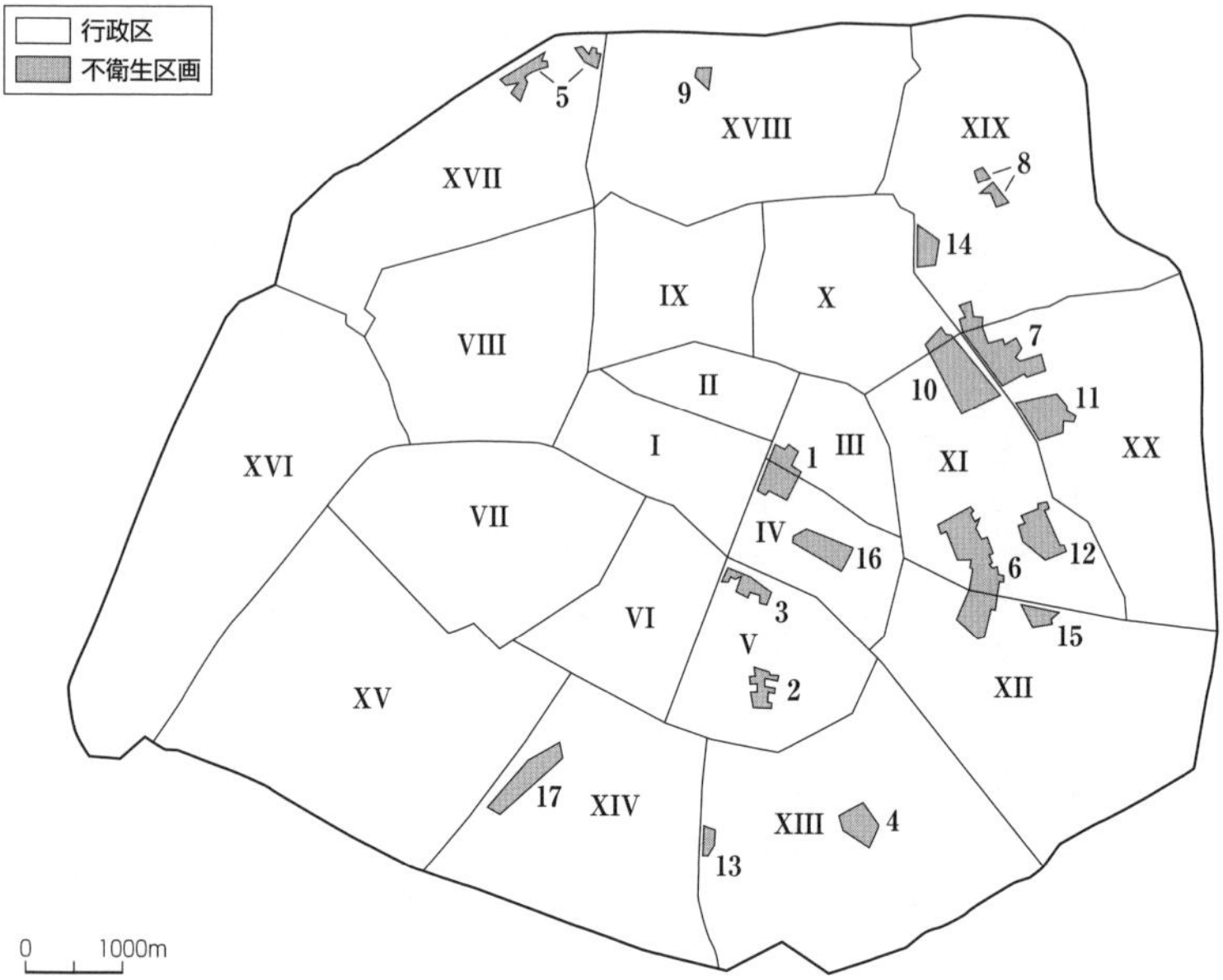

図2　1920年に指定されたパリの不衛生区画　アラビア数字は不衛生区画を，ローマ数字は行政区を示す。
出典：Jacques Lucan (éd.), *Eau et gaz à tous les étages. Paris, 100 ans de logement*, Paris, Editions du Pavillon de l'Arsenal/Picard, 1992, pp. 84–85; Isabelle Backouche, *Paris transformé. Le Marais 1900–1980*, Paris, Créaphis, 2016, p. 6などをもとに筆者(中野)作成。

は食違いがあった。そこから摩擦や対立が生じることもありえた。さらに、解体などの事業の公益性の判断と補償額の決定は知事の委託する専門家三名（うち一名は収用対象地所有者からの推薦）に委ねられたが、相変わらず収用予定地所有者の要求が反映されやすく、補償額高騰《こうとう》の余地は大きかった。

ところで、不衛生区画の解体で住居を失う人々のための代替住宅を用意するのは、不衛生区画の跡地においてなのか、郊外など別のところにおいてなのか。住宅の新築、確保には経費がかさむが、家賃が高ければ貧しい人たちは入居できないのではあるまいか。これらの点、実際にはどうだったのであろうか。両大戦間期に完全に建て替えられた第九不衛生区画ではほとんどの住民が建替え後の新住棟に入居したが、徐々に解体が進んだ第一不衛生区画の場合には、もとの住民の一五％は市域の低廉住宅ＨＢＭに入居し、残りは木賃宿や安ホテルに移ったという。つまり、不衛生区画の解体、建替えが、ときに流動人口を増やし、居住環境を悪化させることもあったのである。

このように幾多の問題が想定できたにもかかわらず、パリ市議会は、一九二〇年、不衛生区画を一七カ所に増やし、旧来からの不衛生区画のいくつかについて、その範囲を広げた（家屋四二九〇棟、住民一八万六五九四人）。しかし、当面する課題の解決は難しく、一九三〇年代後半に収用補償の軽減などの動きがでてきたとはいえ、不衛生区画の解消は順調に進まなかった。両大戦間期に解体、再建が完了したのは、繰り返すが、ペストの発生した第九不衛生区画だけなのである。確かに、第一不衛生区画の解体は進行していた（一九七〇年代のポンピドゥー・センター完成で再建完了）が、それ以外は第二区画、第四区画、第一一区画のほんの一部が取り壊されるにとどまった。世界恐慌の影響下に混乱や紛争があいついだこともあろうか、結局、不衛生区画すべての解消には程遠い状態で第二次世界大戦を迎えるしかなかった。

ところで、一九三〇年代後半から、不衛生区画の全域について収用・整備をおこなう公衆衛生の立場と、不衛生区画内の部分ごとに実施するという歴史遺産保全の立場が対立する事態が生じていた。他方で不衛生区画解体のあとは緑地にすべきだという主張もあった。第二次世界大戦中のドイツ軍占領期に統治を担ったヴィシー政権のもと、一九四一年十月二十五日、不衛生区画の全域を収用し、住宅と緑地のバランスある整備を促す法が制定された。これを受けて、第一六衛生区画では、歴史的建造物に配慮し、住民の住替えにも目配りしながら、建築家三名を登用しての不衛生区画の整備が本格化していく。そこでは、不衛生区画全域の収用、整備を基本としつつ、また居住者の住替えへ配慮しながら、かつてなく明瞭に公益を反映したパリ市の整備方針が貫かれることとなる。

一九四〇年代パリの居住環境――『パリの住宅問題に関する資料』が示唆するもの

一九四四年八月二十六日、フランス共和国臨時政府首班シャルル・ド・ゴールは、レジスタンス指導者などとともにシャンゼリゼ大通りを行進し、ナチ支配から解放されたパリ市民の歓迎を受けた。喜びに沸いたパリは、しかし、一九四〇年代をとおして、数々の矛盾、とりわけ空前の住宅危機に苦しまなければならなかった。はたして、一九四〇年代のパリの居住環境はどのような状態にあったのであろうか。一九四六年に刊行された冊子『パリの住宅問題に関する資料』(以下、『パリの住宅問題』と略記)に基づきながら、結核関連の事項には特段の注意を払いつつ、検討を試みることとしよう。

この冊子は、「フランス共和国・国民経済省・国民統計局・一般統計部」という政府機関によって編纂されている。一九四〇年六月、ドイツに軍事的敗北を喫したフランスでは、フィリップ・ペタンを首班とする政権が成立した。ペタンはドイツとの休戦を受け入れ、七月にはフランス中部のヴィシーへと政府を移して、まもなく第三共和政に代わるフランス国家 État français の首席に就任した(ヴィシー政権)。これにともなって、一九四一年、第三共和政下のフランス一般統計局SGFは新設の国民統計局SNSに吸収された。『パリの住宅問題』を編纂したのはこの国民統計局である。ヴィシー政権は伝統的な価値を称揚し対ドイツ協力を推進する一方で経済近代化に努めたが、ドイツ軍が連合国軍に敗れて敗走するなか、一九四四年八月に崩壊した。したがって一九四六年に国民統計局はフランス共和国臨時政府のもとにあったが、『パリの住宅問題』の刊行を最後に国立統計経済研究所ＩＮＳＥＥに取って代わられた。『パリの住宅問題』では、一九一四年以降の住宅関連法令の確認、パリにおける家賃、健康衛生、人口動態の検討、住宅建設を取り囲む諸条件の分析がなされ、四〇年代半ばの住宅供給が展望されている。首都の住宅危機の解決に寄与することを念頭においた統計的な調査研究であり、その一環として居住環境や都市衛生も検討の対象とされた。

さて表1(次頁)をみよう。パリの不衛生区画ごとに、人口一〇〇〇人当りの結核死亡者数を一九二一年と三六年について示すものである。一九二〇年に指定された不衛生区画一七カ所が、パリの全二〇区(一八六〇年から今日までパリ市域は、行政上、第一区から第二〇区に分かれている)のうち、どこに位置するかを表中に明示したが、第一区画、第六区画、第七区画、第一〇区画は二つの行政区にまたがっていた。第九区画が早々に解体されたことはすでに述べた。

一九二一～三六年の変化について二点だけ指摘しよう。まず、両大戦間期、人口一〇〇〇人当りの結核による死亡者数は全市域で減少傾向にある。不衛生区画でも、第三区画、第一〇区画以外の区画では死亡者数は減少しており、第二区画、第一三区画、第一区画、第一二区画で減り方が著しい。次に、結核死亡者数が全市域のそれを下回った不衛生区画は、一九二一年の第一〇区画のみであり、三六年には全市域での結核死亡者数(一九三八年の数値)を下回る不衛生区画は一カ所もない。不衛生区画における結核死亡者数はそれ以外の地区より多いが、それら不衛生区画も含め、パリ全市域で一〇〇〇人当りの結核死亡者は減っている。結核による死亡と居住環境のあいだには一定の相関性を想定できそうである。ちなみに、癌についても同様の調査がなされているが、居住環境との相関性はまったく見出せない。

残念ながら、不衛生区画に関する直接的な数値はここまでしかない。そのため、これからは市域の行政区に関するデータを駆使して考察を続ける。まず比較的早くから指標として使われてきた居住の密度について確認しよう。十九世紀末から二十世紀劈頭《へきとう》のパリで四〇%前後を占めた過密 surpeuplés(一部屋に二人以上の居住者)と高密度 insuffisants(一部

表1　パリ市域内の不衛生区画における結核死亡者　（人口1000人当り）

不衛生区画	行政区	死亡者（1921年）	死亡者（1936年）	増減
1	3，4	5.5	3.3	−2.2
2	5	7.4	3.5	−3.9
3	5	3.9	3.9	±0
4	13	4.2	3.6	−0.6
5	17	3.7	3.1	−0.6
6	11，12	4.1	2.3	−1.8
7	19，20	4.6	2.7	−1.9
8	19	4.0	2.5	−1.5
9	18	5.1	（1920年代半ばに解体）	—
10	10，11	2.8	2.8	±0
11	20	4.9	3.5	−1.4
12	11	4.5	2.0	−2.5
13	13	6.5	2.5	−4.0
14	19	3.7	2.3	−1.4
15	12	4.1	2.7	−1.4
16	4	3.5	2.9	−0.6
17	14	3.5	1.7	−1.8
全不衛生区画		4.2	2.7	−1.5
全市域		2.86	1.55（1938年）	−1.31

出　典：*Documents sur le problème du logement à Paris*, 1946, p. 91 (tableau LXVII) より筆者（中野）作成。

屋に一人より多く二人未満の居住者）を合わせた住居（人数ではない）の割合は、一九一一年に三八％、二六年に三七％、三六年に三二％と落ちていく。他方、不衛生区画のある行政区のほうがない行政区よりも、過密、高密度の住居の住民（家屋ではない）は多い傾向にある。ことに第一九区、第一三区、第二〇区ではその傾向が著しい。居住の密度という居住環

表2　パリ市の各行政区における結核死亡者　（人口1000人当り）

行政区	不衛生区画	結核死亡者(1921年)		結核死亡者(1938年)		結核死亡者の増減	
		結核	うち肺結核	結核	うち肺結核	結核	うち肺結核
第1区	無	2.33	1.97	1.38	1.25	−0.95	−0.72
第2区	無	2.79(*)	2.40	2.03	1.82	−0.76	−0.58
第6区	無	2.19	1.78	1.16	1.01	−1.03	−0.77
第7区	無	1.88	1.50	0.92	0.75	−0.96	−0.75
第8区	無	1.05	0.88	0.61	0.49	−0.44	−0.39
第9区	無	1.59	1.33	0.97	0.81	−0.62	−0.52
第15区	無	3.24	2.70	1.69	1.48	−1.55	−1.22
第16区	無	1.33	1.10	0.71	0.51	−0.62	−0.59
第3区	1	2.95	2.67	1.86	1.61	−1.09	−1.06
第4区	1，16	3.80	3.33	2.20	1.97	−1.60	−1.36
第5区	2，3	3.00	2.51	1.45	1.28	−1.65	−1.23
第10区	10	2.77	2.44	1.64	1.38	−1.13	−1.06
第11区	6，10，12	3.45	3.01	1.65	1.50	−1.80	−1.51
第12区	6，15	2.96	2.43	1.48	1.25	−1.48	−1.18
第13区	4，13	4.24	3.53	1.89	1.71	−2.35	−1.82
第14区	17	3.41	2.92	1.78	1.61	−1.63	−1.31
第17区	5	1.92	1.65	1.02	0.84	−0.90	−0.81
第19区	7，8，14	3.84	3.38	1.90	1.59	−1.94	−1.79
第20区	7，11	3.97	3.42	2.32	2.05	−1.65	−1.37
第18区	9(1920年代半ばに解体)	2.88	2.44	1.72	1.48	−1.16	−0.96
全市域		2.86	2.43	1.55	1.34	−1.31	−1.09

(＊)　原表では2.15。原表にある結核死亡者数から算定し修正した。
出典：*Documents sur le problème du logement à Paris*, 1946, pp. 89–90 (tableaux LXIV, LXV) より筆者(中野)作成。

境のあり方が結核の感染をある程度左右した可能性は否定しきれない。

次に表2である。パリ市域の各行政区における人口一〇〇〇人当りの結核死亡者数に、肺結核のみによる死亡者数を付け加えておいた。また、不衛生区画のない八つの行政区、不衛生区画がある一一の行政区をまとめて列挙し、一七年間の死亡者数の増減を行政区ごとに記した。なお、一九二〇年代半ばに不衛生区画が解体された第一八区は以下の考察からはずそう。

第一に指摘すべきは、一九二一年に比べ三八年には、結核死亡者がすべての区で減少していることである。もちろん区によって減り方は同じではない。両極端を例にとれば、一九二一年に結核死亡者が四・二四人ともっとも多かった第一三区では、三八年には一・八九人と急減し、代わって三・九七人で二番目の多さだった第二〇区が二・三二人という最多を記録している。一方、一九二一年に一・〇五人でもっとも少なかった第八区は一七年後も〇・六一人とやはり最少である。行政区別の結核死亡者数の最大値と最小値の差は一七年間で縮小し、全般的にいって、行政区ごとの死亡者数は接近している。第二に、不衛生区画の有無は、多少なりとも各行政区の死亡者数を左右しており、不衛生区画のない行政区の死亡者数は全市域の数値より小さく、不衛生区画のある行政区のそれは大きくなる傾向にある。ただし、不衛生区画のない第二区と第一五区、それがある第一二区と第一七区は、そうした傾向に反している。第三に、結核死亡者の減り方は、不衛生区画のある行政区のほうがない行政区よりも大きい。起点となる一九二一年の死亡者が少なければ減少の余地は小さいから、第八区、第九区、第一六区で減少が小さいのは当然であろう。逆に、死亡者の多さがめだっていた第一三区では明らかに大幅な減り方が認められる。ところが、同じく死亡者の多かった第二〇区はそれほどでもない。なぜ不衛生区画が存在し、結核死亡者の多かった第一三区で、顕著な死亡者の減少が生じたのに、同じような状況だった第二〇区では生じなかったのであろうか。

一九四〇年頃のパリ市域各行政区の建物について、整備の悪い(malentretenus)建物の割合を示したデータがある。屋外と屋内とに分けて割合が示されているが、双方の差は小さく無視して大過ないであろう。人々の生活により密接にかかわる屋内整備の数値に即して考察を続けよう。また、第一三区と第二〇区を比較しつつ論点の明確化に努めよう。ともに不衛生区画をかかえる第一三区と第二〇区であるが、一九二一年の結核死亡者は、第一三区で人口一〇〇〇人当り四・二四人と全二〇区中の最多、第二〇区では三・九七人とそれに次ぐ多さである(ともに全市域での二・八六人を大きく上回る)。一方、一九三八年についていえば、第一三区で一・八九人、第二〇区で二・三二人と、両者の数値は逆転し、第二〇区が全二〇区のなかでもっとも大きくなっている(いずれも全市域の一・五五人よりは多い)。つまり、第一三区の死亡者の減少は第二〇区よりも著しい。ここで屋内整備の悪い建物の比率を参照すれば、第一三区で一五・七二%、第二〇区で二二・二一%であり、第二〇区の劣悪な整備状態にある建物の比率は、相変わらず全市域の一七・五四%より大きいが、第一三区の場合には全市域の数値を下回っている。どこまで整備状態が結核死亡者数を左右したかはわからないし、不衛生区画のある行政区がない行政区よりもつねに屋内整備が劣悪というわけでもないが、それでもしかし、不衛生区画内において、また不衛生区画をかかえる行政区内において、住居の整備に努めることが居住環境の改善につながり、結果的に結核の感染を阻む効果をもった可能性は捨てきれないのである。

フランスの二十世紀前半は居住や生活に直結する設備が大衆化した時代である。これら住宅諸設備についても、一九四〇年頃の市域各行政区における普及状況のデータがある(調査対象は全市域八万四〇〇〇棟)。取り上げられている諸設備のうち、水道、ガス、電気は、全二〇区において、ほぼすべての建物に普及していた。ただ、第一三区、第二〇区の普及率は八九〜九六%とやや低い。他方、下水設備には全市的にもう少し普及の余地があったものの、第二〇区以外では九割以上の建物に備わっていた。これに対し、暖房とエレベーターのある建物は全市域ではそれぞれ二六・二五%、一四・六六%にすぎず、むしろ第八区や第一六区における六二〜七三%(暖房)、四一〜五八%(エレベーター)という高い普及度が目につく。第一三区と第二〇区は各種設備の普及が、全二〇区のなかでも遅れていた。こうした設備面での遅れは、整備の良し悪しとは別の意味で、第一三区や第二〇区における居住環境に影を落としたのではあるまいか。ただ、地区ごとに明らかな違いがあったとはいえ、パリの各所で諸設備の普及度は着実に高まりつつあった。

結びと展望

結核菌の発見にもかかわらず、半世紀余りのあいだ、結核に直接的な効果がある療法や薬品はあらわれなかった。外科的療法による治癒は期待できず、そこには大きな危険さえともなっていた。サナトリウムでの療養も患者に長期間の孤独、孤立を強いて、癒しがたい苦痛を与えていた。結核に有効なワクチン、抗生物質の普及や定着はともに一九五〇年代以降へずれ込んだ。それにもかかわらず、フランスの首都パリでは、第二次世界大戦以前から一貫して結核による死亡者は減少しつづけていたのである。その要因の一つを諸療法の成果に求めてもよかろう。ことにサナトリウムでの療養は、患者の隔離という点において、結核の感染拡大に対する抑制効果をもったはずである。他方において、不衛生区画の解消、良好な住宅整備、住宅設備の充実、居住密度の緩和など、居住環境の改善も結核の抑制に貢献していたことであろう。パリでは全市域にわたって結核死亡者の減少が生じ、歳月を重ねるごとに、不衛生区画とそれ以外の区域の死亡者数の差は縮小し、あえて不衛生区画を指定する意義は薄れていった。それでもしばらくは不衛生区画の解消を誰しも結核の抑止に有益であると捉えていたが、しかし、五〇年代後半以降、結核に効果的な抗生物質の使用が一般化するにつれて、公益のために効率的な都市開発を求める声が高まり、居住環境の改善はその一環として実現されるようになった。このようにして、多面的な都市開発の急展開を好意的に受容し、さらなる発展を促す社会的条件が広く深く醸成されたのである。

参考文献

Isabelle Backouche, *Paris transformé. Le Marais 1900–1980. De l'îlot insalubre au secteur sauvegardé*, Paris, Créaphis, 2016.
Jean-Pierre Bardet et al., *Peurs et terreurs face à la contagion*, Paris, Fayard, 1988.
Yankel Fijalkow, *La construction des îlots insalubres. Paris 1850–1945*, Paris, L'Harmattan, 1998.
Pierre Guillaume, *Du désespoir au salut: les tuberculeux aux 19e et 20e siècles*, Paris, Aubier, 1986.
Paul Juillerat, *Une institution nécessaire. Le casier sanitaire des maisons*, Paris, Jules Rousset, 1906.
Jacques Lucan (éd.), *Eau et gaz à tous les étages. Paris, 100 ans de logement*, Paris, Editions du Pavillon de l'Arsenal/ Picard, 1992.
Ambroise Rendu, *Rapport sur l'assainissement des îlots insalubres de Paris*, Conseil municipal de Paris, 1909.
République française. Ministère de l'économie nationale. Service nationale des statistiques. Direction de la statistique générale, *Documents sur le problème du logement à Paris*, Paris, Imprimerie Nationale, 1946.
Béatrice Touchelay, «La Société de statistique de Paris et les fondations de l'expertise du service central de la statistique publique (1936–1975)», *Journ@l Electronique d'Histoire des Probabilités et de la Statistique*, vol. 6, no. 2, décembre 2010.
Jacques Vallin et France Meslé, *Les causes de décès en France de 1925 à 1978*, Paris, INED/ PUF, 1988.
荒井他嘉司「外科手術」『結核』八六巻六号、二〇一一年、六一七〜六二一頁
大森弘喜『フランス公衆衛生史――19世紀パリの疫病と住環境』学術出版会、二〇一四年
中野隆生『プラーグ街の住民たち――フランス近代の住宅・民衆・国家』山川出版社、一九九九年
中野隆生「現代パリの都市空間――展開の諸相」『都市史研究』七号、二〇二〇年、九〇〜一〇〇頁
山本太郎『疫病と人類――新しい感染症の時代をどう生きるか』朝日新書、二〇二〇年

あとがき

学習院大学文学部史学科では、専任教員たちにより、過去に二度共同の文集を編んだ。一度目は二〇〇一年刊の『歴史遊学——史料を読む』、二度目は二〇一一年刊の『〔増補〕歴史遊学』であり、それぞれ史学科の設立四〇周年、五〇周年という節目を迎えての出版であった。そしてこのたび、史学科の設立六〇周年を記念して、三度目の共同文集として、『新・歴史遊学——覚える歴史学から考える歴史学へ』を刊行する運びとなった。

史学科では設立以来の研究教育の一貫した方針として、史料に対する真摯な姿勢を重んじている。最初の『歴史遊学』に「史料を読む」という副題が付されているのもその表れである。また、高等学校までの歴史教育が、さまざまな工夫を凝らしつつも知識の伝授との関係上どうしても「覚える歴史学」という側面を拭いきれないなか、大学では「考える歴史学」という意識をもって学びを進めてほしいと史学科の教員たちは願っている。『歴史遊学』は今日まで大学で歴史学を学ぶ学生に読まれることを意識したつくりとなっているが、そうした姿勢は、歴史学に関心をいだく一般の方々にも好評で、このたび三度目の刊行が可能になった次第である。

前回の『〔増補〕歴史遊学』の刊行から約一〇年の月日が流れた。その間、「史料」と「考える歴史学」については、現代社会のあり方ともおおいに関連して、いっそうの重要性をもつようになったと思われる。巷では、公文書の隠蔽《いんぺい》、改竄《かいざん》、誤廃棄、不適切な公開拒否などの話題が繰り返される。学習院大学においては、二〇〇八年に大学院人文科学研究科にアーカイブズ学専攻が開設され大学院生を受け入れつづけている。記録を守り記憶を伝えることを使命とするこの学問分野は、いうまでもなく歴史学と深い関わりをもち、近年、史学科の学部生はアーカイブズ学科目も必修として学ぶようになった。本書ではアーカイブズ学専攻専任のお二人の教員にも文章を寄稿していただき、歴史学を学ぶ意義を一段と深めて考えられる機会を読者に提供できるものになっている。

情報管理の切実性に加え、現代社会に生きる我々を悩ませるものとして、信頼できない情報の波のなかに我々が否応なしにさらされている現実もある。フェイクニュース、ウィキペディアのように事実を含んでいても匿名性ゆえに虚偽で無責任な記述をともなうことを否定しきれない身近な情報入手手段、SNSなどによる発信元の不明な情報の連鎖などに囲まれ、我々はつねに情報に対する自分の意識を問われつづけている。学問の世界においても、情報通信技術の進展により、確固たる情報を入手しきちんと解析する能力を磨くことに関し、便利さと同時に正確さや曖昧さを問われることが増えた。真に学術論文といえるものもそうでないものも含め、ウェブ上にて一見して学術的なスタイルの雰囲気を漂わせる情報、全体像が示されることのない断片的な情報に接することも少なくない。加えて情報の解析においても、コピー&ペーストの容易さ、能力の高い翻訳ソフトの利用なども含め、自分の力で情報とその内容を精査せずに緩い思考にて満足しかねない状況も危惧される。

こうした現状のなか、あらためて、学習院大学文学部史学科が創設以来の研究教育上の伝統として掲げている実証史学を学ぶことの重みを学生たちにも、そして一般の読者にも感じてもらえればと思う。本書にはさまざまなスタイルの文章が含まれている。歴史学の素材としてのおもしろさである異世界を扱うこと自体への興味関心、時代の変化を感じる視点、現代社会の切実な問題意識に基づいて歴史世界を見ることの重要性といった観点が本書のさまざまな文章のなかに見出せるのはいうまでもない。各教員が自身の専門分野を舞台に史料を題材にしつつ描く世界のおもしろさを読者は堪能できるであろう。また、本書には史料調査や史料管理も含め、史料に接すること自体を取り上げた文章も少なくない。歴史家の作業の一端を垣間見ることにより、読者も、史料にふれ、史料を吟味して検討を加え、そこにあらわれる内容をさまざまな情報と観点から付き合わせて再考する作業に思いをめぐらせ、自らの情報に対する感性を磨き、自らの解析力と判断力を高めることを望む。歴史学を学んでそうした感覚を身につけられれば、それは生涯にわたる自身の財産となりうるだろう。本書がその一助となることを切に願う。

史学科では、『〔増補〕歴史遊学』の刊行以降、井上勲、堀越孝一の両先生が鬼籍に入られた。謹んでご冥福をお祈り申し上げます。そして福井憲彦、高埜利彦、中野隆生、鶴間和幸先生が定年を迎え退職なされ、新たに佐藤雄介、工藤晶人、海老根量介先生が着任された。本書には史学科の現職専任教員・退職教員による一五の文章が収められている。福井憲彦・高埜利彦の両先生には旧稿の再掲載をご快諾いただいた。その他の一三の文章は、すべて新規書き下ろしとなっている。

最後に、三回目となる『歴史遊学』の出版の労を快く引き受けてくださった山川出版社とその編集部、とりわけ本書の編集を担当された史学科の卒業生でもある福嶋正義さんに大変お世話になった。「全国に読者がいますよ」との福嶋さんの言葉は、執筆陣の励みにもなった。出版社のご厚意が実を結び、歴史学を学ぶことに興味をもつ高校生、大学生、一般読者に本書のメッセージが広く伝わることを願いつつ、心より御礼申し上げたい。

二〇二一年七月

亀長 洋子

の復国問題について」(『史学雑誌』125編 1 号, 2016年),「秦漢の社会と「日書」をとりまく人々」(『東洋史研究』76巻 2 号, 2017年)

鶴間　和幸　つるま　かずゆき
1950年生まれ。専門分野：中国古代(秦漢)史
主要著書　『始皇帝陵と兵馬俑』(講談社学術文庫, 2004年),『秦帝國の形成と地域』(汲古書院, 2013年),『人間・始皇帝』(岩波新書, 2015年),『始皇帝の地下宮殿――隠された埋蔵品の真相』(山川出版社, 2021年)

武内　房司　たけうち　ふさじ
1956年生まれ。専門分野：東洋近代史
主要著書・論文　『中国近代の民衆宗教と東南アジア』(編, 研文出版, 2021年),『越境する近代東アジアの民衆宗教――中国・台湾・香港・ベトナム, そして日本』(編, 明石書店, 2011年),「ヴェトナム国民党と雲南――滇越鉄路と越境するナショナリズム」(『東洋史研究』69巻 1 号, 2010年)

島田　　誠　しまだ　まこと
1955年生まれ。専門分野：西洋古代史
主要著書　『古代ローマの市民社会』(世界史リブレット 3, 山川出版社, 1997年),『コロッセウムからよむローマ帝国』(講談社選書メチエ162, 1999年)

亀長　洋子　かめなが　ようこ
1965年生まれ。専門分野：西洋中世史, イタリア・地中海史
主要著書・論文　『中世ジェノヴァ商人の「家」――アルベルゴ・都市・商業活動』(刀水書房, 2001年),『イタリアの中世都市』(世界史リブレット106, 山川出版社, 2011年),「コンスタンティノープル陥落直後における居留民の行動と心性――中世ジェノヴァ人公証人登記簿の分析より」(川分圭子・玉木俊明編『商業と異文化の接触――中世後期から近代におけるヨーロッパ国際商業の生成と展開』吉田書店, 2017年)

工藤　晶人　くどう　あきひと
1974年生まれ。専門分野：西洋近代史, 比較史
主要著書　『地中海帝国の片影――フランス領アルジェリアの19世紀』(東京大学出版会, 2013年),『両岸の旅人――イスマイル・ユルバンと地中海の近代』(東京大学出版会, 近刊)

福井　憲彦　ふくい　のりひこ
1946年生まれ。専門分野：フランスおよびヨーロッパ近現代史
主要著書　『ヨーロッパ近代の社会史――工業化と国民形成』(岩波書店, 2005年),『近代ヨーロッパの覇権』(講談社学術文庫, 2017年),『歴史学入門　新版』(岩波テキストブックス, 2019年)

中野　隆生　なかの　たかお
1949年生まれ。専門分野：フランス近現代史
主要著書・論文　『プラーグ街の住民たち――フランス近代の住宅・民衆・国家』(山川出版社, 1999年), “La construction d'une cité-jardin dans la banlieue de Paris: Suresnes, 1918-1956” (Emmanuel Bellanger et al., *Genres Urbains. Autour d'Annie Fourcaut*, Paris, Créaphis, 2019),『フランスの歴史を知るための50章』(共編, 明石書店, 2020年)

執筆者紹介(執筆順)

鐘江　宏之　かねがえ　ひろゆき
1964年生まれ。専門分野：日本古代史
主要著書　『地下から出土した文字』(日本史リブレット15, 山川出版社, 2007年),『全集日本の歴史３律令国家と万葉びと』(小学館, 2008年),『大伴家持』(日本史リブレット人010, 山川出版社, 2015年)

家永　遵嗣　いえなが　じゅんじ
1957年生まれ。専門分野：日本中世史
主要論文　「室町幕府と「武家伝奏」・禁裏小番」(『近世の天皇・朝廷研究』５号, 2013年),「光厳上皇の皇位継承戦略と室町幕府」(桃崎有一郎・山田邦和編『室町政権の首府構想と京都』文理閣, 2016年),「伊勢貞親と細川勝元――連繫とその破綻の実態をみる」(『戦国史研究』73号, 2017年)

高埜　利彦　たかの　としひこ
1947年生まれ。専門分野：日本近世史
主要著書　『近世日本の国家権力と宗教』(東京大学出版会, 1989年),『江戸幕府と朝廷』(日本史リブレット36, 山川出版社, 2001年),『近世の朝廷と宗教』(吉川弘文館, 2014年)

佐藤　雄介　さとう　ゆうすけ
1980年生まれ。専門分野：日本近世史
主要著書・論文　『近世の朝廷財政と江戸幕府』(東京大学出版会, 2016年),「近世後期の公家社会と金融」(『日本史研究』697号, 2019年),「嘉永期の朝幕関係」(藤田覚編『幕藩制国家の政治構造』吉川弘文館, 2016年)

千葉　　功　ちば　いさお
1969年生まれ。専門分野：日本近代史, 記録アーカイブズ研究
主要著書・訳書　『旧外交の形成――日本外交一九〇〇～一九一九』(勁草書房, 2008年),『桂太郎――外に帝国主義, 内に立憲主義』(中央公論新社, 2012年), マーガレット・メール『歴史と国家――19世紀日本のナショナル・アイデンティティと学問』(共訳, 東京大学出版会, 2017年)

下重　直樹　しもじゅう　なおき
1981年生まれ。専門分野：日本近現代史, 記録アーカイブズ研究
主要著書・論文　『資料　現代日本の公文書管理とアーカイブズ』第Ｉ期(監修・解題執筆, 柏書房, 2021年),「戦後日本における公文書管理システムの形成――行政運営改善をめぐる規範・組織・人間」(日本行政学会編『コンプライアンスと公文書管理』ぎょうせい, 2020年),「「現代記録史料学」の必要性とその課題――電子公文書の管理をめぐって」(『歴史学研究』987号, 2019年)

保坂　裕興　ほさか　ひろおき
1962年生まれ。専門分野：アーカイブズ学, 日本近世史
主要論文　「アーカイブズと歴史学」(『岩波講座日本歴史　史料論』第21巻, 岩波書店, 2015年),「アーカイブズと文化情報」(国文学研究資料館史料館編『アーカイブズの科学』上巻, 柏書房, 2003年)

海老根　量介　えびね　りょうすけ
1984年生まれ。専門分野：中国古代史
主要論文　「「盗者」篇からみた「日書」の流通過程試論」(『東方学』128輯, 2014年),「春秋中～後期の申

新《しん》・歴史遊学《れきしゆうがく》——覚《おぼ》える歴史学《れきしがく》から考《かんが》える歴史学《れきしがく》へ

2021年10月20日　第1版第1刷印刷　　2021年10月30日　第1版第1刷発行

編　者——学習院大学文学部史学科《がくしゅういんだいがくぶんがくぶしがくか》

発行者——野澤武史

発行所——株式会社山川出版社

〒101-0047　東京都千代田区内神田1-13-13

電話　03(3293)8131(営業)　03(3293)8135(編集)

https://www.yamakawa.co.jp　　振替　00120-9-43993

印刷所——株式会社プロスト

製本所——株式会社ブロケード

装　幀——長田年伸

ISBN 978-4-634-59121-9